TEATRO HISPANOAMERICANO

Tres piezas

Teatro Hispanoamericano

Tres piezas

EDITED BY

Frank N. Dauster

Rutgers, The State University

UNDER THE GENERAL EDITORSHIP OF

ROBERT G. MEAD, JR. *University of Connecticut*

HARCOURT, BRACE & WORLD, INC.   *New York   Chicago   Burlingame*

© 1965 by Harcourt, Brace & World, Inc.

Library of Congress Catalog Card Number: 65–14283

Printed in the United States of America

ACKNOWLEDGMENT The editor wishes to thank the following for permission to reprint the plays in this volume:

Emilio Carballido and the Fondo de Cultura Económica, Mexico City, for *Rosalba y los Llaveros*, from *Teatro* by Emilio Carballido, volume 57 (1960) of *Letras Mexicanas*.

Francisco Arriví, for *Vejigantes*.

Enrique Solari Swayne, for *Collacocha*.

Preface

The plays in this collection were selected because they treat problems of importance in Latin America today in a manner which is both comprehensible and interesting to the student of intermediate Spanish courses. At the same time, their intrinsic value is such that they are also suitable for advanced survey courses in Latin-American literature, for which collections of contemporary plays may not easily be available, and for courses in Latin-American civilization in which contemporary problems are studied from the point of view of the Latin American.

These particular plays were chosen because of their variety of style and theme, because each of them deals with a specific problem, and because each represents a key moment in the development of the national theater of its origin. Emilio Carballido's *Rosalba y los Llaveros* is a delightful comedy that graphically underlines the differences in outlook between the large, modern, sophisticated urban centers and the small provincial cities that still exist under an older code. This play, because of its fusion of traditional Mexican themes with careful, professional technique, is generally considered to be the point of departure for the recent Mexican theater movement.

Francisco Arriví's *Vejigantes* is concerned with the problem of racial conscience and the psychological mutilation that results from the rejection of a mixed heritage. It also shows the way in which many Latin Americans view a large segment of the population of the United States. *Vejigantes* was produced during the First Puerto Rican Theater Festival in 1958, which culminated twenty years of experimentation and firmly established the existence of theater in Puerto Rico. Enrique Solari Swayne's *Collacocha* was produced in Mexico during the First Panamerican Theater Festival in 1958. The portrayal of the relationship between man and his natural surroundings and his enormous difficulties in controlling them in order to progress, and particularly the figure of Echecopar, one of the finest individual creations in recent Latin-American drama, were all factors in the play's overwhelming success. It awakened Latin Americans to the existence of a vital theater movement in Peru.

I wish to acknowledge the assistance of all those who have been so helpful in the preparation of the manuscript. To José Juan Arrom and Robert Mead, whose aid and advice were, as always, invaluable; to José Vázquez Amaral, Osvaldo and Silvia Olmos and Domingo Silás Ortiz, who were of untold help in clarifying localisms; to Emilio Carballido, Francisco Arriví, and Enrique Solari Swayne, whose cooperation made the book possible; to all these friends I give my heartfelt thanks.

Frank Dauster
New Brunswick, N.J.

Contents

TEATRO HISPANOAMERICANO

Tres piezas

Theater in Latin America

The theater is probably the least known of the cultural manifestations of Latin America, despite the fact that its history goes back to the pre-Conquest empires of the Maya, Aztec, and Inca. During the early years of the Conquest, native dramatic representations were well documented by the Spanish chroniclers. In all three areas, there apparently existed a highly stylized drama closely allied to religious rites and, in some cases at least, ritual human sacrifice. This ceremonial function and the use of dance, ornate repetitive speech, and simple earthy farce indicate that such dramas must have resembled in many ways the Greek theater before Aeschylus. Although the Spanish priests did their utmost to stamp out what they considered sacrilegious performances, isolated versions of these plays seem to have been acted as late as the mid-nineteenth century, when the Maya dance-drama *Rabinal Achí* was written down in Guatemala.

Shortly after the Conquest, there appeared theater in Spanish; the earliest known play is from 1533. In their efforts to convert the Indians, priests translated traditional religious works into Indian languages, utilizing many of the elements of the Indian plays. Although this missionary theater soon died, many of the plays are still performed in folk festivals in Mexico and other regions of Latin America. The sixteenth century also produced a number of religious dramas written in Spanish, Latin, or a mixture of both, for the Conquistadors and their descendants, and short religious works were written and performed in Jesuit schools as exercises in declamation.

The theater was not exclusively religious, however. There are records of satirical farces, whose authors ran the risk of censure. One of the best extant ridiculed the municipal government of Santo Domingo, for which daring its author, Cristóbal de Llerena (1545–1610), was summarily exiled. The most important figure of this period is the Mexicanized Spaniard, Hernán González de Eslava (1534–

1601?), who wrote a series of both worldly and religious plays, in which many scenes recall the farcical rudimentary humor of his Spanish contemporaries.

The stage of the seventeenth and early eighteenth centuries was dominated by the figures of the Spanish Golden Age, and those Latin-Americans who wrote for the theater followed the Spanish conventions. One of these dramatists, the Mexican Juan Ruíz de Alarcón (1581?–1639), emigrated to Spain, where he wrote all his plays and is considered one of the four giants of the Golden Age theater. The most important of the colonial dramatists is the Mexican nun, Sor Juana Inés de la Cruz (1648–95), whose *Amor es más laberinto* (1668?) and *Los empeños de una casa* (1684?) are characterized by humor and agility within the schematic structure of the comedy of intrigue. This humor is also visible in the two *sainetes*, while *El divino Narciso* is a delicate and lovely religious allegory.

The late seventeenth and eighteenth centuries saw a decline in theater in both Spain and Latin America. The mixture of the decadence in the Spanish theater and the influence of the French mythological drama produced spectacular melodramas which relied heavily on stage effects and sacrificed dramatic value for immediate impact. It was not unusual for a dramatic problem to be resolved by an earthquake or the eruption of a stage volcano; such tricks were so effective that entire works of little or no artistic merit were written around them. Meanwhile, two other tendencies were visible. The learned farce with occasional popular overtones began to give way before a cruder, more popular theater written for the common people, which relied on linguistic deformation and coarse humor for its effect. These farces appeared not only in Mexico and Peru, the chief centers of theatrical activity, but also in Argentina and other, more remote areas. Although they are frequently of only relative value, they often express a strong regional consciousness and local attitudes which foreshadow the emergence of national theater movements in the nineteenth century.

The other tendency was toward Neoclassical drama, less ornate and more rational and moralistic in tone. The Argentinian theater dates from such a play, the lost *Siripo* (1789); more important, this tendency led to a break with earlier trends and the emergence in the Río de la Plata area of a virulent political theater. Both writing and staging were fomented by the local authorities because of the theater's usefulness as a weapon against Spanish political rule. Although Neoclassicism produced few plays or playwrights of real worth, it marks the beginning of interest in a theater that treated American themes and problems. The Neoclassicists frequently wrote tragedies based on Indian themes; although their Indians speak and act in a rationalistic fashion more suitable in an eighteenth-century French play, they began a movement which still persists.

The political freedom of Spain's American colonies in the early nineteenth century corresponds with the appearance of Romanticism. The dramatists wrote within the emotional, rebellious, Romantic framework: copious shedding of tears and blood, pale swooning heroines, and impetuous, doomed heroes. In an atmosphere of constant political and social unrest, the playwrights sometimes used American themes, particularly idealizations of Indian heroes and events of the Colonial period; at other times they preferred the heroics of a distant Middle Ages. One of the most important nineteenth-century figures is the tempestuous Cuban poetess, Gertrudis Gómez de Avellaneda (1814–73), whose work was considerably less romantic than her life. Unlike most of her contemporaries, she suppressed routine rhetorical passion and built solidly constructed psychological studies. *Munio Alfonso* (1844) and *Baltasar* (1858) are outstanding for the humanity of their characters.

The Mexican Fernando Calderón (1809–45) was a passionate romantic whose best work, paradoxically, is a delightful comedy, *A ninguna de las tres* (1839), which satirizes the deficient education of women, romantic sentimentality and affectation, and the smothering French influence in style and manners. His younger contemporary in Mexico, Manuel Eduardo de Gorostiza (1789–1851), wrote a series of comedies which ridiculed diverse aspects of society. Although Gorostiza was fundamentally a Neoclassicist, he represents the tendency toward *costumbrismo*: the depiction and, often, the satirizing of customs and manners. This movement is best represented in Peru, which has had a satirical tradition since the early days of the colony. Felipe Pardo y Aliaga (1806–68) and Manuel Ascensio Segura (1805–71), although completely opposed in temperament and attitudes, used the same techniques to pillory the social circumstances of which they disapproved. Pardo y Aliaga was an aristocratic conservative whose *Los frutos de la educación* (1829) and other works reflect his traditional outlook; Segura was a liberal who mocked the society of his day in comedies which are more popular and vivid than those of Pardo y Aliaga. Among his best are *El Sargento Canuto* (1839), a satire of the boastful military, and *Ña Catita* (1856?), whose chief character is one of the finest creations in the picaresque tradition of the Celestina. The development of Chilean theater is seen in the work of Daniel Barros Grez (1834–1904), whose comedies, such as *Cada oveja con su pareja* (1879) and *El casi casamiento* (1881), laugh at the amorous foibles of the middle class.

With the exception of the Mexican José Peón y Contreras (1843–1907), a physician specializing in mental illness who carried his profession to the stage in plays which suffer from an outworn Romanticism, the Realistic movement which was so productive in the novel had little effect on Latin-American theater. Even Modernism, which produced extraordinary works in poetry, the novel, the short story, and the essay, was of little importance to the drama; primarily a regeneration of poetic language, Modernism was oriented toward the individualistic, the introspective, and the lyric. Although many of the leading Modernists wrote an occasional play, their total impact on the stage was almost nil. At the turn of the century Latin-American theater found itself in a precarious position.

The one exception to this circumstance is the Río de la Plata area, that cultural unity centered in the cities of Montevideo and Buenos Aires. Although there had been earlier expressions of a popular rural theater, the key moment was the staging in 1886 of Eduardo Gutiérrez' *Juan Moreira*, based on his own fictionalized novel of the adventures of a gaucho outlaw. The semi-nomadic gaucho was a common figure in *ríoplatense* life and literature, and a gaucho pantomime was a standard part of any circus, but the new, dialogue version provoked an extraordinary reaction. Even established dramatists cultivated the new form, which dominated the stage by 1895 and was to retain this position for nearly forty years. Soon the crude naturalism used to portray the gaucho's struggle against the established social order was transferred to dramas of urban poverty or the conflict between the traditional rural order and the new waves of immigrants. The outstanding figure of this movement is the Uruguayan Florencio Sánchez (1875–1910), whose bohemian

4

life and early death did not prevent his creating a series of one-act plays which are a gallery of individuals in torment. Among his longer plays, the best are those which treat the struggle of an older rural way of life faced with extinction: *M'hijo el dotor* (1903), *La gringa* (1904), and especially the tragedy *Barranca abajo* (1905).

The first fifteen years of the twentieth century are those of greatest achievement in the *ríoplatense* theater. In addition to Sánchez' naturalistic thesis dramas, the Uruguayan Ernesto Herrera (1886–1917) denounced social and political abuses, and the Argentinian Julio Sánchez Gardel (1879–1937) wrote of the conflict between city and province. In his best work, *La montaña de las brujas* (1912), Sánchez Gardel mingled naturalistic language with an obsessively sensual rural atmosphere. Meanwhile, Gregorio de Laferrère (1867–1913) was writing comedies of middle-class life and attacking the false scruples, gossip, and other weaknesses which he observed in his career as a political leader.

If there was nothing in other Latin-American countries to match this achievement, Chile at least produced one dramatist who made his fortune by writing sentimental, cosmopolitan comedies and regional dramas which are marked by the creation of types rather than characters: Armando Moock (1894–1943). Although regarded by some critics as a major playwright, Moock's work is lachrymose and facile, lacking in depth. Two other Chileans, Antonio Acevedo Hernández (b. 1886) and Germán Luco Cruchaga (1894–1936), caught the passion and misery of the peasant and the slum dweller, but their plays suffer from wordiness and crude technique. The same situation prevailed in other nations: a number of dramatists, none of great stature, functioning within a depressingly empty theatrical desert. Cuba, however, does boast an important figure during this comparatively sterile period: José Antonio Ramos (1885–1946). Although Ramos experimented with a number of styles, his most important work is *Tembladera* (1917), a complex denunciation of social and economic ills.

There is a pattern to the resurgence of Latin-American theater in the twentieth century, a pattern which is repeated from one nation to another, with variations. The key factor is the appearance of independent experimental theater groups interested in staging the best of foreign and Latin-American plays, independent of economic

5

considerations. They rebelled against the stagnation of the professional theater shackled by the star system, the insistence on commercial success, and a hide-bound repertoire composed largely of Romantic melodramas and inferior musical reviews.

The experimental groups have sprung from many sources. In Chile they are the creation of the University of Chile and the Catholic University. In Argentina the new groups appeared in workers' political centers, and initially their work contained a strong, radical political element. The Mexican movement began with private performances by a small group of avant-garde painters and poets, but was later financed at a crucial moment by the government. The Puerto Rican movement stemmed from an awakening consciousness of the island's anomalous political situation as a Spanish-speaking part of an English-speaking nation, neither colony, state, nor independent country. The preoccupation with Puerto Rico's place in the world has revitalized not only her theater, but also her sense of history and her other arts.

Despite the differences in their historical and social circumstances, these experimental groups have played the same basic role in each nation: providing a stage for new national playwrights while also performing and benefiting from the best of foreign theater. New ideas, new concepts of staging, and new dramatic theories were all quick to appear. This awareness of world theater and alertness to new movements has been passed on to the newer dramatists, the pupils of the first experimental generation, with the result that they display a high degree of technical competence and versatility.

Although the social outlook of the first generation—which continues to be dominant in some areas—varied greatly from one nation to another, the second has in common a profound concern for Latin America. They are preoccupied with Latin America's position in the modern world, with the question of what constitutes a Mexican, an Argentinian, or a Peruvian—how he is like or unlike any other human being. This preoccupation frequently takes on a political coloring, but these new dramatists are aware that they are primarily artists, and they rarely permit their work to become propaganda. Their concern is to understand who they are and to find their own answers to their own problems, rejecting ready-made solutions suggested by others.

Emilio Carballido

b. 1925

Emilio Carballido was born in 1925 in Córdoba, in the state of Veracruz, on the eastern coast of Mexico, and attended the National University of Mexico in Mexico City. Best known as a dramatist, he has also published novels and short stories, and is the author of numerous screen plays, as well as of opera and ballet librettos. He is a member of the faculty of the Drama School of the National Institute of Fine Arts and was formerly assistant director of the Drama School of the University of Veracruz.

Much of Carballido's early work is realistic, presenting the contrast between the mores of the provinces—restrictive, traditional, and autocratic—and a more cosmopolitan view of life. *Rosalba y los Llaveros* (1950), *La danza que sueña la tortuga* (1955), and *Felicidad* (1955) study the psychological effects of the problems of middle-class life in Mexico City. The experimentation with time and dream states in *La hebra de oro* (1956) and the incursion into horror in *El lugar y la hora* (1956) represent a preoccupation with avant-garde movements in world theater and a reaction against matter-of-fact verisimilitude in drama. Almost all his later work makes use of various types of nonrealistic treatment, and Carballido himself refers to his later style as "psychological realism." He is chiefly concerned with the problems, characteristically expressed with wit and a sense of the ridiculous, of maintaining individuality against its obvious and subtle erosions by society.

El día que se soltaron los leones (1957) employs comic fantasy to express man's right to individuality against the pressures of conformity; in *El Relojero de Córdoba* (1958) he is concerned with man's tendency to lose sight of immediate values in pursuit of a more remote ideal. Carballido's best play to date is *Medusa* (1958), a complex symbolic tragedy which utilizes the Greek myth to express moral corruption of modern man. Other recent plays include *Teseo* (1962), a restatement of the Theseus myth in modern psychological terms; *Las estatuas de marfil* (1960), a drama of man's struggle between illusion and the reality of failure; and *Un pequeño día de ira* (1961), which has a social orientation. He has also published *D.F.* (1962), a collection of one-act plays written in various styles, which present aspects of life in the Distrito Federal or Federal District.

Rosalba y los Llaveros is frequently regarded as the point of departure for the new generation in Mexican theater. Although hardly revolutionary in form or content, it was a startling experience for a public accustomed to routine productions of pedestrian, realistic dramas. It proved that the problems of Mexico today, and particularly the very real conflict between a cosmopolitan, urban set of values and the traditional mores of the provinces, could be presented with style, taste, and humor.

Rosalba y los Llaveros

comedia en tres actos

A Luisa Josefina

Estrenada en el Palacio de Bellas Artes, el 11 de marzo de 1950, con el siguiente reparto:

ROSALBA LANDA LLAVERO	*Rosa María Moreno*
AURORA LLAVERO DE LANDA	*Carmen Sagredo*
LORENZO LLAVERO	*Jorge Martínez de Hoyos*
DOLORES H. DE LLAVERO (*LOLA*)	*Soledad García*
RITA LLAVERO	*Pilar Souza*
AZALEA	*Tara Parra MacNairs*
LUZ (*LUCHA*)	*María Luisa Mancilla*
NATIVITAS LLAVERO O ENCARNACIÓN DE LA CRUZ	*Carmen del Castillo*
FELIPE GÁLVEZ	*Mario García González*
SOLEDAD GÁLVEZ (*CHOLE*)	*Socorro Avelar*
LÁZARO LLAVERO	*Raúl Dantés*
ERASTO, *el aguador*	*Luis Ignacio Güido*
JUANA	*Margarita Ortega*
UNA MUJER	*Georgina Ísita*
CANTADORES, *gente del pueblo*	

DIRECCIÓN   *Salvador Novo*
ESCENOGRAFÍA   *Antonio López Mancera*
VESTUARIO   *Graciela Castillo del Valle y Celia Guerrero*

La acción se desarrolla en Otatitlán, Ver.,[1] *durante las fiestas del Santuario*[2] *celebradas en 1949.*

La sala de los LLAVEROS. *Es una fresca y amplísima habitación, pintada al temple en dos diferentes tonos de azul.*

Hay rinconeras y vitrinas con chucherías. En las paredes profusión de retratos: grandes retratos de bisabuelos y de abuelos, retratos chicos de los padres cuando jóvenes, retratitos de RITA *y de* LÁZARO *cuando niños; además, dos o tres grandes estampas románticas en colores. Los marcos son dorados unos, de laca negra o rojiza otros.*

1. **Ver.:** the state of Veracruz, in eastern Mexico   2. **fiestas del Santuario:** a religious festival

En algunos rincones y entre las puertas hay unos espejos altos, flacos y antiguos, muy tristes y muy bonitos, con los marcos bastante sucios.

Los muebles son ligeros, tropicales y antiguos: una mesa de centro; mecedoras de grandes curvas que amenazan voltear al que se les recargue;[3] un sofá pequeño y ocho sillas, todo pertenece a ese estilo que llaman vienés. A la derecha, un piano vertical con macetones de helechos a los lados. Distribuidos 3 o 4 quinqués, unos antiguos y otros feos.

La entrada, al fondo izquierda, da a un corredor exterior de arcos, tras el cual está la calle. En primero y tercer términos, izquierda, puertas a las habitaciones. En primer término, derecha, una puerta da al patio, al comedor y a los cuartos de Lázaro, de la criada y de los tiliches. Dos ventanas enormes, enrejadas, se abren al fondo (centro y derecha) y dejan ver una gran cantidad de helechos, adosados por fuera. Puertas y ventanas tienen coquetos cortinones de gasa, en colores vívidos y frescos. Y, entre dos ventanas, hay una mesita tripié con un enorme fonógrafo 1912, de cuerda y bocina, rojo y dorado.

Lados: Los del actor.

---

3. **que amenazan... recargue:** which threaten to dump anyone who leans back too far

ACTO PRIMERO

Es por la mañana.

I

ROSALBA, AURORA

La escena sola. Luego, ROSALBA *se asoma por la entrada. Trae una falda amplia, chillona, y una blusa escotada. Se peina en dos trencillas cortas, entrelazadas con estambres. En las manos, una maletilla.* AURORA *viene detrás.*

ROSALBA   Ni un alma. (*Grita.*) ¡Buenos días!

AURORA (*Grita.*)   ¡Buenos días!
   (*Entran y ven en derredor.*)

ROSALBA   ¿Estás segura de que es aquí?

AURORA   Creo que sí.

ROSALBA   Ay, mamá, pues no creas. Fíjate bien.

AURORA (*Se sienta.*)   Ya no me acordaba yo de este calor.

ROSALBA   Ni del calor ni de nada. ¡Mamá, párate! ¿Y si no es aquí?

AURORA   No le hace.[4] La gente no es como en México. Tú no conoces, pero todo mundo es tan amable, tan atento...

ROSALBA   Sí, ya veo qué amablemente nos recibieron.

AURORA   ¿O no les llegaría la carta?[5]

ROSALBA   ¿Ya empiezas? Ay, mamá, ¿ya empiezas? Vas a seguir con que no la pusiste en el correo y a terminar con que no escribiste.

AURORA   Ay. Ay, Rosalba. ¿Qué les escribí? No me acuerdo. No. Deja ver. Ay, deja ver.

ROSALBA (*furiosa*)   ¿No lo digo? Contigo no se puede nada.[6] ¿Y es aquí o no es aquí?

4. **No le hace:** It doesn't matter.   5. **¿O... carta?** I wonder if the letter didn't arrive?
6. **Contigo... nada:** *Contigo no se puede hacer nada.*

15

AURORA   Ay, hija, no sé nada ya. Hace 25 años que no vengo.

ROSALBA (*Empieza a ver los retratos.*)   Mira qué horror, cuántos engendros. No parecen nada hospitalarios. ¡Mira éste!

AURORA   ¿Cuál? ¿Ése? No le digas así, que es mi abuelo.

ROSALBA   ¡Entonces es aquí, bendito sea Dios! (*Se deja caer en el banco del piano.*)

AURORA   No cantes victoria, tuvo catorce hijos. En cualquier casa puede haber un retrato suyo.

ROSALBA   Pues mira los demás engendros, a ver si está tu papá.

AURORA   ¡Este engendro soy yo! ¡Aquí es!

ROSALBA   ¡Por fin!

(ROSALBA *ataca al piano, briosamente la 7ª sonata de Prokofieff, mientras* AURORA *sigue viendo y reconociendo retratos.* AURORA *es una jamona guapa y coquetamente arreglada. Lleva un traje tropical y una mascada en el pelo.*)

AURORA (*gritando para dominar el piano*)   Y aquí está mi abuela, cuando era joven. Éste es Lazarito, haciendo su primera comunión. Y ésta es Rita, con su traje de 15, qué cursi. ¡Y aquí estás tú, encueradita! ¡Mira nada mas! ¡Y Lola cuando soltera![7]

(*Entran despavoridos y por diversas puertas:* LORENZO, DOLORES, RITA *y* AZALEA. *No entran simultáneamente: el parlamento marca la entrada de cada uno.*)

II

Dichas. LORENZO, LOLA, RITA, AZALEA

LORENZO   ¿Quién demonios está haciendo ese escándalo?

AURORA   ¡Lorenzo! (ROSALBA *deja de tocar.*)

LORENZO   ¡No es posible! ¡Pero mira nada más! Mujer del demonio, ¿por qué no avisaste? (*Se abrazan riendo.*)

LOLA   ¿Qué clase de estruendo...? ¡Lorenzo! ¿A qué mujer estás abrazando?

LORENZO   A tu cuñada. ¡Mírala!

7. **cuando soltera**: *cuando era soltera*

LOLA ¡Pero no es posible! ¡Aurora! (*Se abrazan.*) ¿De veras eres tú?
(*simultáneamente*)

AURORA Claro que soy yo.

LOLA Pero qué gusto tan grande, tan grande. ¿Por qué no avisaste?

AURORA Ay, Lola, no sé si no avisé o si se perdió la carta.

LORENZO Así es esta mujer, nunca sabe lo que hace.

LOLA Escribes para todo menos para avisar que llegas. ¿Viniste sola?

AURORA No, con... Ahí está. ¡Rosalba! ¡Rosalba!

RITA ¿A qué se debe tanta bulla?

AZALEA ¿Tú lo sabes? Así yo.

ROSALBA (*a* RITA) Estoy segura de que tú eres Rita.

RITA Sí, a sus órdenes.

ROSALBA Nada de a sus órdenes. Soy tu prima Rosalba. Dame un abrazo, anda.

RITA ¿Ah, tú eres Rosalba? (*Se abrazan.*) Lo que menos me esperaba que fueras a llegar.[8] ¿Con quién viniste?

ROSALBA Con mi mamá. Sí, ¿qué quieres, mamá?

AURORA Hija, tus tíos. Abrázalos.

(*más abrazos*)

LOLA Pero cómo ha cambiado esta muchacha. Estaba horrorosa antes, y mírala, no está tan fea.

ROSALBA Tía, desde los 15 años[9] me convertí en este encanto que soy. (*Hace una reverencia.*)

AURORA Y esa muchacha tan chula, ¿quién es?

(AZALEA *es realmente bonita. Viste de blanco.*)

LOLA Pues... es... Azalea. (*Grita como si no la tuviera enfrente.*) ¡Azalea! ¡Ven a que te presente! Es... Azalea.

AURORA Ah, Azalea. (*Le da la mano.*)

ROSALBA ¿Tú eres Azalea? Yo soy Rosalba.

AZALEA Ajá. (*Le da la mano, cohibida.*)

AURORA Y ella, ¿es de la familia?

LOLA Ella... es... es... ¡Ah, mira, ésta es Rita!

AURORA ¿Quién? ¡Ella es Rita, claro! (*efusiva*) ¡Rita, que grande estás, cómo has crecido! (*La abraza.*) ¿Pero es posible que hayas crecido tanto?

RITA Claro, si no sería yo enana. Hace veinte años que fuimos a México, y tenía yo seis.

8. **Lo... llegar:** What I least expected was that you were going to arrive. 9. **desde... años:** *a los 15 años*

LOLA   Esa manía de decir tu edad sin que te la pregunten.

LORENZO   Aparenta mucho menos, ¿verdad?

AURORA   Claro, parece de veinticinco, o menos, parece de dieciocho.

LORENZO   ¿Y el equipaje?

ROSALBA   Los de la lancha van a traerlo. (*burlona*) Mi mamá dijo que sabía el camino y se perdió.

RITA   ¡Los de la lancha! ¿Cuál lancha?

ROSALBA   La tomamos en Alvarado, la primera lancha de hoy.

RITA   Ay, no. Pero Felipe debía venir allí. Ay, mamá, Felipe debía venir. ¿No venía en la lancha con ustedes?

AURORA   No, no venía.

RITA   Ay mamá, no venía.

ROSALBA   ¿Pero cuál Felipe? Si tú no sabes quién, mamá.

AURORA   ¿Cuál Felipe?

RITA   Pues... Felipe. Debía llegar. ¿Ya volvió Lázaro?

AZALEA   No sé, creo que no ha vuelto. ¿Fue a recibirlo?

RITA   Sí, fue a esperar la lancha. ¡Lucha, Lucha!

LOLA   ¡No, déjala! ¿Por qué le hablas?

RITA   Para preguntar si ya volvió Lázaro. ¡Lucha!

LORENZO   No le hables.

RITA   ¿Le hablo entonces a Lázaro?

LORENZO   Bueno, háblale a Lucha.

RITA   ¡Lucha!

LUZ   (*dentro*) Ya voy. No soy relámpago.

RITA   (*a* AZALEA) Pregúntale tú.

(*Se hace un silencio hasta que entra* LUZ. *Es una mujer tosca, guapota, un poco gruesa pero proporcionada.*)

III

Dichos. LUZ

LUZ   ¿Qué me quería?[10]

AZALEA   Mamá, ¿ya volvió Lorenzo?

10. **¿Qué me quería?** What do you want from me? (A common construction in colloquial Mexican Spanish.)

18

LUZ   No, no ha vuelto.

RITA   Ay, papá. ¿Ve usted? ¿Qué habrá pasado? ¿Se caería Felipe al río?[11] Ay, algo ha de haber pasado.

AZALEA   ¿Quieres que vaya a buscar a Lázaro?

RITA   Sí, ve, por favor. ¿Qué pasaría?

AZALEA   Ahorita regreso.

LUZ   Oye, trae por ahí las tortillas.

RITA   ¡Qué tortillas ni que nada![12] Vete ya.

LUZ   ¿Cómo que qué tortillas?[13] ¿Quiere usted que no se compren?

RITA   No, que vaya.

AZALEA   Luego las compro, mamá. Voy a buscar a Lázaro. (*Sale.*)

IV

ROSALBA, AURORA, LORENZO, LOLA, RITA, LUZ

LUZ   ¿Por qué no se sientan, señoras? Han de estar cansadas. (*Se sienta.*)

AURORA (*desconcertada*)   Este... Sí. Gracias.

ROSALBA   Cansadísimas. Y el calor que hace. ¿Quieres un cigarro, mamá?

AURORA   No, ahorita no.

LOLA (*consternada*)   ¿Fuman tú y tu hija?

AURORA   Sí, ¿por qué?

LOLA   No, por nada.

(*Todos se sientan poco a poco.*)

ROSALBA   Y, usted es...

LUZ   Yo soy Luz.

ROSALBA   Ah, Luz.

LORENZO (*secamente*)   Es la criada.

LUZ (*Se da las grandes mecidas[14] en el sillón.*)   Sí, soy yo. ¿Y usted quién es?

11. ¿Se... río? Could Felipe have fallen into the river? (A common use of the conditional to express wonder or conjecture about past time.)   12. ¡Qué... nada! Never mind the tortillas!   13. ¿Cómo... tortillas? What do you mean, never mind the tortillas?   14. Se... mecidas: She rocks exaggeratedly

AURORA   ¿Yo?

LUZ   Sí, usted.

AURORA   Yo soy la hermana de él, de Lorenzo.

LUZ   Ah, vaya. ¿Y ella?

AURORA   Pues, pues es mi hija.

RITA   ¿No tienes nada que hacer allá adentro?

LUZ   No, nada. ¿Y usted?

RITA   No, yo tampoco.

V

Dichos. NATIVITAS

Se oye fuera la voz de NATIVITAS LLAVERO *o* ENCARNACIÓN DE LA CRUZ.

NATIVITAS (*fuera*)   ¡Ave María Purísima de la Santísima Encarnación de la Cruz! (*Y entra.* NATIVITAS *viste en forma bastante irregular. Trae un traje sastre que le queda muy grande y que se ajusta al cuerpo con alfileres; una camisa de hombre con las faldetas salidas; una corbata ennegrecida por la edad. El pelo simula peinado alto pero se asoman los postizos por todas partes. Una camelia roja sobre la oreja y un cajoncito con mercancías completan el atavío.*)

NATIVITAS   ¡Ave la Encarnación Purísima de la Cruz que inmaculadamente fue concebida! Los espíritus se alejen de esta casa para bien de los congregados, los espíritus se alejen de esta casa para mal de los malos espíritus.

RITA   Llévatela, papá, por favor.

LORENZO   Nativitas, regresa más tarde, anda.

NATIVITAS   Hermanito querido. Ay, mira, este dulce es para ti. (*Coge el dulce del cajón y se lo da.*)

LORENZO   Gracias, Nativitas.

NATIVITAS   Lolita, este dulce es para ti.

LOLA   Gracias.

NATIVITAS   No recuerdo su nombre, pero este dulce es para usted.

ROSALBA Gracias.

NATIVITAS Y éste para usted, y se acabó.[15] (*con dureza*) Para Rita, no hay, para Lucha, menos.

LUCHA (*Se ríe.*) Ay, deme uno, por favor.

AURORA Gracias.

(*Se lo va a comer, pero* RITA *se lo quita casi de la boca.*)

RITA ¡No!

NATIVITAS ¿Le impides que coma mi dulce sacramentado?

RITA Es que le haría daño así, antes de comer. Guárdelo, tía.

NATIVITAS (*Se sienta.*) No, no le haría daño. Es de los más ligeros. ¿La señora acostumbra las aves?

AURORA ¿Las aves?

NATIVITAS Las Aves Marías, sí.[16]

AURORA Pues tanto como acostumbrarlas...[17] ¿Cómo dice usted?

NATIVITAS No se las aconsejo. Como salutación, tengo una más completa. ¿Quién es ella?

LORENZO Es mi hermana Aurora, Nativitas.

NATIVITAS ¡Tu hermana! ¡Nuestra hermana! ¡Aurora! (*Corre a besarle las manos.*)

AURORA (*horrorizada*) Ay, Lorenzo! ¿De veras es nuestra hermana?

NATIVITAS (*sin cesar de besarla*) Lo soy, lo soy.

LUZ Qué hermana va a ser, no se crea usted.

LORENZO No... no es nuestra hermana de ese modo. Lo es... en espíritu. ¿Verdad Nativitas?

NATIVITAS Sí, sí. (*Cesa de besar y se yergue frente a* ROSALBA.) Yo soy la Encarnación de la Cruz, para servir a usted y a todo el género humano. ¿Quiere que le bese las manos?

ROSALBA Gracias. Mejor a la tarde. Es más provechoso, ¿verdad?

NATIVITAS Mucho más.

LOLA Pero vuelve más tarde, anda. (*Se levanta y la toma del brazo.*) Tienes que hacer tus dulces.

NATIVITAS No, no tengo que hacerlos.

LOLA Y tu oración del mediodía.

NATIVITAS Yo no hago oraciones, yo invoco.

LOLA Eso es, anda, ve a tu casa. (*La conduce a la puerta.*)

---

15. **se acabó:** that's all   16. **Las Aves Marías:** *Ave María* (Hail Mary) is a frequent greeting, answered by a phrase such as *sin pecado concebida* (conceived without sin).
17. **Pues... acostumbrarlas...:** Well, I don't really always use them . . . .

NATIVITAS Sale la Encarnación de la Cruz con su séquito de ángeles, arcángeles y serafines. (*Sale.*)

VI

ROSALBA, AURORA, LORENZO, LOLA, LUZ, RITA

ROSALBA ¡Qué cosa más irritante!

AURORA ¿Quién es? Es chistosísima.

LORENZO Es una prima. También se llama Llavero, Nativitas Llavero.

ROSALBA A mí me irrita especialmente la gente que padece este tipo de trastornos.

AURORA ¿Pero de dónde la sacaste?

RITA De la calle, de dónde había de ser.

LOLA Niña. Te van a malentender.

LUZ Anda vendiendo sus dulces y hay gente que se los compra para curar enfermedades. Dicen que de veras son buenos.

AURORA (*Ve su dulce.*) ¿De veras?

LUZ Sí, creo que los hace con caca de murciélago, o de zopilote. Es muy buena.

AURORA ¡Ay! (*Lo tira.*)

ROSALBA Es una cierta forma de paranoia. Sin duda hay deseo de cariño insatisfecho y un complejo espectacular. Si esto es de origen sexual, como creo, se ha de haber agravado por la menopausia.

LORENZO ¡Rita! Ve a ver a la cocina si no se quema algo.

RITA (*muerta de vergüenza*) Sí, papá. (*Sale corriendo.*)

VII

ROSALBA, AURORA, LORENZO, LUZ y LOLA

LOLA Por Dios, Rosalba, no hables esas cosas de... sexos y... esas cosas delante de Rita.

ROSALBA Ay tía, yo no creí que Rita tuviera inhibiciones de esa índole. Ya está bien grande.

LOLA Pues no, no tiene... esas visiones que dices, pero es una
señorita. Yo no sé como tú puedes hablar de esas cosas.

ROSALBA Pues el estudio, tía, principalmente de Freud. Los miedos
sexuales desaparecen con la práctica.

LOLA (*con horror*) ¿Cuál práctica?

ROSALBA Quiero decir, tía, que soy estudiante de pedagogía y
tengo que tratar esos temas.

LOLA Ajá, pedagogía.

AURORA Me tiene tan cansada con sus estudios. Y a propósito:
¿Dónde vamos a dormir? Porque quiero cambiarme.

LOLA Voy a arreglarles nuestro cuarto, después veremos. (*Sale.*)

VIII

ROSALBA, LORENZO, LUZ, AURORA

AURORA Yo quiero ver cómo está el pueblo después de tantos años.

ROSALBA Hay gente por todas partes.

LORENZO Son peregrinos y vendedores. Nunca habían estado las
fiestas como este año. Y el Santuario está precioso.

AURORA Todos los años decía lo mismo todo el mundo, me
acuerdo.

LUZ Ahí están otros.

(*Por la puerta se asoman* FELIPE GÁLVEZ *y su hermana* SOLEDAD,
*cargando un número increíble de bultos y maletas. Él es trigueño,
más que feo, vulgar. Ella es de origen humilde mucho más evidentemente. Trae sus atavíos domingueros, que son así: trenzas
enrolladas en la cabeza, y un vestido morado de artisela lustrosa;
un abrigo de peluche. Los dos vienen jadeantes y sudorosos.*)

IX

Dichos. FELIPE *y* SOLEDAD GÁLVEZ

FELIPE Buenas tardes. ¿Aquí vive la familia Llavero?

LORENZO Pase adelante, señor. Usted es don Felipe Gálvez, ¿no?

FELIPE   A sus órdenes, señor. (*Quiere darle la mano, pero no puede por los velices.*) ¿Puedo dejar esto en el suelo, señor?

LORENZO   Naturalmente, está usted en su casa.

FELIPE   Gracias. (*Deja caer todos de golpe.*) ¿Cómo está usted?

LORENZO   Pero siéntese, tenga la bondad.

SOLEDAD   (*aún en la calle*)   ¿Y yo qué?[18]

FELIPE   Chole, pasa. A ver dame los velices. (*Se los va quitando uno por uno y los va dejando en el suelo.*)

ROSALBA   A ver, deme unos. ¡Y trae el abrigo puesto!

SOLEDAD   Claro, para no cargarlo. (*Se lo quita furiosa.*)

ROSALBA   Ustedes venían en la lancha con nosotras, ¿no?

FELIPE   Sí, recuerdo haberla visto.

AURORA   ¿Vienen a las fiestas del Santuario?

FELIPE   Sí, señora.

SOLEDAD   ¿A qué otra cosa habíamos de venir?

ROSALBA   Rita estaba angustiadísima por usted.

FELIPE   ¿Recibió mi carta? Pero cómo... es decir... yo creía que como no sabíamos el camino... usted sabe...

LORENZO   Señor, le pido mil perdones. Mi hijo fue a recibirlos. Si hubiera sabido que esto iba a ocurrir, habría yo ido personalmente.

FELIPE   Señor...

SOLEDAD   Hemos andado perdidos en el pueblo.

AURORA   Ay, yo fui tan idiota que me perdí. ¿Conque ustedes también?

LORENZO   Pero siéntense, por favor.

LUZ   ¿Usted viene a trabajar acá a la casa?

SOLEDAD   ¿A trabajar?

FELIPE   Perdón, es mi hermana, señor. Soledad Gálvez, mi hermana.

LORENZO   Señorita, a los pies de usted.

SOLEDAD (*furiosa, más aún*)   Mucho gusto.

FELIPE   Señorita: Felipe Gálvez, para servirla.

ROSALBA   Soy Rosalba Landa, prima de Rita. Ésta es mi mamá.
   (*Están dándose la mano y diciendo las fórmulas, cuando entra* RITA.)

18. ¿Y yo qué? And what about me?

X

Dichos. RITA.

RITA ¡Felipe!

FELIPE ¡Rita!

(FELIPE *abre los brazos y* RITA *va a precipitarse en ellos, pero se contiene y él rectifica. Se dan la mano y se contemplan, sin saber qué decir.*)

LUZ ¿Y van a comer todos aquí? Porque no hay comida para tantos.

SOLEDAD Vaya. ¿No vamos a tener dónde comer?

LORENZO ¡Cómo! ¡Ustedes van a comer aquí! ¡Todos! ¡Y tú, avísale a la señora que llegaron los señores! ¡Ya! ¡Y a la cocina! ¡Todos comerán aquí!

(LUZ *sale y* LORENZO *se desploma jadeante en el sillón.* SOLEDAD *se sienta en el que estaba* LUCHA *y se mece, furiosa.* FELIPE *y* RITA *siguen flotando en una nube.*)

XI

AURORA, ROSALBA, RITA, SOLEDAD, LORENZO, FELIPE

RITA (*dulce*) Tenía yo tanto temor de que algo te hubiera pasado.

FELIPE (*muy dulce*) Pero no me pasó.

RITA ¿No, verdad?

FELIPE No, no me pasó.

RITA Y... ¿Cuándo llegaste?

FELIPE Venía yo con tu prima, en la misma lancha.

RITA ¡Pero cómo es posible, si ella llegó hace rato!

SOLEDAD Porque nadie fue a recibirnos.

RITA ¿Nadie? (*La ve.*) Ah, pero es usted.

SOLEDAD ¡Claro que soy yo!

RITA Tú no me avisaste que... pero... mucho gusto de verla, Chole.

(*Se sienta.*) Siéntate. (*Ve a* SOLEDAD.) Usted... Qué bueno que vino ella.

FELIPE Sí, ella. Quiso darte la sorpresa.

SOLEDAD A mí no me metas en tus cosas. Sorpresita la nuestra.[19] ¡Perdidos por todas las calles!...

(*Entra* LOLA.)

XII

Dichos. LOLA

LOLA Felipe, ¿cómo está usted? Qué gusto.

FELIPE Señora, qué gusto de verla. Permita que le presente a mi hermana.

SOLEDAD Hasta que[20] se te ocurrió presentarme. Mucho gusto.

LOLA (*sorprendida y horrorizada*) ¿Ésta es su hermana? Qué simpática es. Sí. Ya... Rita me había hablado de ella.

ROSALBA Rita estaba tan inquieta por usted, Felipe. Es decir por ustedes.

SOLEDAD Y nosotros perdidos por las calles del pueblo este.

LOLA Ay, qué pena me da. Y sus maletas aquí. ¿No se las recogió la criada?

SOLEDAD No, ni la criada ni nadie.

AURORA ¡Cuántas maletas trajeron!

SOLEDAD Claro, no habíamos de venir sin equipaje.

FELIPE Es que no teníamos una sola, grande.

ROSALBA Nos divertiremos todos juntos en las fiestas. ¿Usted es el novio de Rita?

FELIPE ¿Yo? Pues vengo porque...

LORENZO Qué viento está haciendo. Lola, cierra esa ventana.

AURORA ¡Pues es verdad! ¡Usted ha de ser el novio! Ajá, Rita, con razón tan inquieta.

LORENZO (*gritando*) Y las cortinas, hay que cambiarlas.

19. **Sorpresita la nuestra:** A fine surprise for us. 20. **Hasta que:** *por fin*, a common colloquialism in Mexican Spanish

26

LOLA (*muy molesta*) Bueno, creo que puede decirse. Felipe no es novio de Rita, pero... creo que viene a pedir su mano.

AURORA ¡Ajá! ¡Qué escondidito! ¡Nosotros no lo sabíamos!

ROSALBA Mamá, no seas pesada, que nadie quiere hablar de esto todavía y hasta que llegue el momento solemne hay que hacer como si no supiéramos nada.

AURORA Ay, vaya. ¿Y por qué?

(*Hay un silencio molestísimo. Al fin lo rompe.*)

ROSALBA Con que, se perdieron ustedes, ¿no?

SOLEDAD (*en el colmo de la rabia*) Sí, ¿no le he dicho que anduvimos perdidos por todas las calles del pueblo éste?

(RITA *lanza un solo sollozo, largo y agudo, ininterrumpido, y sale corriendo.*)

XIII

LORENZO, ROSALBA, AURORA, LOLA, SOLEDAD, FELIPE

FELIPE ¡Rita! ¿Qué le pasa? ¿Va llorando?

LOLA No, no sé. Pues, ¡la muela! Eso es, la muela. Le duele tanto, pobrecita.

(*Entran corriendo* AZALEA *y* LÁZARO. *Él viene de guayabera y pantalón oscuro de dril. Podría pasar por guapo si no fuera arratonado para moverse.*[21] *Se ve más joven que su edad. Entran corriendo y se detienen al ver a la gente.*)

XIV

Dichos. AZALEA, LÁZARO

AZALEA (*a Lázaro*) Ya llegaron.

LORENZO (*Se levanta y dice como si todos de pronto se hubieran vuelto sordos.*) Pero están cansados, hay que enseñarles sus habitaciones

21. **si... moverse:** if he weren't mousy in his movements

antes de ir a comer. Lola, acompáñalos. Por acá, señores. Hermana, vamos. (*Tomando del brazo y empujando con cariño conduce a todos como manada hacia la puerta de las habitaciones, sin dejar de hablar.*) Ven, sobrina, tienes que arreglarte para ir al comedor. Y esta señorita, que ha de estar tan cansada. (*Se detiene un momento para dirigir una furibunda mirada a* LÁZARO.) No teníamos habitación para ti, Aurora, pero de momento te vendrás a la nuestra.

ROSALBA (*Se separa del grupo y quiere ir hacia* LÁZARO.) Usted es el pri...

(*Iba a decir «el primo* LÁZARO» *cuando* LORENZO *la arrastra por un brazo.*)

LORENZO Por acá, sobrina, por acá. (*Salen todos.*)

XV

AZALEA, LÁZARO

AZALEA Tu papá está furioso, todos están.

LÁZARO Ya lo vi. ¿Quién es la muchacha?

AZALEA Una prima tuya que llegó. La vieja pintada es hermana de tu papá. (LÁZARO *toca con un dedo en el piano.*) Ay, Lázaro. ¿Cómo se te pueden ocurrir esas cosas?

LÁZARO Yo qué sé. Creí que no iba a tardarme.

AZALEA ¿Y no cazaste nada?

(LÁZARO *sonríe, de la bolsa del pantalón saca un pichón muerto y envuelto en un pañuelo.*)

AZALEA ¡Lázaro, cochino! ¿Traes un animal en la bolsa? Has de estar lleno de sangre.

LÁZARO No, casi no.

AZALEA A ver, voltéate la bolsa. (*Él lo hace.*) ¡Mira! ¡Sangre! Cámbiate de pantalón para que lo lave.

LÁZARO Ahí anda toda esa gente. Cuando vayan al comedor me cambio y me baño.

AZALEA Hoy deberías comer en la mesa.

LÁZARO ¿Hoy?

AZALEA Sí, para que no se dieran cuenta.

LÁZARO Prefiero no. ¿Vas a comer conmigo?

AZALEA Deja ver. No. Hoy tengo que comer con mi mamá. A ti te toca mañana.

(*Por la puerta asoma el* AGUADOR.)[22]

XVI

Dichos. AGUADOR. *Luego,* ROSALBA

AGUADOR ¿Cuántas latas quieren ahora?

AZALEA No sé. Creo que hay agua suficiente. Déjame preguntarle a mi mamá. (*Entra* ROSALBA.)

ROSALBA Ah, aquí están. Vengo por mi maleta. Tú eres Lázaro, ¿no?

LÁZARO (*retrocediendo*) Sí, yo soy.

ROSALBA Soy tu prima, ¿sabes? Es curioso que no nos conociéramos.

LÁZARO Sí, sí.

ROSALBA Nunca has ido a México, ¿verdad?

LÁZARO Sí, señorita.

ROSALBA ¡No me digas así! Me llamo Rosalba.

LÁZARO Mjú.

ROSALBA Y tú, Azalea, ¿no? Qué nombre tan lindo tienes.

AZALEA (*confundida*) Gracias, favor que usted me...

ROSALBA No, no. Somos la única gente joven de la casa y yo no soy gente seria. Todos de tú, ¿eh?

LÁZARO Sí, S-r-t-a-R-s-l-ba.[23]

AZALEA Como usted quiera.

ROSALBA «Como tú». Háblame de tú. Me irrita la gente joven y bien educada, y me irrita la gente vieja aunque sea mal educada. Aquí son ustedes mi tabla de salvación.

22. **aguador:** In many rural (and some urban) areas, facilities for piping water are either nonexistent or untrustworthy because of local conditions, such as the uneven sinking of land in Mexico City. Drinking water is customarily delivered to homes in these areas by the **aguador.** 23. **S-r-t-a-R-s-l-ba:** He is mumbling almost unintelligibly.

AGUADOR   ¿Qué pasó, Azalea? ¿Me voy a estar aquí esperando?

AZALEA   Vete por la cocina, voy a decirle a mi mamá que abra la puerta de atrás.

(*Sale corriendo* AZALEA. *El* AGUADOR *sale por su lado.*)

XVII

ROSALBA, LÁZARO

LÁZARO (*Farfulla.*)   Yo me voy. Tengo qué hacer allá.

ROSALBA (*Lo detiene por un brazo.*)   Ven acá, siéntate conmigo. (*Lo lleva al sofá.*) Eres el muchacho más huraño que conozco. (*Cambia de táctica.*) ¿No tienes un cigarro?

LÁZARO   No, yo no hago eso de fumar.

ROSALBA   Yo tampoco. Lo decía por si tú querías. Qué molesto y qué ridículo eso de ir a esperar gente a la que uno ni conoce, ¿verdad?

LÁZARO   Mjú.

ROSALBA   Esperar desconocidos, verles las caras y decir quién es uno, y tratar de encontrar de qué hablar. Todo eso es odioso. Ya me ha sucedido y no he sabido qué hacer.

LÁZARO   ¿No?

ROSALBA   No. Es chocante todo eso, ¿verdad?

LÁZARO   Sí, ahora ya no me... (*Se calla y la ve.*)

ROSALBA (*Sonríe.*)   Claro, ya no te darán más encargos de esos. (*Se ríe.*) ¡Traían unas caras!

(LÁZARO *se ríe también, tímidamente.*)

ROSALBA   ¿A qué vienen? ¿A las fiestas?

LÁZARO   Puede que sí.

ROSALBA   ¿A qué fiestas vas a llevarme, Lázaro?

LÁZARO   ¿A usted?

ROSALBA   Usted no. A ti.

LÁZARO   No, yo no la voy a... No te voy a llevar a ninguna parte.

ROSALBA   ¿No vas a llevarme?

LÁZARO   No.

ROSALBA   Ah, perdóname entonces. No creí que no quisieras

llevarme. Cuánto lamento haberte molestado. Voy adentro. (*Se levanta, en papel de muy abatida,*[24] *se lleva la mano a los ojos y lentamente va a la puerta. Se vuelve.*) Y te repito, siento haberte molestado.

LÁZARO   Pero no. Si yo... oye... yo no quise decir que no quiero. Es que creo que tú... No, yo no voy nunca.

ROSALBA   (*actuando en humillación y a punto de simular el llanto*) Está bien. No necesitas disculparte, así me ha pasado muchas veces. Claro, tú tendrás amigas bonitas, no querrás ir con una prima fea, como yo. Adiós.

LÁZARO   No, oye. Si yo sí quiero llevarte. Es que no tengo amigos ni nada, no te ibas a divertir, pero quiero llevarte.

ROSALBA   No, lo dices por compromiso. Deja, no importa, me iré a la cocina, y ayudaré a tu mamá a arreglar la casa, y así no me aburriré.

LÁZARO   No, no. Vamos a ir, te voy a llevar. Ándale, de veras. Cómo vas a hacer eso tú. Además, no eres tan fea, de veras, creo que hasta eres mejor que las del pueblo.

ROSALBA   ¿De veras, Lázaro?

LÁZARO   Sí, palabra.

ROSALBA   ¿Y me vas a llevar a todo?

LÁZARO   (*feliz, brusco*) Te voy a llevar al baile del zócalo, y al embalse, y al huapango,[25] y a la feria, y a todo. Hasta a jugar ruleta si te gusta, y a que aprendas a jugar, si no.

ROSALBA   (*Palmotea.*) Sí, sí. Me encanta. Eres muy bueno. (*ahora ingenua*) ¿Y qué es el embalse, Lázaro?

LÁZARO   Pues, mira, en la madrugada pasan a los toros al otro lado del río. Ellos nadan, ¿ves?, y ya como a las 10 de la mañana los pasan de regreso para este lado, con música y todo. Ellos vienen nadando otra vez. Y los traen al jaripeo, y, eso es el embalse.

ROSALBA   Ay, pobres toros, ¿y para qué les hacen eso?

LÁZARO   Pues, pues no sé.

(*Ríen los dos.*)

ROSALBA   (*Contenta, termina su actuación y lo lleva a sentarse.*) En realidad eres un muchacho muy huraño. (LÁZARO *se ríe por respuesta y baja la cara.*) ¿De veras no tienes amigos?

LÁZARO   No, es que... no, no tengo.

---

24. **en... abatida:** pretending to be very downcast   25. **huapango:** a type of music characteristic of Veracruz; in this case, a dance or informal concert

ROSALBA   Qué bueno, así iremos nada más nosotros. No me gusta estar con mucha gente. Soy muy vergonzosa, ¿ves?

LÁZARO   ¿Sí? A mí tampoco me gusta la gente.

ROSALBA   Qué bueno. Azalea no es tu novia, ¿verdad? No vaya a ser que se ponga celosa.

LÁZARO (*desfallecido*)   ¿Azalea?

ROSALBA   Sí, ella.

LÁZARO   Ella... ¿Tú no sabes?... Es que... Ah, por eso... me... me hablan creo... Perdóname. (*Sale por el patio.*)

XVIII

ROSALBA. *Luego*, RITA

ROSALBA *extrañada, lo ve. Se encoge de hombros, recoge su maleta, va a salir cuando se topa con* RITA *que trae cara de abatimiento.*

RITA   ¿No has visto a Lucha?

ROSALBA   No, Azalea fue a buscarla también.

RITA   Pues no hay nadie en la cocina, voy a cuidar que no se queme todo.

ROSALBA   Espérate, oye. Traes una cara de cansancio... Siéntate. Eso es trabajo para la criada, no para ti.

RITA   Ay, la criada. (*Se deja caer en el sofá, con la mirada extraviada.*)

ROSALBA (*Se sienta junto a ella.*)   Estás pálida, oye. A ver tu pulso: agitado. Estás con los nervios en tensión. Tu casa es demasiado para cualquiera; mi casa es un horror, pero la tuya le gana.[26] Te comprendo, ¿ves?, si viviera yo aquí me sentiría igual que tú. Eres muy valiente, porque yo ya estaría llorando, tratando de que alguien me consolara. Aunque quién sabe si tú no tengas quien te consuele, o si nunca hayas tenido. No sé cómo puedes resistir, yo ya no podría más.

RITA   Es que no puedo más! (*Empieza a sollozar como desesperada.*) ¡La casa llena de ustedes, que están viendo todo esto, todo esto!

26. **la... gana**: yours beats it (i.e., is worse)

ROSALBA (*La abraza.*) Vamos, Rita, llora, llora, y verás qué bien te sientes después.

RITA ¿Has visto? Ay, ¿has visto?, y así es la casa desde que empiezo a recordar. Ya casi no recuerdo nada más.

ROSALBA Pero si eso es en todas las casas. Te imaginas yo, con esa mamá que tengo, loca de remate, peleándose todo el día con papá, con la criada, conmigo, como hacía antes. Pero le puse remedio a la situación: canalicé sus violencias con la coquetería y ya la ves, es muy tolerable.

RITA (*horrorizada*) ¡Rosalba, cómo dices eso! ¡Tú no quieres a tu madre!

ROSALBA Claro que la quiero, por eso tengo que ver sus defectos mejor que nadie. Hice un estudio detallado de ella para la clase de psicopatología. Pobrecita, ¿vieras? Parece un monstruo de tantos defectos como tiene.

RITA (*en el colmo del horror*) ¡Rosalba!

ROSALBA De veras, la tengo que proteger tanto. Si cerrara yo los ojos y me dijera: «es mi mamá, no puedo criticarla», qué desastre. Tengo que guiarla, corregirla, y, sobre todo tengo que verla y que criticarla antes que cualquier extraño; sólo así puedo entenderla y quererla. Tú deberías hacer eso en tu casa.

RITA ¿Yo? ¿Cómo?, ¿yo?

ROSALBA Claro, debes empezar por sentirte bien, por desahogar tus irritaciones en la sinceridad. Luego, sin irritación ya, puedes intentar un remedio. Por ejemplo, si ahorita me confesaras que odias a tu cuñada, por vulgar, por fea, por grosera, verías qué bien te sentirías.

RITA Yo no... yo... no pienso eso, ¡no!

ROSALBA Tú sí piensas eso. Desde que llegó pensaste: parece criada.

RITA (*desbocándose de pronto*) Sí, criada, criada. Eso es, criada. Gata, como Lucha, peor, grosera, fea, india patona. Así es, así es, así es. (*Suspira aliviada. Por lo bajo repite, con delicia*) Fea, vulgar, patona, india estropajosa.

ROSALBA ¿Ves como te sientes mejor?

RITA Deja ver. (*sorprendida*) Sí, me siento mejor. (*feliz*) Mucho mejor.

ROSALBA Ahora, confiesa que te avergüenzas de tu tía y que no la consideras de la familia.

RITA ¿De mi tía, mi tía?, ¿cuál tía? Vieja loca, estropajosa, vieja chiflada, pordiosera, hace que todo el pueblo se avergüence de nosotros, porque se nos acerca y nos besa en la calle, vive de nuestra limosna y papá la trae a estarse días enteros en la casa, vieja cabra, vieja puerca, zafada.

ROSALBA Pero linda, dile que te deje en paz cuando se acerque, córrela, incluso trátala mal y verás qué bien te sientes. A ella no le hará mucho mal.

RITA ¿Y crees que no quisiera yo? Pero es de la familia, mi papá nos obliga desde chicos a abrirle los brazos, dice él. Es nuestra sangre, dice. ¡Porquería de sangre! (*Se asusta.*) Ay, creo que he dicho demasiado.

ROSALBA Demasiado poco, linda, para tanto que te has callado. Además estás pensando que tu papá está tan loco como ella para tratarla así, y piensas que es un viejo tirano y arbitrario.

RITA ¡No, Rosalba! ¡Yo no pienso eso!

ROSALBA Sé sincera, anda.

RITA Rosalba, yo, ay. (*Se echa a llorar.*) Así es, pobrecito, está tan viejo y tan chocho y es tan tirano, tan injusto, tan malo; todo por sus principios, por sus ideas absurdas que al aplicarlas salen mal. La familia es santa, dice él, la caridad es sagrada, dice, y más con los de la propia familia. Ay Rosalba, si vivieras en esta casa. (*Llora.*)

ROSALBA Es injusto, ¿verdad?

RITA ¡Es injusto, es tirano, es malvado! (*Llora un momento más y* ROSALBA *la abraza y la acaricia. De pronto se sobresalta.*) Ay, qué he dicho, me has hecho decir una barbaridad, pero tú tienes la culpa. Es que... ¿Cómo puedes tú saber todo eso?

ROSALBA (*con fingida humildad, pues está anchísima de sorprender así a* RITA) Observando, cualquiera lo notaría. Claro, con lo que he visto hoy...

RITA Pero, ¿por qué me has hecho decir eso de papá?

ROSALBA Es lo que sientes realmente. Ahora, incluso puedes quererlo más, porque ya desahogaste la cólera. Piensa en él. ¿Verdad que lo quieres con más ternura cuando ves claramente sus defectos?

RITA (*Piensa.*) Sí, creo que sí. ¡Sí! ¿Por qué?

ROSALBA Porque ahora lo ves débil y necesitas protegerlo. Pero ya.

Sécate los ojos y píntate para ir a comer. ¿Ves cómo todo esto no tiene verdadera importancia? Nada pasa en tu casa que no pase en todas partes.

RITA   ¿Nada? ¡Nada! Ay. (*Se echa a llorar de nuevo.*) ¿Y Lázaro? ¿Y Azalea?

ROSALBA   ¿Ellos? ¿Qué?

RITA   Sí, ellos. (*Solloza con más fuerza.*)

ROSALBA   Pero Rita, son jóvenes. Claro que ella es muy chica, pero aquí es trópico. No importa que sean novios. Si se quieren...

RITA   ¿Novios? ¿Crees que son novios? ¿No te has dado cuenta?

ROSALBA   No. No. Y no es posible. No lo creo.

RITA   Sí, es posible. Así es.

ROSALBA   Pero... ¿Aquí en la casa? No, no lo creo.

RITA   Sí, aquí, en la casa, desde hace quince años. ¿Te imaginas, en este pueblo, con estas lenguas?

ROSALBA   ¿Desde hace cuánto?

RITA   Quince años.

ROSALBA   No entiendo. No. ¿Qué edad tiene Azalea?

RITA   Catorce años.

ROSALBA   Parece mayor, pero... ¿Qué me estás queriendo decir?

RITA   Que Azalea es hija de Lázaro.

ROSALBA   No. ¡No! Pero si yo entendí... No es posible. Menos lo creo. Es que no es posible. ¿Lázaro es el padre de Azalea?

RITA   Sí.

ROSALBA   ¿Pero, qué edad tiene Lázaro?

RITA   Veintisiete años.

ROSALBA   Ah, vaya. Es que parece menor. (*Hace una cuenta in mente.*) No. Es que... No. No puede ser.

RITA   Sí, ya sé.

ROSALBA   Tenía trece años cuando nació Azalea. (*Se levanta.*) Tenía doce años cuando...

RITA (*interrumpiéndola*)   ¡Sí! Sí, sí. Trece cuando nació.

ROSALBA   Ahora lo entiendo. Era un niño. Y... Pobrecillo... Con las ideas de aquí... ¿Por qué no resolvieron esto? ¿Qué hace Luz aquí?

RITA   Mi papá. No los casó porque le pareció monstruoso, porque eran dos niños, especialmente Lázaro, pero no supo resolver el problema de Lucha, y la dejó aquí. No supo qué hacer: en su moral no entraba ese caso. Y ya ves a Luz: dueña de la casa. Y la pobre de Azalea: ni criada ni pariente, un término medio. Sale con nosotros y con Luz, duerme en el cuarto de la criada o en el mío, no tiene sitio.

ROSALBA   Pero todo esto es absurdo. Debe haber una solución.

RITA   ¿Cuál?

ROSALBA   No sé. Alguna. Para todo hay solución.

RITA   No la hay. No la ha habido durante quince años, durante más. Desde que nos dimos cuenta no hubo solución posible ni la habrá. En el pueblo nos señalan, las muchachas evitan a Lázaro, los muchachos a mí. Se burlan de nosotros. La sobrina de la loca, me dicen. Y todo lo que dicen de él. No hay solución posible.

ROSALBA   Para ti, sí. Felipe viene a pedirte, vas a casarte con él.

RITA   (*Vuelve a llorar a gritos.*)   Ya lo sé.

ROSALBA   Pero niña, lo de[27] su hermana no debe ponerte así.

RITA   No es su hermana, es él. Es Felipe que no es de nuestra clase. Es feo, es indio, es vulgar, estropajoso, yo no lo quiero. Nada más quiero que me saque de aquí. (*Llora.*)

ROSALBA   Pero... pero... (*Y se queda muda.*)

RITA   No quiero casarme con él, no quiero.

   (ROSALBA *la abraza sin saber qué hacer ni qué decir. Entra* AURORA.)

XIX

Dichos. AURORA

AURORA   Hija, cómo demoras en buscar una maleta. Ajá, en secretitos de amor, ¿eh? Ya me contaron, Rita, ya me contaron.

ROSALBA   Ahí a tus pies está la maleta, mamá.

AURORA   ¿Quién tiene la llave? ¿Tú o yo? Tú la tienes, ¿verdad?

ROSALBA   Bien sabes que no. ¿Ya la perdiste?

   (RITA *se limpia los ojos con disimulo, se suena la nariz.*)

27. **lo de:** the matter of

AURORA   Ay, la llave. ¡No la traigo en la bolsa, no! (*Busca.*) No.
Y ahora no puedo cambiarme de vestido.

(*Entra* LORENZO, *y después van entrando los demás conforme lo
indican los parlamentos.*)

XX

LORENZO, AURORA, ROSALBA, LOLA, SOLEDAD, FELIPE

LORENZO   Nada de cambiarte. Anda, ya estás guapa así.

AURORA   ¿De veras?

LOLA   Claro. ¿Y para qué quieres presumir? Ya a nuestros años...

AURORA   ¿Por qué dices nuestros? Tus años son tuyos nada más.

FELIPE   Rita, ¿dónde estabas?

RITA (*evasiva*)   Salí de la pieza.

LORENZO   Ya, jóvenes, nada de pláticas. Al comedor.

RITA   No tengo apetito, papá, y me duele la cabeza. Voy a acostarme
para luego estar bien.

LORENZO   ¡No me diga la señorita![28] Tú vienes a comer con todos
nosotros, no faltaba más.[29]

ROSALBA   Tío, ¿qué lugar va a darme en la mesa?

LORENZO   El que tú quieras, Rosalbita.

ROSALBA   Quiero sentarme junto a Lázaro.

LORENZO (*Tose.*)   Lola, qué aire entra, cierra esa ventana. Vamos,
que se enfría todo. Usted primero, señorita, pase. Tú, hermana.
¿Qué me decía Rosalba? No me fijé. Y, el patio, lo he sembrado
yo mismo.

SOLEDAD   Tengo mucha hambre.

ROSALBA   Lo que dije, tío, fue: Quiero sentarme junto a Lázaro en
la mesa.

LORENZO   Este, mira, ¿ya te lavaste las manos?

ROSALBA   Ya, tío. Le decía yo que...

---

28. ¡**No... señorita!** We'll have none of that, young lady!   29. **no faltaba más:** that's
all we needed (frequently used, as here, to indicate disagreement with a previous
statement)

LOLA   Mira hijita, espérate.

(*La toma por un brazo y la trae a primer término.* RITA *se ha quedado viendo unos papeles de música y* FELIPE *la espera.*)

LORENZO   Pues sí, ese árbol de mango lo sembré yo mismo, y miren cómo está cargado de fruta. Qué maravilla, ¿no? ¡Qué maravilla!

FELIPE   Vamos, Rita.

AURORA   ¿Cuál es la maravilla?

(RITA *no contesta, sigue ensimismada con la música. Salen* AURORA, LORENZO *y* CHOLE.)

XXI

ROSALBA, LOLA, RITA, FELIPE

LOLA   Pues mira, es una cosa muy sencilla. Tu tío creo que no te oyó, pero Lázaro no va a comer con nosotros.

FELIPE   Ya salieron todos, Rita.

ROSALBA   ¿No?

RITA   Ve tú, yo ahorita voy.

LOLA   No, él es muy huraño, no le gusta.

ROSALBA   Entonces, él...

LOLA   Él come aquí, ¿ves?, en esa mesita. Azalea o Luz le sirven.

FELIPE   ¿No vas a venir?

RITA   Luego; ve tú. (*Empieza a ejecutar la sonata op. 27 de Beethoven.*)

ROSALBA   Pues, dígale que quiero estar con él.

LOLA   Mira, Rosalba, creo que es mejor serte franca. Nadie de la casa le habla a Lázaro, ni él nos habla. Yo, a veces, le dejo un recadito en la almohada, pero nada más. Es mejor que tú tampoco le hables.

ROSALBA   ¡Pero, qué horror! ¡No es posible! ¿Y por qué?

FELIPE   ¡Rita!

RITA   Ve, te digo. Tengo que estudiar esta pieza.

LOLA   Mira hija, yo soy su madre y todo esto me duele, pero así es. Ven, vamos a comer, es preferible que no te explique nada, eres muy niña. ¿Vamos, Felipe? Y tú, Rita.

FELIPE   Sí, señora. ¿Qué te pasa, Rita? Has estado rarísima. Saliste de repente y... ¿Qué te pasa?

LOLA   La cabeza, se pone así a veces.

FELIPE   ¿La cabeza? ¿Qué quiere usted decir?

ROSALBA   Quiere decir que le duele, Felipe. Hable usted con ella. Mi tía y yo vamos al comedor.

   (*Salen.*)

XXII

RITA, FELIPE

RITA   Ve con ellas. Yo necesito dormir un poco, me siento mal.

FELIPE   ¿Vas a dormir? Creí que íbamos a ver el pueblo. Y como Chole está enojada, se va a quedar en la casa.

RITA   (*Se domina.*) Mira, de veras, no tengo nada. Solamente sueño, cansancio. Cuando acabes de comer ya estaré bien y salimos a pasear, ¿eh? Pero apúrate, anda.

FELIPE   Pues... Bueno. Bueno.

   (*Sale por la derecha.* RITA *lo ve salir y sale, llorando, por la izquierda.*)

XXIII

LÁZARO. *Luego,* ROSALBA

La escena sola un momento. Asoma LÁZARO. *Busca con la mirada, no ve a nadie y suspira, satisfecho. Con un dedo hace una escala en el piano. Se sienta en un sillón, se recarga y se cubre los ojos con el brazo. Entra* ROSALBA *con un mantel, platos, una sopera y cubiertos. Trata de tender el mantel, pero suelta todos los cubiertos.* LÁZARO *no se mueve.*

LÁZARO   Todas las gentes éstas, cómo tardaron en irse de aquí.

ROSALBA   Ayúdame por favor, Lázaro.

   (*Él se sobresalta. Se pone en pie de un brinco y corre a ayudarla.*)

LÁZARO   Eras... tú.

ROSALBA Has de decir que soy muy torpe.

LÁZARO ¿Por qué te pusieron a hacer esto?

ROSALBA Yo quise. Como voy a comer contigo.

LÁZARO ¡Conmigo! (*Ponen la mesa.* LÁZARO *con la cara agachada, no puede hablar. Al fin, se le ocurre algo. Corre a darle cuerda al fonógrafo y pone un disco, muy viejo y muy rayado, del «Danubio Azul».*)

ROSALBA (*riendo*) ¿Qué es eso, Lázaro?

LÁZARO Música, ¿ves? Vamos a comer con música.

TELÓN

ACTO SEGUNDO

8 días después. Anochece.

I

LORENZO, AURORA, LOLA

LORENZO (*Animadísimo con su relato, está diciendo el parlamento desde antes que se levante el telón.*) Creí que ya sabía nadar, y claro, me quité los tecomates. Imagínate: Marcos estaba secándose, en la orilla. Cuando sentí que me hundía, apenas tuve tiempo de gritar: ¡Marcos! Él se tiró, a medio vestir, y me sacó. ¡Pero qué susto! ¡Y cómo llegué a la casa, cómo llegamos los dos! ¡Y la cara que puso mi mamá, habías de haber oído! ¿Te acuerdas, Aurora?

AURORA (*muerta de fastidio*) Sí, me acuerdo.

LOLA Antier nos lo estuviste contando.

LORENZO Ah, sí.

> (*Y callan. Están sentados los tres, y* LOLA *se levanta a encender los quinqués y a colgar en la entrada una lámpara de alcohol. Pasa en tropel, por la calle, un grupo de gente alegre, cantando un son: «María Chuchena». Llevan guitarras y van seguidos por chiquillos con faroles. La música y la bulla se van apagando lejos. Hasta entonces*[30] *vuelve el diálogo.*)

AURORA Ésos van al baile, ¿no?

LORENZO Sí, pero al popular, no al del Casino.[31]

LOLA Ya no se veía nada. (*Se sienta.*) Imagínate, que las Galán van a ir al baile.

---

30. **hasta entonces:** *sólo entonces* 31. **al popular... Casino:** to the public dance, rather than to the Casino (which is open only to an exclusive group)

AURORA   ¿Sí?

LOLA   Sí, mujer, y son unas viejas, bueno, como tú y como yo casi. (*Se ríe.*) Qué papelitos de gente.[32] Se van a poner escotadas y pintarrajeadas.

AURORA (*agria*)   Ay, pues yo no le veo nada de malo. Al contrario. Las mujeres que llegan a cierta edad madura, sin ser viejas, deben arreglarse y divertirse. ¿Por qué no?

LOLA   Pero, Aurora, cada cosa en su tiempo.

AURORA   ¿Y quién ha dicho cuál es el tiempo de cada cosa? Si una llega a cierta edad y se abandona, pues se hace vieja de veras. Ya ves tú, nadie creería que eres dos años mayor que yo, pareces diez. Y mira cómo...

LOLA   Pero, Aurora, si tú eres mayor año y medio. Haz la cuenta. ¿Qué edad tenías cuando nos casamos Lorenzo y yo?

AURORA   Yo qué sé. No me acuerdo. Como dice Rosalba, hay que vivir para adelante, no para atrás.

    (*Silencio. Una miriada de insectos revolotea en derredor de las luces.*)

AURORA   ¿A qué horas llega la luz eléctrica?[33]

LORENZO   A las nueve y media.

AURORA   ¡Qué pueblo, Dios Santo! ¡Es imposible vivir aquí!

LORENZO   Ni que te hubieras criado[34] en Nueva York.

    (*Silencio. Sólo suenan las curvas de los sillones. Se oyen luego las voces de* ROSALBA.)

II

Dichos. ROSALBA

ROSALBA (*fuera*)   ¡Mamá, mamá!

AURORA (*Grita.*)   Acá estoy, en la sala.

ROSALBA (*entrando*)   Mamá, ¿dónde está tu rebozo coral?

AURORA   Encima de la cama.

---

32. **Qué... gente:** What ridiculous people.   33. (In some areas, electricity is provided only after sunset.)   34. **ni... criado:** one would think you had been born

ROSALBA   No, mamá. Ni en la petaca.

AURORA   ¡Ay, no! Pero si lo dejé en la cama.

ROSALBA   Ya lo perdiste.

AURORA   Ay, mi rebozo coral, tan lindo. (*Se levanta.*) Vamos a buscarlo.

LOLA   Oye, ¿es un rebozo lustroso, muy chillón?

AURORA   Sí, ¿lo viste?

LOLA   Pues la criada trae uno así. Yo creía que era suyo, aunque nunca se lo había visto.

AURORA   ¡No es posible! Ahorita se lo quito.

LORENZO   Salió con él, a la calle.

ROSALBA   ¿Y no ha vuelto?

LORENZO   No.

ROSALBA   Lucidos estamos.[35]

AURORA   ¿Cómo le toleras a esa mujer?

LORENZO   Mira, ya conoces la situación. No vayas a decirle nada porque puede hacernos un escándalo. Nosotros le pediremos el rebozo.

ROSALBA   Pero, tío, eso los pierde con ella.[36]

LORENZO   No podemos hacer otra cosa.

LOLA   Y, oye, Lorenzo. ¿Ya le dijiste de Horacio?

LORENZO   Ah, sí. ¿Sabes, Rosalba? Te tenemos una sorpresa.

ROSALBA   ¿Sí?

LORENZO   Sí. Díselo tú, Lola.

LOLA   No, tú díselo.

ROSALBA   ¿De qué se trata?

LORENZO   Pues de que un muchacho de aquí, muy buen muchacho, tiene muchas ganas de conocerte, ¿sabes?

LOLA   Sí, y nos dijo que le gustaría tratarte, y le dijimos que ibas a ir al baile del casino.

LORENZO   Él va con sus hermanas, y como no tienes pareja le dijimos que vas a darle todas las piezas y va a estar esperándote.

LOLA   Qué bueno, ¿verdad? ¡Es tan simpático! Nos imaginamos que iba a alegrarte, así es que arréglate.

ROSALBA   Pero Lázaro va a llevarme.

35. **Lucidos estamos:** We're in fine shape (ironically).   36. **eso... ella:** that puts you in a worse position with her

LORENZO No, hija, no es posible. Ya le dijimos a este muchacho. Y Lázaro de seguro no va a ir.

AURORA Claro que va a ir.

ROSALBA Nos dijo a mamá y a mí. Ya ha de estar listo.

LOLA Pero no. Ay. Diles, Lorenzo.

LORENZO Es que no es posible. Todo el pueblo iba a hablar.[37] Y después de lo del río.[38]

AURORA Y vuelta con lo del río.

LOLA Es que fue un escándalo. Me extraña que tú no le hayas advertido a tu hija.

ROSALBA Sí, ya me dijeron. Me parece ridículo.

LORENZO No es ridículo. Aquí no acostumbra ninguna muchacha bañarse desnuda enfrente del pueblo, y menos revuelta con varones.

ROSALBA Hágame favor,[39] tío, de que no estábamos desnudas y revueltas. Mi traje de baño tiene bastante tela, y Azalea tenía puesto el de mamá.

LOLA ¿Pero te bañas así, Aurora?

AURORA Sí, me baño así. Desnuda y con varones, ¿eso ibas a decir?

LORENZO Aquí no es México,[40] Rosalba, y eso de que Lázaro se bañara desnudo con...

ROSALBA ¡Qué modo de hablar, tío! Voy a acabar escandalizándome. ¡Lázaro desnudo!

LORENZO Y además del río, ¿no estuvieron jugando ruleta? Ninguna señorita juega aquí.

ROSALBA Y gané treinta pesos.

LORENZO ¿Y no anduvieron revueltos con la plebe, bailando en la tarima?

ROSALBA Ay, tío, dice usted revueltos como si Lázaro y yo fuéramos huevos. ¿Vas a ir de jarocha, mamá?

AURORA ¿Yo? (*Hace señas de «cállate».*) ¿A dónde?

ROSALBA Al baile, mamá. ¿O ya no piensas ir?

AURORA Ah, el baile, ¿no?

LOLA ¿Pero vas a ir al baile? ¡Aurora!

37. **iba a hablar:** *hablaría* The imperfect is frequently substituted for the conditional in colloquial conversation in some countries. 38. **Y después... río:** And after the business of the river. To this Aurora replies, "We're back to the business of the river." 39. **hágame favor:** if you please 40. **Aquí... México:** This isn't Mexico City

AURORA   Pues... Sí, voy a ir al baile, y pintada y escotada, como las Galán.

LORENZO   Bueno, hermana, tú estás en tu derecho de ir como gustes, pero Lázaro ya ha salido bastante todos estos días.

AURORA   Eso no tienes que decírmelo a mí.

LORENZO   Se lo digo a Rosalba, y espero que comprendas, hija; no es correcto que Lázaro se exhiba contigo por todo el pueblo.

ROSALBA   ¿Por qué no?

LORENZO   Porque, hombre, porque, pues eso se presta a que la gente hable, tú sabes. Si tú tienes una culpa y andas por todas partes, tal parece que te dedicas a divertirte, y eso no está bien. Esto es como el luto casi.

ROSALBA (*muy ingenua*)   Ajá. Ahora entiendo sus motivos, tío, pero Lázaro me invitó, y yo acepté. Lo mejor será que usted hable con Lázaro y le explique todo esto. Así, tal vez desista de ir. Y si él no me lleva, pues iré con ese muchacho que dicen, Horacio. ¿Vamos a vestirnos, mamá?

(*Van saliendo las dos cuando entra* LÁZARO, *corriendo, con unas orquídeas en las manos.*)

III

Dichos. LÁZARO

LÁZARO   ¡¡Rosalba!! ¡Mira!, lo que t-e tr-je d-l... (*Se va callando gradualmente al ver a su gente.*)

ROSALBA   Lázaro, en qué buen momento llegas. Tu papá quería hablarte.

LÁZARO   ¡¿A mí?!

ROSALBA   Sí, ¿verdad, tío?

LOLA (*reprochando*)   Rosalba, eres... Vamos a cerrar las ventanas de la otra pieza, Lorenzo, o a cambiarles de cortinas, anda.

(*Salen, sin que* LORENZO *acierte a decir nada.*)

IV

LÁZARO, ROSALBA, AURORA

LÁZARO   ¿Qué pasó? (*Deja las orquídeas en la mesa.*)

ROSALBA   (*Ríe un poco.*)   Acabo de ganarle un *round* a tu papá.

LÁZARO   ¿Se pelearon?

ROSALBA   Un poco.

AURORA   Lorenzo está imposible. Cada vez se vuelve peor de mojigato y de tonto.[41] Y no vayas a protestar, que fue mi hermano antes de ser tu papá.

LÁZARO   Ya lo conozco. ¿Por qué fue todo?

ROSALBA   No quiere que vayas al baile.

AURORA   Y menos con nosotras.

ROSALBA   Te revolvemos, dice.

AURORA   Y como yo estoy vieja, dice tu mamá, me veo ridícula.
    (LÁZARO *desconcertado, se sienta. Ha dejado de hacer caso a las dos mujeres.*)

ROSALBA   A mí me consiguieron un idiota que me llevará al baile.

AURORA   Tú vas a ir, ¿verdad?

LÁZARO.   ¿Yo? ¿A dónde?

AURORA   Al baile, hombre.

LÁZARO   No, no sé. Es decir...

AURORA   ¡Lázaro! Tú habías decidido ir. ¿Cuándo harás al fin tu voluntad? Ya estás bien grande, muchacho.

ROSALBA   Mamá, tú no te metas en las cosas de Lázaro. Para ser intrusa se necesitan ciertas dotes: tacto entre otras.

AURORA   ¿Yo qué dije?

LÁZARO   No, nada, tía, pero, es que..., no sé. Mire, la cosa es que ustedes se van, y todos nos quedamos aquí. Yo estoy solo, ¿ve?, pero uno vive siempre en razón de lo que piensan las otras gentes. Y Rosalba hace que se me olvide, pero luego, mi papá tiene razón. No sé, es decir, creo que la tiene, ¿no?

ROSALBA   Mira, Lázaro, he estado evitando que hablemos de esto porque te he visto tan contento, pero tengo mucho que opinar.

41. **Cada... tonto:** He gets more narrow-minded and more foolish all the time.

AURORA   ¿Que hablen de qué? ¿De Azalea y de su mamá la criada?
(ROSALBA *toma a* AURORA *por los hombros y la va empujando a las habitaciones conforme habla.*)

ROSALBA   Tú te vas a vestir, y dejas de andar entrometiéndote, y te arreglas lo más pronto que puedas, y te callas la boca.

AURORA   Eres la hija más...

ROSALBA   Nada. Vámonos.
(*Un empujón final la saca de escena.*)

V

ROSALBA, LÁZARO

ROSALBA   Ahora, Lázaro, ¿qué te pasa?

LÁZARO   No, nada.

ROSALBA   Lazarito, vaya, ¿nada y lo estás diciendo?

LÁZARO   Es que, mira, esto no tiene remedio, ¿ves? Están así las cosas desde que Azalea nació. Yo no podía creer que fuera mi hija, nadie podía creer que lo fuera. Tal vez por eso nadie la enseñó a decirme papá, así que... Pero nada de esto tiene que ver. Es todo. No puedes darte cuenta, pero es todo junto, la casa, el pueblo.

ROSALBA   Claro, es la constitución misma de la familia pueblerina, no de tu familia en especial. Tienen un viejo tirano al frente y unos principios necios e inviolables. Es mal común, Lázaro.

LÁZARO   Bueno, eso, pues no me sirve de nada.

ROSALBA   ¡Lázaro, tienes buen humor para tus problemas! Eso fue una ironía, ¿verdad?

LÁZARO   No sé qué fue. Yo no le pongo nombre a las cosas.

ROSALBA   Lázaro, si eres así, no hay problema. Éstos son mis artículos de fe: ten energía siempre, no tomes nada en serio, ni a ti mismo. Ya nada más te falta la energía.

LÁZARO   (*Se ríe quedamente.*)

ROSALBA   ¿Por qué te ríes?

LÁZARO   Porque, pues, ¿no te enojas?

ROSALBA   No, ¿por qué?

LÁZARO   Es que, ¿sabes? Eres un poquito ridícula.

ROSALBA (*desconcertada*)   ¿Tú crees?

LÁZARO   Sí, mira, tratas todo sobre esquemas, lo resuelves con principios nuevos, tuyos, pero son principios, ¿no? Y es lo mismo. Quitas los viejos principios para dar neuvos. Vaya, ¿cuál es la diferencia?

ROSALBA   ¡Lázaro! ¿Eres anarquista?

LÁZARO   No sé. Te he dicho que no le pongo nombre a las cosas.

ROSALBA   Sí eres, Lázaro, pero no actúas, no te rebelas. ¿Por qué?

LÁZARO   Mira, yo tenía doce, no, trece, bueno, doce antes de que naciera, cuando lo de Lucha, quiero decir. Y me daba miedo que nos sorprendieran. Tú sabes, lo de Azalea fue como... Pues como el castigo ése que yo esperaba. Y la familia, papá, mamá, todos. Rita no, entonces. Me... Fue como cargarme con piedras. ¿Ves?, ya no podía yo. Lucha se asustó tanto. Es mucho mayor que yo. No mucho, pero en las mujeres, pues ustedes son mayores siempre.

ROSALBA   Claro, la evolución biológica de cada sexo es distinta.

LÁZARO   Será por eso, o por el sereno.[42] En la escuela hubieras visto.[43] Si yo hubiera sabido presumir, decirles que era yo, pues, muy macho, así como dicen, habría sido otra cosa. Pero me daba vergüenza.

ROSALBA   Claro, Lázaro. Todo lo oculto da vergüenza. Grita lo que haces por encima de los tejados y ya no temerás que nadie lo sepa. La vergüenza nace por hablar en voz baja.

LÁZARO   Aquí siempre hemos hablado en voz baja. No sé cómo pude acabar la preparatoria con la niña creciendo, y con Luz aquí, y sobre todo, con mi gente, que a cada rato, ya tú la conoces, me echa en cara lo que puede, en la forma más, pues más sucia. Trabajaba yo en la botica, con papá, y se me ocurrió estudiar medicina, en México. Allá fue igual. La gente te trata según lo que traes por dentro. No sé cómo lo adivina. Es como si todas las actitudes dependieran de... de no sé.

ROSALBA   Ya conozco eso, Lázaro. Tu visión interior de ti mismo la

---

42. **por eso... sereno:** Popularly, the evening dew is supposed to possess magical properties in regard to beauty, acquiring a sweetheart, and so forth, and many young girls leave articles of clothing out at night or walk about in the early morning. Lázaro is, of course, speaking ironically.   43. **En... visto:** You should have seen what it was like in school.

proyectas en tal forma que es la que los demás tienen siempre de ti.

LÁZARO   Tal vez, porque así me trataron. En la escuela me bañaron, me emplumaron, me pintaron de rojo, o de verde, no me acuerdo bien de qué color.

ROSALBA   Pero eso se lo hacen a todos, Lázaro. Es la novatada.

LÁZARO   Ya sé. Pero a mí me pareció como si lo hicieran especialmente para mí. No aguanté. Me regresé a trabajar otra vez en la botica, con mi papá.

ROSALBA   ¿Y ya? ¿No has intentado nada más?

LÁZARO   ¿Qué más? Dependo del dinero de mi papá.

ROSALBA   Es que el problema eres tú, Lázaro. Dime, con el corazón en la mano. ¿Te crees culpable?

LÁZARO   Claro que no. Yo tenía doce años y ella catorce. Éramos como animalitos. ¿Qué culpa íbamos a tener?

ROSALBA   Pero entonces, ¿por qué sigues aquí? Oye, mira, vete a México de nuevo, con nosotras. Te juro que te consigo trabajo.

LÁZARO   ¿Tú? ¿Cómo puedes?

ROSALBA   Es lo de menos. Soy gente «culta», ¿ves? Así estoy clasificada, y entonces tengo relaciones y ventajas que me daría vergüenza aprovechar para mí, pero no para los demás. Vamos a México, Lázaro.

LÁZARO   Pero, ¿cómo? No sé. No había pensado. Estos días que has estado aquí me han trastornado. Tú eres... Enérgica eso es: enérgica. Haces lo que quieres nada más por eso.

ROSALBA   Es que así debe ser una, lúcida y enérgica, para que no se la lleve la corriente. Los demás son la corriente. Y tú te has dormido, Lazarito, y tanto. ¿Qué haces aquí? Tu casa es un círculo vicioso. En cuanto lo rompa alguien se resolverá todo. Contradecir a tu papá, decidir por ti mismo, eso es romper el círculo.

LÁZARO   ¿Y Azalea?

ROSALBA   ¿Qué?

LÁZARO   ¿Cómo la dejaría yo aquí?

ROSALBA   (*feliz*) Pero, ¿estás pensando en irte? ¡Lázaro, qué espléndido! Tenemos que hacer un plan, verás. O, no sé. Hay que pensar. Nos quedan días. Lo planearemos poco a poco. Tal vez pudiéramos llevárnosla.

LÁZARO   Pero el dinero... Es que, mira, yo trabajo en la botica pero no gano nada, ¿ves?, cojo así uno o dos pesos, pero mi papá dice que entre familia no debe haber cuentas de dinero.

ROSALBA   Mi papá tiene dinero en el banco, y puede prestarte, o, no sé. A ver. Pero eso es lo de menos. Si te has decidido definitivamente, todo lo demás está resuelto.

LÁZARO   No, no sé, no sé. Es que... ¿Qué pasaría?

ROSALBA   Lázaro, lo importante de los actos enérgicos es que resuelven todo, pero como menos se lo espera uno.

LÁZARO   Pero, oye, me da... no sé. Es que tú eres una muchacha, y así, tan chica. No sé cómo puedes... Y yo, mira, tengo muchas ideas que no te han de parecer, pero no puedo aceptar nada así, de una muchacha. Es contra... mis principios. Dinero, la palabra nada más, me molesta. Y luego, como eres. Nadie me había tratado como tú. Y luego pueden decir que... que tú y que yo...

ROSALBA   Oye, olvídate de las ideas tradicionales o estamos perdidos. Me importa sombrilla[44] lo que digan. Es muy fácil que te olvides de que soy una muchacha.

LÁZARO (*La ve y se ríe.*)   No es muy fácil.

ROSALBA   Anda, sí es. Y entonces, estrictamente en camaradería nos entendemos y ya. El asunto es lo que somos ante nuestros propios ojos. Yo soy tu primo, Juanito, o Luis, y tú me tienes confianza y no hay por qué hacer distingos.

LÁZARO (*Se ríe.*)   Entonces, ¿voy a... bailar con mi primo... Juanito... esta noche?

ROSALBA   ¿Vamos a ir al baile? ¡Qué maravilla! ¡Esto es una rebelión en forma![45] ¡Lázaro, eres grande! Voy a vestirme. Y oye, empieza a tratar a la gente como Dios manda. Tú no tienes por qué avergonzarte, los demás sí. (*Va a salir y se vuelve.*) Y oye, ve a vestirte también.

(*Llega a la puerta cuando Lázaro la detiene.*)

LÁZARO   Rosalba (*Ella se vuelve.*), mira.

(*Le muestra las enormes orquídeas amarillas.*)

ROSALBA   Lázaro, qué divinas. ¿Cómo las conseguiste?

LÁZARO   En la barranca.

ROSALBA (*Las huele.*)   Divinas. Qué penetrante olor. No sabe una si es perfume o veneno. Tan extraño, ¿verdad? (*Se las da a oler.*)

---

44. **me importa sombrilla:** I don't care (*lit.* it doesn't matter a parasol)   45. **rebelión en forma:** a regular rebellion

Parecen vivas. Son tan lindas. (*En un arranque lo abraza.*) ¡Qué bueno eres! Son las flores más maravillosas que me hayan dado nunca, ya ves qué bien se me...

(*Cuando ella, sin dejar de hablar, va a separarse, él la ciñe por la cintura y por la espalda, en un abrazo repentino y automático.*)

ROSALBA (*Lo ve a la cara y se sorprende. Dice despacio*) Lázaro, ya voy a arregl...

(*Él bruscamente, la besa en la boca, un beso breve, como podría darlo un oso con prisa. La suelta y retrocede, viéndola. Ella no puede decir nada, por la sorpresa.*)

LÁZARO (*avergonzándose de pronto*) Perdóname, no, no sé, perdóname. (*Da la vuelta para salir corriendo.*)

ROSALBA ¡Lázaro! ¿Por qué te vas así? (*Corre a alcanzarlo. Lo detiene.*) Pero perdón de qué. No seas niño. ¿Crees que me enojé? Si con alguien no debes tener miedos, ni vergüenzas, es conmigo.

LÁZARO ¿No te enojaste?

ROSALBA No, Lázaro. Si eres mi primo, puedes besarme, si quieres. Es casi como un hermano.

LÁZARO Pero yo no... Yo te besé, pero no te besé así yo, como primo.

ROSALBA Que no me... (*Calla. Piensa, aprisa.*)

LÁZARO Perdóname. (*Va a salir.*)

ROSALBA (*Lo alcanza.*) Pero... pero no te apenes. Con el cariño, dan a veces ganas de besar. ¿No? Yo cuando tengo cariño, pues beso. No te apenes, oye.

LÁZARO No, pero tú no entiendes. No, no fue cariño. Mejor déjame, que es peor. Es peor. No te puedo decir. Perdóname.

(*Sale, desesperado, pero Rosalba lo detiene por la camisa.*)

ROSALBA Lázaro, oye, no te vas. No, ven, siéntate conmigo. Tenemos que hablar. Siéntate.

(*Lo lleva al sofá. Él no sabe dónde meterse.*)

LÁZARO No, por favor. (*Emite una voz temblorosa y rara.*) Es que tú eres la mujer, no, no, quiero decir, mujer no, la muchacha, la primera muchacha que yo, tú ves, llegaste y no sabes qué contento, y ahora esto. No sé cómo pasó. No sé, no sé, no sé nada.

ROSALBA Lázaro, Lazarito, tan niño. Lo que no te atreves a decir es que... me deseaste, como varón. Tonto, tonto. ¿Crees que eso me ofende? (*Al oírla, él se sacude, pero ella lo detiene.*) El deseo no es malo, Lázaro, el sexo tampoco es malo, y tú eres un pobre muchachote atormentado por todo eso. Yo... Yo te he deseado a veces, como ayer, en el río, y no por cariño, ni por nada, sino porque tú eres varón, y guapo, y porque yo soy mujer. Y eso es limpio, y es bonito, Lázaro, mientras los que desean son jóvenes, como nosotros, y se tienen afecto. El deseo es como las palabras, o como la poesía; es un medio de comunicación. El deseo es limpio y es hermoso, pero lo han ensuciado unos viejos como... unos viejos de mente sucia, y retorcida, y oscura. Y un beso no tiene nada ofensivo. Nada. Aunque no estés enamorado de mí, ni yo de ti, no tiene nada ofensivo. Te aseguro que no me enojé Lázaro, ni creí que me ofendías. Hasta... hasta me gustó, es decir, la sorpresa, ¿ves? Pero no estoy... No, oye, pero lo que... espérate, esp...

(LÁZARO *no la deja acabar. La ha ceñido nuevamente y la está besando, sin prisa, con cuidadoso y paladeado deleite, con tanto deseo triste acumulado por no haber besado así, nunca, a ninguna mujer, que* ROSALBA *se va dejando ganar también, y tras la protesta inicial se ha aferrado a* LÁZARO *como si se le fuera en ello la vida.[46] Cesan, y quedan abrazados, con la conciencia en blanco y los sentidos vibrando dulcemente a flor de piel.[47] De pronto,* LÁZARO *se levanta, de un salto casi, y queda horrorizado, viendo a* ROSALBA.)

LÁZARO   ¡Rosalba! ¿Qué vamos a hacer ahora?

ROSALBA   ¿Ahora?

LÁZARO   ¿Qué voy a hacer, Rosalba?

ROSALBA   Lázaro, ¿por qué?

LÁZARO   ¿No lo ves? (*desfalleciente*) Rosalba, estoy enamorado de ti. (*Retrocede, viéndola. Luego, sale por la derecha.*)

VI

ROSALBA

ROSALBA *quedó quieta, tensa, viendo hacia la puerta. Luego, suspira, y recoge las orquídeas. Las huele. Se levanta, despacio, y va a la salida.*

46. **como... vida:** as if it were a matter of life and death   47. **a... piel:** on the surface

Duda. Regresa al sillón. No llega a sentarse, porque ve la victrola. Va a ella, le da cuerda y la echa a andar. Suena el disco aquel, rayado y feo, del Danubio Azul. ROSALBA *se ríe, quedito primero, más fuerte después. Y camina despacio a la salida, llevando un poco el ritmo del vals.*

Entra RITA, *de la calle.*

VII

ROSALBA, RITA

RITA, *tan ausente como* ROSALBA *despierta con el disco. Se espeluzna y corre a quitarlo.* ROSALBA *se vuelve y ve a* RITA, *petrificada junto al aparato.*

ROSALBA Rita, qué te pasa.

RITA Nada. Nada.

ROSALBA No te he visto en toda la tarde.

RITA Salí con Felipe. (*Grita.*) ¡Y con Chole! (*Y estrella el disco en el suelo.*)

ROSALBA ¡Rita!

RITA (*con rabia que se le retuerce por dentro*) ¡Con Chole, con Chole! ¡Bruta como una tapia, bruta! Salió con un vestido color ladrillo, con sus trenzas hasta la cintura, y, ¿sabes qué traía en las puntas? ¡Unos moños tricolores, unos moños tricolores que se le hacían para acá y para allá, para allá y para acá![48] (*Se echa a reír.*) Sus moños. (*de nuevo seria y preocupada*) Y yo iba con ellos, enseñándoles todo, y de repente, ¿sabes qué hice? Ella iba adelante de nosotros y yo le cogí las trenzas y jalé con toda mi alma. Y se dio un sentón, y chilló y yo me vine a la casa y los dejé rodeados de gente, a medio parque.[49]

(ROSALBA *la ha oído, seria y preocupada también, pero de pronto rompe a reír con toda su alma. Recapacita y ve a* RITA.)

ROSALBA Pero, ¿la tiraste al suelo y los dejaste en la calle?

---

48. que se... acá: that swung back and forth, back and forth   49. a medio parque: in the middle of the park

RITA   Sí, sentada, con Felipe tratando de ayudarla.

(*Se echa a reír, y* ROSALBA *con ella, pero de pronto ya no está riendo sino llorando.*)

ROSALBA   Rita, por Dios. No llores. (*Se ríe.*) Es que... (*Ríe.*) A mí me da mucha pena. (*Contiene la risa.*)

RITA (*serenándose*)   Es que no pude más.[50] Ay, no pude. Felipe es un indio, no es de nuestra clase, no, pero puedo andar con él sin avergonzarme. Pero Chole. ¡Y es tan grosera! ¿Qué irá a decir ahora?

ROSALBA   ¿Qué vas a decirle tú a ella?

RITA   Dios Santo, no sé. Es que no pude más. Nativitas nos detuvo otra vez para darle más dulces a Felipe. Y Chole, con sus trenzas. Estallé, no pude más. Le diré a Felipe que no lo quiero, que se vaya. Y ya, por fin, me quedaré aquí, sin más esperanzas, con Nativitas, con Lázaro y con Lucha, y esperando a que nazca... (*Calla bruscamente. Pausa.*) Ay Dios Santo. ¿Cómo hago para decirle que me deje?

ROSALBA   ¿A que nazca quién?

RITA   No, nada. Nada, y, ¿sabes? Quería yo ir al baile de esta noche, casi nunca he ido a un baile. Pero no iré. Para qué. Me vestiré de negro, me encerraré, empezaré desde hoy mi vida de solterona. (*Solloza.*)

ROSALBA   Rita, estás un poquito histérica.

RITA   ¿Yo? No, no sé. ¿Qué le digo, Rosalba, qué hago? Quiero que se vayan, que me dejen tranquila. Ya no quiero ver a Felipe, ya no. Me hace daño. ¿Qué hago? ¿Cómo le explico lo de su hermana? ¿Cómo se lo explico a ella?

ROSALBA   Mujer, no sé. Estás loca. Ahí está él.

VIII

Dichas. FELIPE

FELIPE   Rita, ¿qué pasó?

RITA   Este... ¿de qué? (*Se limpia los ojos, disimula.*)

50. **no pude más:** I couldn't stand it any more

FELIPE ¿Por qué hiciste eso?

RITA ¿Hice... qué? Felipe, no te entiendo.

FELIPE Es que... ¡Es que no te entiendo yo! Soledad está enojada, y con mucha razón. ¿Por qué hiciste eso?

RITA ¿Yo? Yo... no... yo nada...

FELIPE Pero es que... ¡Rita! No sé. Parece que estuvieras... ¡Vas a ver con Chole! Tú no la conoces.

ROSALBA (*Tiene repentinamente una idea.*) Felipe, oiga. Es que... (*con voz de querer dar a entender*[51]) Es que Rita no salió de la casa. ¿Entiende? Rita no salió hoy. (*Se hace, con el índice, varios círculos en la sien.*) Estuvo acostada toda la tarde, dormida, y no sabe nada de lo que pasó.

FELIPE (*Se ha ido desorbitando poco a poco.*) Ella...

ROSALBA Estuvo durmiendo, ¿ve? Toda la tarde.

FELIPE Está... ¿estuvo durmiendo? No. ¡No, no! Pero... ay...

RITA (*Se da cuenta.*) ¡No, Rosalba! ¡No! Eso es demasiado. Ay, no, Felipe. Te juro no es cierto. ¡Cómo eres capaz, Rosalba!

ROSALBA No te excites, Rita. Es lo mejor que puedes hacer. Si tú estuviste durmiendo, no tienes la culpa de nada. De nada, ¿entiendes?

RITA Pero eso ya es... Es perversidad. Me da... Es que estaría mal hecho. Me da vergüenza.

FELIPE Rita... Ay. ¿Usted está segura, señorita Rosalba?

ROSALBA Naturalmente.

RITA No, Felipe. Es mentira. Por favor. Yo no estuve durmiendo. Yo le jalé las trenzas a tu hermana, yo fui, porque... No te puedo explicar, mis nervios, pero no estoy... no.

FELIPE Claro, Rita, se las jalaste, eso es natural. Yo también le jalo las trenzas cuando estoy nervioso, todo mundo le jala las trenzas. No te apures.

RITA Ay, no me crees. ¿Ves, Rosalba? Explícale, por favor. Felipe, no seas... idiota.

ROSALBA Sí, Felipe. Usted ha entendido mal. A Rita no le pasa nada.

FELIPE No, claro, no. Si yo no pienso... No te pongas nerviosa.

ROSALBA ¿Por qué no vas a tu cuarto un poco más, mientras yo platico con Felipe?

RITA (*gritando casi*) ¡No me traten así, que me van a volver loca

51. **con... entender:** with the voice of one who is trying to make herself understood

55

de veras! ¡Explícale todo, Rosalba, o voy a dar de gritos! (*Se oye la voz de* CHOLE.)

CHOLE (*gritando*) ¡Felipe! ¿Dónde demonios te metiste? ¡Felipe!

FELIPE ¡Allí está ella!

ROSALBA Vete a tu cuarto, Rita.

RITA ¡Ay, Dios del Cielo! ¿Por qué dijiste eso?

CHOLE (*más cerca*) ¡Felipe!

FELIPE ¡Llévesela usted o quien sabe que va a hacer mi hermana!

ROSALBA Vete inmediatamente, ¿no entiendes?

RITA ¡Ay Dios! Felipe, te juro que no es cierto, ¡te lo juro!

CHOLE (*fuera*) ¡Felipe!

ROSALBA ¡Vete!

RITA ¡Ay, Dios! (*Va a salir por la izquierda. Prefiere la derecha. Todavía, antes de salir*) De veras no es cierto, Felipe, no es cierto. (*Sale.*)

IX

ROSALBA, FELIPE, CHOLE

CHOLE (*entrando*) ¡Aquí estás! ¿Por qué demonios me dejaste a medio parque? ¿Dónde está esa vieja[52] maldita? ¡Si me las va a pagar! ¡Condenada! ¿Qué se creyó esa desgraciada? ¿Que mis trenzas son para jalonearlas? ¡Pero va a ver, vieja pérpera!

FELIPE (*deteniéndola*) Óyeme, Chole, ella está enferma, como su tía, ¿no te das cuenta? Como su tía la que anda en la calle. Está mal, está enferma, como su tía.

ROSALBA Sí, Chole. Tenga cuidado que es peligroso.

CHOLE A poco es cierto eso.[53]

ROSALBA Es verdad, Chole. Pero no le diga usted nada. La pondría peor, ya ve lo que le hizo.

CHOLE ¿Y por qué no la encierran, o la amarran?

ROSALBA Porque no es una cosa tan seria. Se le pasa pronto y le viene de tarde en tarde.

---

52. **vieja:** used colloquially for any woman (In this context, it is quite insulting.)
53. **A... eso:** You don't say.

CHOLE ¿Y cómo no me dijiste nada?

FELIPE No sabía yo. Es decir... Algo me imaginaba...

CHOLE ¡Caray, con razón! ¡Qué bárbaro!

ROSALBA Han hecho muy mal en no avisarles.

CHOLE Eso le viene por su tía esa, ¿verdad?

ROSALBA Sí, es hereditario.

CHOLE No pensarás todavía casarte con ella.

FELIPE ¿Yo?

CHOLE No, el vecino.

FELIPE Es que... Yo no sé nada. No puedo pensar nada. Esto tan así, tan de repente...

CHOLE Pues no pienses y cásate, que tú te casas con ella y yo me largo de la casa. No voy a vivir con locas.

FELIPE Oye, Chole, no es tiempo todavía de hablar de esas cosas.

CHOLE Claro que es tiempo. Si la trae conmigo.⁵⁴ Yo me voy mañana mismo a México.

FELIPE Es que no podemos irnos así.

CHOLE Yo sí puedo. Ahorita voy a meter todo en mi veliz y salgo mañana tempranito. Tú sabes si vienes o te quedas a que te ahorque.

FELIPE Oye, yo no puedo irme así.

CHOLE Yo sí puedo. Y tú sabes lo que haces.

FELIPE Es que... es que no podemos, oye. Mira, el papá ya me dijo que sí, y...

CHOLE Yo me voy mañana. No me importan ni ella ni su papá.

FELIPE Pero, Soledad, mira.

(*Sale* SOLEDAD.)

X

FELIPE, ROSALBA

FELIPE (*desplomándose en un sillón*) Es muy triste todo esto.

ROSALBA Sí, ¿verdad?

FELIPE ¿Qué hago? ¿Qué haría usted en mi lugar?

ROSALBA Las maletas.

54. **la trae conmigo:** she's got it in for me

FELIPE   ¿Y dejar a Rita?

ROSALBA   Claro. Es una deslealtad que no le hayan dicho nada de... sus padecimientos.

FELIPE   Sí, ¿verdad?

ROSALBA   Un casamiento así, es imposible. Piense lo que sería para usted verla decaer de día en día, llena de tinieblas espesas y de terrores. Sería imposible de soportar, tal vez acabaría usted como ella. Y sus hijos, tarados de nacimiento, con las cabezas enormes y los ojos saltones.

FELIPE   Ay, no. Mis hijos no.

ROSALBA   Claro, no puede usted permitir eso. No debe casarse con ella. Vuelva usted a México y la olvidará pronto. Y piense usted en su hermana; su casamiento sería como echar a Chole de la casa. ¿Usted la quiere mucho?

FELIPE (*desconsolado*)   Mucho. Rita es la única mujer, que...

ROSALBA   No, no. Quiero decir a su hermana.

FELIPE   ¿A Chole? Claro que la quiero. Ella me ha criado, ha sido como mi madre. Trabajó lavando ropa, fregando suelos, para educarme. No se imagina lo que me duelen estas... diferencias de opinión que tiene con Rita.

ROSALBA   Su pobre hermana. No puede sacrificar la salud a la enfermedad. Debe usted irse a México mañana mismo.

FELIPE   ¿Usted cree?

ROSALBA   Claro, aunque yo nada más le expongo mi opinión. No quisiera influir en las ideas de usted.

(*Entra* AURORA. *Trae puesto un juvenil vestido de noche, bastante escotado. Aunque por una parte se ve incongruente con su edad, por otra la rejuvenece.*)

XI

Dichos. AURORA

AURORA   ¿Qué pasó? ¿Por qué no se han vestido? ¡Ay, que carita tan triste tiene usted!

ROSALBA   ¡Mamá! Cuándo aprenderás...

AURORA   Ya, ya sé. Metí la patita. Perdone, Felipe. En realidad se ve usted muy contento. ¿No vas a arreglarte, Rosalba?

ROSALBA   Sí, mamá, ya voy. ¿Vamos, Felipe?

FELIPE   Sí, yo voy a acostarme.

AURORA   ¡Cómo! ¿No piensa ir al baile?

FELIPE   No, señora.

AURORA   Pero va a aguarnos la fiesta. Y la pobre de Rita, que se hizo un traje especial para hoy. ¿O se peleó usted con ella?

FELIPE   No, no señora.

ROSALBA   ¡Mamá!

AURORA   Tú cállate. ¿Va usted a dejar a la pobre Rita vestida y encampanada?

FELIPE   ¿Está vestida?

AURORA   ¡Claro que está vestida! Ahorita la vi con el traje puesto. ¡Se veía tan linda!

FELIPE   Pero si... es que... acaba de salir de aquí.

AURORA   Ella es muy rápida para arreglarse.

FELIPE   ¿Usted cree que quiera ir, señorita Rosalba?

ROSALBA   No sé, es fácil que...

AURORA   ¡Claro que quiere ir!

FELIPE   ¿Ya se le pasaría su... eso que le dio?

ROSALBA   Eso sí, claro. No le dura nada. Ya no se ha de acordar.

AURORA   ¿Qué cosa le dio a Rita?

ROSALBA   Tú cállate.

FELIPE   Entonces... Voy a ponerme el smoking. Será como... (*con un nudo en la garganta*), será como una despedida. Con su permiso. (*Sale.*)

XII

ROSALBA, AURORA

ROSALBA   Mamá, me estás copiando la técnica.

AURORA   Hija, esta técnica la inventé yo.

ROSALBA   ¿De veras está Rita vistiéndose?

AURORA   No, nada más era... técnica. (*Ha ido caminando al piano y*

se ha sentado en el banco. Mientras habla, hace sonar el teclado.)
No pensarás ir así al baile.

ROSALBA   No, Azalea me va a prestar un traje de jarocha.

(*Va saliendo* ROSALBA *cuando* AURORA *empieza a tocar el inevitable vals op. 64 nº 2 de Chopin.*)

AURORA (*tocando*)   ¿Y Lázaro?

ROSALBA (*Contiene el aliento y se detiene.*)   Ay, Lázaro. Se me encogió el estómago.[55] Ha de estar en su cuarto.

(*Recuerda las orquídeas. Las coge de la mesa. Entra* LÁZARO *hacia el piano. Se desconcierta al ver a* AURORA. *Ve luego a* ROSALBA.)

XIII

Dichos. LÁZARO

LÁZARO   Te... ah. Este... yo te... Ella toca también, ¿no?

ROSALBA   Sí, Lázaro.

LÁZARO   Las... Ajá, las orquídeas.

ROSALBA   Sí. (*Sonríe, las huele.*) Las orquídeas.

AURORA (*Deja de tocar.*) ¿Te gusta la música, Lázaro?

LÁZARO   ¿La música?

AURORA   Sí, el piano.

LÁZARO   Ah, no. Es decir, sí... sí me gusta.

AURORA   ¿Quién va a tocar en el baile?

LÁZARO   ¿A tocar? pues, los de acá... este Ascona, y su marimba, y... y... pues... quería yo... preguntarte... a ti, Rosalba...

ROSALBA   Dime.

LÁZARO (*Duda.*)   ¿Vamos a ir?

ROSALBA   Claro que vamos a ir.

LÁZARO   Y... Rosalba...

AURORA   ¿Son orquestas de aquí, oye?

LÁZARO   ¿De aquí? Sí... bueno, este, Chinto Ramos es de Veracruz pero... pero... (*Se calla y mira angustiado a* ROSALBA.)

ROSALBA   Lázaro.

LÁZARO   ¿Qué?

ROSALBA (*muy claro, casi silabeando*)   Yo-tam-bién-de-ti. (*Sale.*)

55. Se... estómago: I got butterflies in my stomach.

XIV

AURORA, LÁZARO

LÁZARO ¡Oye! ¿Cómo?..., ¿qué dijo?

AURORA No sé.

LÁZARO Dijo que ella... ay... (*Se deja caer, sin aliento, en el sofá. Se da cuenta de golpe. Se ahoga. Se transfigura.*) Dijo que... ¿La oyó? (*Sonámbulo, va a la victrola. Considera su disco roto.*) ¡También!... dijo que... ¡También! (*Pone otro disco. Es la marcha*[56] *«Zacatecas». Se queda temblando, tenso, rodeado por la ruidosa marcha. Luego, un poco distendido, vuelve a sentarse.*)

AURORA ¿Qué te pasa, Lázaro?

LÁZARO Nada. Toque usted el piano, ande.

AURORA Si acabas de poner el disco.

LÁZARO Sí, no le hace, toque usted.

AURORA (*Se acomoda para tocar.*) Quítalo ya.

LÁZARO No, así. Toque usted. Ande. (*Con nervioso optimismo va junto a ella.*)

AURORA Pero quita eso, Lázaro.

LÁZARO Toque usted. (*Le pone una mano, después otra, sobre el teclado.*) Ande.

AURORA (*Se ríe.*) ¿Estás loco? Va a ser algo infernal (*Toca el vals de Chopin.*) ¡Qué horror! (*Sigue tocando, riéndose.*)

LÁZARO (*Suspira.*) Siga usted. Me gusta mucho... la música.
  (*Se sienta de nuevo a escuchar con delicia. Entra* RITA.)

XV

RITA, AURORA, LÁZARO

RITA (*lamentosamente*) ¡Por favor, por favor! No soporto ese ruido. (AURORA *se calla y* RITA *quita el disco.*) ¿No anda Chole por aquí?

56. **marcha:** a fast dance (not a march in the military sense, although march-like themes are frequently used in this type of music)

AURORA   No. Puedes hallarla en su cuarto.

RITA   ¡Hallarla! No puedo ir a mi cuarto porque me vería entrar desde el suyo. Cuando pasen al comedor, avíseme usted. Estoy aquí junto, en el cuarto de los tiliches. (*Va a salir.*) Y ya no hagan tanto ruido. Me están partiendo la cabeza.

AURORA   Pero, mujer, ¿qué te pasa? Mira cómo estás de polvo y de telas de araña.[57] Si no quieres ver a Chole, basta con que te quedes aquí.

RITA   ¿Aquí? (*Ve a* LÁZARO.) No.

LÁZARO   Eso lo dices por mí, tú, ¿verdad?

(RITA *va a contestar. Opta por irse.*)

LÁZARO   Si quieres tú hacer eso que haces, esas cosas de hacer como que no me ves y como que no me quieres hablar, me alegro que por mí tengas que estar encerrada allí, y ése es tu lugar, con los trastes viejos y con los tiliches.

RITA   ¿Me hablas a mí?

LÁZARO   No, ha de ser a mi tía Aurora.

RITA   A... ¿a mí?

LÁZARO   Sí, a ti.

AURORA   Pues, qué, ¿tampoco se hablan ustedes?

LÁZARO   Pues, ¿usted no ve que a mí, todos así, aquí en la casa, son así, que no me hablan desde hace meses? Pero, oye, diles que, a todos, que no me importa nada. Y que yo no quiero hablarles a ellos. Eso diles.

RITA   ¡Lázaro, eres un... un...! ¿Te atreves a decir todo eso cuando sabes por qué no te hablamos?

LÁZARO   Sí, yo me atrevo mucho.

RITA   ¡Pero qué te pasa!

LÁZARO   Y voy a tratar a la gente como Dios manda, no tengo por qué estar así yo, por qué avergonzarme. Y todos los demás sí. Y me voy a ir a México, a estudiar, o a trabajar, o a lo que sea. No me importa que no me hables.

(*Entra* LUZ. *Trae puesto el rebozo de* AURORA. *Camina a la ventana y por allí se asoma* ERASTO, *el aguador. Se dan la mano y él se va.* LUCHA *permanece allí un momento. Luego va a salir. Pero no se ha interrumpido el diálogo.*)

Mientras tanto, ha ocurrido que:

----

57. **Mira... araña:** Look how you're covered with dust and spiderwebs.

XVI

Dichos. LUCHA

RITA Ay, no..., pero tú dices que... ¡Lázaro!

AURORA *(Ve a* LUCHA.*)* ¡Mira, mi rebozo!

RITA ¿Su rebozo? Ah, sí. Lázaro, no me importa que te vayas a donde se te...

AURORA Pero, pídeselo, ¿no?

RITA ¿Qué cosa?

AURORA El rebozo.

RITA ¿Yo?

AURORA Sí, es tu criada, y a mí me da pena.

RITA Sí, claro.

AURORA Dile ahorita, ¿no?

RITA ¿No será mejor que..., que se lo dé ella? Se lo ha de dar en seguida.

AURORA Sí, pero es que ya. Porque lo quiero para el baile.

RITA Bueno. Claro. *(Duda.)* Voy a pedírselo. *(Es el momento en que* LUCHA *va a salir.* RITA *le habla tímidamente.)* Este... Lucha... *(Como la otra no la oye, o no le hace caso, se le acerca y la toca.)* Lucha.

LUZ ¿Qué quiere?

RITA Este, oye, mira, esa, ese rebozo que traes es, creo que es de... tía Aurora.

LUZ ¿Y qué?

RITA No, pues que... es de ella y lo... quiere ponérselo.

LUZ Bueno, ni que fuera yo a estarme toda la vida con el rebozo puesto.[58] O qué, ¿cree usted que nunca me lo voy a quitar?

RITA No, no. Yo no creo.

LUZ Bueno. *(Va a salir* LUZ, *pero:)*

AURORA Sabe usted que voy a usarlo ahora, si usted no... En cuanto pueda dármelo. Y cuanto antes me lo dé, mejor.

LUZ ¿Qué? ¿Ahorita quiere que me lo quite y se lo dé?

AURORA No, no es necesario.

---

58. **ni... puesto:** you'd think I were going to spend my whole life with the shawl on

LUZ Porque yo puedo quitármelo aquí, y ya, se acabó. ¿Eso quiere que haga?

AURORA No, no vaya a hacerlo. Luego, no tengo tanta prisa.

LUZ (*casi aparte*) Pues si no tiene prisa no sé para qué están ahí fregando...

> (*Termina entre dientes mientras va saliendo.* LÁZARO *se levanta entonces, con movimientos muy seguros. Alcanza a* LUZ *en dos zancadas y le quita el rebozo de encima. Lo dobla con cuidado, y:*)

LÁZARO Tenga su cosa esta, tía.

RITA (*bajito*) Ay, Lázaro, para qué hiciste eso.

LUZ ¡Así es que tú, así es que tú me coges el mugre rebozo de la vieja! ¡Infeliz, desgraciado, nada más eso faltaba, que tú fueras a estar poniéndome las puercas manos encima![59] ¡Pero si vas a ver, yo para lo que quiero el cochino hilacho![60] Y usted, ya le andaba por quitármelo, ¿no?,[61] que aquí en la puerta tiene que encuerarme.

AURORA (*escondiendo el rebozo a la espalda*) No me andaba nada, pero el rebozo es mío. Y es usted una abusadora, porque yo no se lo presté.

LUZ Y usted también, ahí va con el chisme enseguida, ¿verdad?

RITA Lucha, por favor, ya no sigas. Si te vieron entrar.

LUZ Qué por favor ni qué nada. Usted es la que hace que una pase vergüenzas y que la traten así. A una que la traten como perro,[62] pero también tiene una su dignidad y cuando noto que me hacen cosas, me largo. Yo no tengo por qué seguir aguantando cosas, una tiene dignidad y una se puede largar, ahorita si quisiera, ¿sabe?

LÁZARO Pues ya. Que se largue una, pero así. (*Truena los dedos.*) ¡Fuera! ¿Quién te has creído tú que eres en esta casa?

LUZ ¡Tú! ¡Tú vas a echarme! (*Pronunciando la risa tal como se escribe*) ¡Ja, ja, ja, ja! El pobrecito cree que va a echarme de la casa. Mira, ¿quieres que empiece a hablarte de muchas cosas?

LÁZARO ¿De qué cosas?

LUZ Tú sabes de cuales.

LÁZARO Yo sé de cuales y lo sabe todo el pueblo. Y qué me importa. Di lo que se te antoje, hasta misa, pero fuera de aquí. En la casa esta no vas tú a hablar nada.

---

59. **nada... encima:** that's all I needed, for you to put your dirty hands on me
60. **yo... hilacho:** what do I want the dirty rag for? 61. **ya... ¿no?** you couldn't wait to take it away from me, could you? 62. **a... perro:** they can treat you like a dog

RITA (*gritando*) ¡Pero no estén gritando esas cosas por amor de Dios!

LUZ Sí las gritamos si se nos antoja, y usted no se meta, que no es nada en todo esto.

LÁZARO Sí es nada en todo esto, es nada más la dueña de la casa y tú sí ya no eres nadie. Grita todo lo que quieras, Rita, que aquí ya nada se va a decir en voz baja. Cuanto hagamos se sabrá por encima de los tejados. Y por ahí vas a salir tú, volando, si no te apuras por la puerta. ¡Fuera! ¡Lárgate ya!

LUZ No, pero, pero, ¿lo dices de veras?

LÁZARO Claro que de veras.

LUZ ¿Crees que vas a correrme después de todo lo que he hecho por ti?

LÁZARO Yo también lo he hecho por ti, y estoy seguro de que a ti te gustó más. Y lárgate ya.

LUZ Está bien. (*Va a la salida de la derecha.*)

AURORA Lázaro. ¿Qué también por allí se va a la calle?

LUZ No, por aquí voy a buscar mis cosas para largarme, y por aquí voy a buscar a mi hija para que se largue conmigo. (*Sale.*)

XVII

RITA, AURORA, LÁZARO

LÁZARO *la ve salir y entonces su energía empieza a desmoronarse. Se sienta, despacio, en el banco del piano.*

RITA ¡Qué has hecho! ¡Qué has hecho! ¿Y Azalea? ¿Vas a permitir que salga así de la casa? Eres... Ay, no, tú no eres mi hermano.

AURORA Pero es que esa mujer ya estaba insoportable. Lázaro no tuvo más remedio que correrla, y es la primera gente cuerda de esta casa.

RITA ¿Quién? ¿Lázaro, gente cuerda? ¿Pero usted cree que la corrió por lo del rebozo? Fue por celos, por celos de que la vio llegar con Erasto el aguador.

AURORA Ay, Rita. ¿Celos todavía?

RITA ¡Claro que todavía! ¡Si Luz va a tener un hijo de él! ¿No lo ve cómo está? Le duele lo que acaba de hacer, y no por Azalea. ¡Has echado a esa mujer, que va a ser madre de un hijo tuyo, la corres con todo y tu otra hija. ¡Eres un monstruo, Lázaro, eso eres, un monstruo!

AURORA ¡Lázaro!, ¿de verdad eres? Ay, si no pareces.

(LÁZARO *ve a las dos. Va a decir algo, pero mejor se levanta y sale.*)

XVIII

AURORA, RITA

AURORA Pero ¿es posible?

RITA Es posible. ¡Es imposible! ¡Ay tía, cómo va a estar esta casa! ¿Se imagina usted empezar otra vez? Cuando se le note a Luz, va a ser horrible. Ay, tía...

AURORA Yo no lo creo. ¿Cómo lo supieron?

RITA Una de esas ocurrencias... tontas de mi papá. Se le ocurrió que Luz estaba tuberculosa, no sé ni por qué. Trajo al médico a verla. Le hicieron un examen general. Él nos dijo después que estaba... así.

AURORA ¡Ay, qué bárbaro! Pero... ¿cómo puede gustarle tanto esa mujer a Lázaro? ¿Y cuándo lo supieron?

RITA Hace dos meses. Dejamos de hablar con Lázaro desde entonces, más por comodidad que por otra cosa. Nadie le dijo nada, pero nadie volvió a hablarle. ¡Cómo ha podido portarse así!

AURORA A esto sí no le veo remedio.[63] ¿Ya le contaste a Rosalba?

RITA No, no le diga usted nada. Hasta después cuando ya se hayan ido a México.

AURORA ¿Por qué?

RITA No sé, es... una corazonada mía... Es que me da pena con ella. (*Suspira.*) Quisiera irme muy lejos, donde no viera la casa, ni la familia ni el pueblo.

63. A... **remedio:** I don't see any way out of this.

AURORA   Hijita, cómo pudiéramos ayudarte.

(*En ese momento, la luz eléctrica se enciende.*)

RITA (*Ve en derredor.*)   Las nueve y media.

XIX

Dichas. ROSALBA, AZALEA

ROSALBA (*entrando, vestida de jarocha*)   Una sorpresa. Van a ver.
¡El rebozo! Eso necesitaba yo. A ver. (*Lo coge. Sale un momento.
Desde dentro*) Van a ver. Un momento nada más. Así, con esta
punta acá. Eso. Eso es. Ya. (*Entra.*) Atención. (*Canta unas fan-
farrias.*) ¡Tarará, tarará, tararáaaa!

   (*Entra* AZALEA, *con un escotado y ceñido traje blanco. Los
   hombros y la espalda desnudos, el pelo alborotado, una de las
   orquídeas de* LÁZARO *en el pecho. El rebozo coral cuelga por sus
   dos brazos y se ciñe a su espalda, sin cubrir los hombros.*)

AURORA   ¡Pero qué divinidad de criaturita es ésta!

ROSALBA   Obra mía. Estrictamente obra mía. Da la vuelta. ¿Qué tal?

AZALEA   ¿Me queda bien el traje? Es de Rosalba.

AURORA   Maravilloso.

AZALEA   Pero, ¿qué tal ella?[64] Mírenla. Yo la arreglé.

   (ROSALBA, *de jarocha. Trae orquídeas en el pelo y en el pecho.*)

ROSALBA (*Da la vuelta.*)   ¿Qué tal me veo Rita?

RITA   Te queda bien. Oye, ¿qué creen ellos? ¿De veras piensan que
estoy loca?

ROSALBA   Sí, estás. ¿Por qué no te has arreglado? ¡Y ya hay luz eléctrica! ¡Qué bueno! Anda, corre a arreglarte. Esas luces de petróleo
me enferman. Me encanta la claridad. (*Mientras habla va apagando
los quinqués.*) Pero corre a arreglarte, que se nos va a hacer tarde.

RITA   ¡Arreglarme! No, no voy. Yo no tengo a qué ir. ¿Qué piensa
hacer Felipe?

ROSALBA   Anda al demonio y al cuerno,[65] no es hora de lagrimeos.
Felipe ya se arregló para llevarte a bailar, ¡a bailar!

RITA   ¡No es posible!

---

64. ¿**qué tal ella?** how does she look?   65. **Anda... cuerno:** Go to the devil.

ROSALBA   Sí es posible. Me niego a pensar más en nada serio por esta noche. Todos, ¿lo oyen?, todos iremos al baile. Tú, yo, Felipe, Azalea, mi mamá y... (*sonríe*) Lázaro.

RITA   No. Ahora menos voy. Es imposible. Ya hablé con Lázaro y...

ROSALBA   ¡Nada, nada! ¡A vestirte! Esta noche es la más importante de todas las fiestas. ¿Qué clase de pueblo es éste? ¡A divertirse! Yo estoy contenta y no quiero pensar.

RITA   Yo no estoy contenta, no puedo estar contenta, no ves, cómo me sucede que...

ROSALBA   Se acabaron los pucheros,[66] ya, nada de chillidos. (*Va al fonógrafo. Lo pone. Suena la marcha «Zacatecas».*) Esto quería yo, música. Rita: Te doy hasta tres para que vayas a vestirte, o traigo a Felipe por ti.

RITA   No, no vayas a hablarle.

ROSALBA   A la una.

RITA   Mira cómo tengo los ojos, y sin pintar, y despeinada, y toda sucia de polvo y de...

ROSALBA   A las dos.

RITA   Rosalba, no. Yo no quiero, te digo que...

ROSALBA   Y a las...

RITA   No, no, no, no.

ROSALBA   ¡Felipe! ¡Felipe!

RITA   ¡Ya voy, ya voy! ¡Estás loca! ¡De atar! (*Va saliendo a la carrera, pero:*) ¿Me visto de jarocha, como tú?

ROSALBA   Claro. ¿O quieres un traje mío?

RITA   No, creo que no me quedaría.[67] (*Sale.*)

XX

AURORA, ROSALBA, AZALEA *y, luego,* JUANA

ROSALBA   Y apúrate, o vamos a llegar tarde. Felipe ya está listo.

AURORA (*apenas ha desaparecido* RITA, *en voz baja*)   Ay Rosalba, no te imaginas lo que acabo de saber.

   (*Quita el disco.*)

ROSALBA   Alguno de tus chismes.

66. **Se... pucheros:** no more sniffling   67. **no me quedaría:** it wouldn't fit me

AURORA   No, no es chisme. Es algo muy importante.

ROSALBA   ¿Se refiere a ti?

AURORA   No.

ROSALBA   ¿Tienes tú que ver en el asunto?

AURORA   No.

ROSALBA   Entonces sí es chisme.

AURORA   Bueno, pues no te cuento nada si no te interesa.

ROSALBA   ¡Claro que me interesa! Cuenta.

AURORA   Pues... pero hay una cosa.

ROSALBA   Que.

AURORA   Dile a Azalea que se vaya.

ROSALBA   No tengo tanto interés..

AZALEA (*No ha dejado de verse en los espejos.*) Está precioso, precioso.

ROSALBA   Tú eres la preciosa, no el traje.

JUANA (*asomándose por la ventana*)   ¡Azalea!

AZALEA (*Quita el disco.*)   ¿Qué quieres?

JUANA   ¿Dónde hubo palo ensebado?[68]

AZALEA   Ya quisieras, mira. (*Se da la vuelta.*)

JUANA   ¿Vas a ir al baile de la tarima?

AZALEA   No, voy al baile del casino.

JUANA   Mentiras.

AZALEA   Sí, voy con mis primas y con Lázaro. ¿Verdad, Rosalba?

ROSALBA (*divertida*)   Por supuesto. Dile a tu amiga que pase.

(JUANA *se ríe y se sumerge en lo oscuro.*)

AZALEA   Oye, Juana. Y no viste mis zapatos. (*Se para en la puerta.*) ¡Oye, tú, mira! ¡Y tú Jacinta, mira! (*Se da la vuelta.*) ¡Mira! (*Agita el rebozo.*) ¡Mira! (*Se levanta el vestido y enseña los zapatos.*) ¿Qué tal, eh? ¡Dorados!

XXI

AURORA, ROSALBA, AZALEA, LOLA

LOLA (*entrando*)   ¡Azalea! ¿Qué exhibiciones son ésas? ¿Puedes explicarme qué sucedió, Rosalba?

---

68. ¿ **Dónde... ensebado?** Where was the greased pole? (A reference to the winning of prizes by climbing a greased pole at a fair or festival. Juana is implying that this is the only way Azalea could have gotten the dress.)

ROSALBA   ¿De qué, tía?

LOLA   Luz no ha hecho la cena, y dice que dentro de un rato se van ella y Azalea.

ROSALBA   ¿Se van a dónde?

LOLA   De la casa. Dime la verdad: ¿Qué le has hecho a Luz?

ROSALBA   Tía, por favor, no vivo yo nada más en la casa. Yo no le he hecho nada.

LOLA   Ay, Dios mío. Lorenzo va a morirse cuando lo sepa. Esa mujer va a hablar por todo el pueblo.

AZALEA   ¿Quién dice que se va mamá?

LOLA   Ella. Dice que se van ella y tú.

AZALEA   ¿Que nos vamos, cuándo y a dónde?

LOLA   Que esta misma noche se van, yo no sé a dónde.

AZALEA   Ay, no, cómo va a ser. ¿Ella le dijo?

LOLA   Está guardando su ropa. También la tuya.

AZALEA   Acompáñame a verla, Rosalba, por favor.

ROSALBA   Cómo no. Vamos.

AURORA   Oye, Rosalba. Eso era.

ROSALBA   ¿Qué cosa?

AURORA   El chisme.

AZALEA   ¿Cuál chisme?

AURORA   No, es que, ya lo sabía yo.

LOLA   Y quién va a hacer ahora la cena, es lo que me apura. ¿No quieres hacerla tú, Azalea?

AZALEA   A mí me apuro yo, no la cena. Y no quiero hacerla. ¿Vamos, Rosalba?

ROSALBA   En seguida.

AZALEA   ¿De veras? Porque... yo no sé cómo tratarla. Es que, ¿sabes? Mamá y yo nos llevamos bien más o menos, pero una cosa como ésta, nunca habíamos tenido. ¿Vas a venir?

ROSALBA   Sí, espérame en el comedor si quieres.

AZALEA   No, voy con ella.

LOLA   Sí, anda, a ver si tú la convences, porque está furiosa. Vamos.

AZALEA   ¿Y usted para qué viene?

LOLA   Ay, ¿que te estorbo?

AZALEA   Claro que sí. (*Sale.*)

LOLA   Vaya. Pues no, es mejor que la veamos las dos. (*Sale tras ella.*)

70

XXII

AURORA, ROSALBA

ROSALBA Cuéntame ahora. ¿Qué pasó?

AURORA (*en tono de gran chisme*) Imagínate que estábamos aquí, sentadas, poco después de que tú te fuiste, cuando va sucediendo que...

ROSALBA Óyeme bien. O me cuentas en diez palabras lo que pasó, o me voy a ver a Lucha. No abras la boca: piensa un momento y dilo, pero una palabra más de diez y me voy. ¿Qué sucedió aquí?

AURORA Que Lázaro es amante de Lucha, todavía, y que se puso celoso de no sé quién y la echó de la casa.

ROSALBA ¡Mentira! No es posible.

AURORA Yo vi todo. Y Lucha va a tener un hijo de Lázaro, y así y todo, ¡hubieras visto cómo la corrió! Parecía una fiera por los celos.

ROSALBA No lo creo. ¡No lo creo! No, mamá, es demasiado chisme, ¡qué lengua, que bárbara eres! Es que... Eso del hijo es el colmo. No creo nada, nada.

AURORA ¡Te juro que es verdad! Yo lo vi todo.

ROSALBA ¿Hasta el hijo que va a tener?

AURORA No, claro, eso Rita me lo contó.

ROSALBA Por supuesto.

AURORA ¿Pero el silencio de todos por qué crees que es? No iban a durar quince años sin hablarle. Es cosa nueva, por todo esto.

ROSALBA Ay, eso no lo había yo pensado.

AURORA Hace dos meses que lo supieron y...

ROSALBA Quince años sin hablarle... No, claro, no es posible. Soy una idiota.

(*Entra* LOLA.)

XXIII

Dichas. LOLA

LOLA Me corrió de su cuarto. ¡Qué grosería de mujer, qué lengua! Me dijo que todavía era su cuarto y me echó.

ROSALBA   Tía, necesito que por favor me diga algo.

LOLA   Sí, dime.

ROSALBA   Tía, ¿Lázaro y Lucha, son amantes?

LOLA   ¡Rosalba, qué preguntas para una señorita! ¡No sé cómo tu madre te permite! Además, no veo por qué has de averiguar de ese modo asuntos en los que no tienes nada que ver.

ROSALBA   Pero, tía, si soy de la familia, y Azalea me ha pedido que intervenga.

LOLA   ¡Que intervengas! ¿A santo de qué y en qué?[69]

ROSALBA   No, en nada. Pero no me contestó usted.

   (*Entra* RITA, *viene vestida de jarocha.*)

LOLA   Ni te contestaré. No es asunto en que tengas por qué intervenir.

XXIV

RITA, ROSALBA, AURORA, LOLA

RITA   ¿Qué cosa, mamá?

AURORA   Nada, hijita. Tú mamá dándole un descolón a Rosalba.

LOLA   No es descolón. Es que, por Dios, qué modo de hacer preguntas.

AURORA   Le preguntó lo del hijo de Lucha.

RITA   ¿Se lo dijo usted? ¿Para qué?

ROSALBA   ¿Es cierto, Rita?

LOLA   Rita, te prohibo...

RITA   Mamá, ¿para qué? Con tu actitud estás demostrando que es verdad.

ROSALBA   ¿Cómo lo supieron?

RITA   Por un médico, ya le conté a tu mamá.

ROSALBA   ¿Es cierto que echó a Luz de la casa?

RITA   Sí, hace un rato.

LOLA   ¡También hizo eso Lázaro!

RITA   ¿No sabías?

   (*Entra* FELIPE, *todo fúnebre y acalorado en su smoking.*)

69. ¿A... qué? In what and with what right?

XXV

Dichos. FELIPE

FELIPE Rita, qué... qué bonita estás.

RITA Gracias, Felipe.

FELIPE Podemos irnos cuando tú... cuando ustedes gusten.

LOLA Bueno está el momento para bailes.

FELIPE ¿Por qué, señora?

LOLA Por nada.

(*Entra* AZALEA.)

XXVI

Dichos. AZALEA. *Luego,* LORENZO

AZALEA Rosalba, ¿por qué no has venido?

ROSALBA Es que estaba yo sabiendo unas cosas.

AZALEA Ven. Vamos con mi mamá. No ha querido hacerme ningún caso. Haces falta tú.

ROSALBA ¿Para qué?

AZALEA Tú convences a toda la gente.

ROSALBA Me da miedo que confíes tanto en mí.

(*Entra* LORENZO.)

LORENZO ¡Aurora, Rosalba, cuánta belleza reunida en esta casa! ¡Azalea! ¡Déjame verte! No creo que ésta seas tú.

AURORA Tu nieta está muy chula, Lorenzo.

LORENZO (*Tiene un acceso de tos.*) Y Rita, qué guapa, qué guapa estás.

AZALEA Rosalba, ¿no vas a venir?

ROSALBA Mira, Azalea, todo esto no depende de tu mamá.

AZALEA ¿De quién, entonces?

ROSALBA Dile, por favor, a Lázaro que venga.

LORENZO (*Tose.*) ¿Y ya podemos pasar al comedor?

LOLA ¿Ya sabes lo que pasó?

AZALEA No va a querer venir.

LORENZO ¿Qué cosa pasó?

ROSALBA Dile que es cosa mía, que yo quiero que venga.
(*Sale* AZALEA.)

XXVII

ROSALBA, AURORA, RITA, LOLA, FELIPE, LORENZO

LOLA Creo que será mejor decírtelo luego.

LORENZO El buen amigo está triste, ¿eh?, por el viajecito.

FELIPE N... s... sí señor.

RITA ¿Cuál viajecito?

LORENZO Felipe se va mañana de Otatitlán. ¿Es posible que no te
haya dicho?

RITA ¿Te vas mañana, Felipe?

FELIPE Me voy mañana.

AURORA Ajá, se va a encargar la ropa de la novia.

LOLA Esto es de lo más inesperado. ¿Cómo no nos habías dicho
nada?

RITA ¿Por qué no me lo habías dicho?

FELIPE No... no quería yo, hasta... después del baile.

LOLA ¿Y cuándo va a volver?

FELIPE No sé todavía.

LOLA Acuérdese de que está por fijar la fecha de la boda.⁷⁰

FELIPE Sí, claro. Ya... estuve hablando con la señorita Rosalba.
Ella... ahora que⁷¹ me vaya... podría explicarles... algunas cosas.

RITA ¿Qué es lo que vas a explicarnos, Rosalba?

ROSALBA ¿Explicarles de qué?

RITA ¿No oíste a Felipe?

ROSALBA Perdóname, pensaba en otra cosa.

RITA ¿Qué hablaron Felipe y tú esta tarde?

FELIPE Ella va a decírtelo, Rita, pero no... no tiene importancia.
Vámonos al baile, ¿no?

70. **está... boda:** the date of the wedding has yet to be fixed 71. **ahora que:** *después que*

RITA   No. Yo no voy al baile. ¿Felipe decidió ya... irse, Rosalba?
(*Empieza a lagrimear, nerviosamente.*)

ROSALBA   Ya lo estás oyendo. Esto es lo que tú querías, Rita.

RITA (*llorando francamente*)   Yo no quería nada. Tú vas a tener la
culpa por tus... ideas, y tus cosas.

ROSALBA   Tú me dijiste que no querías..., eso.

RITA   ¿Y crees que quiero a Luz, y a sus hijos, y a Lázaro, y a
Nativitas, y al pueblo? ¿Por qué habías de meterte en mis cosas?
¿Quién te pidió intervenir?

(*Entran* AZALEA *y* LÁZARO.)

XXVIII

Dichos. AZALEA, LÁZARO

AZALEA   Rosalba.
(*Hay un silencio a la entrada de* LÁZARO. ROSALBA *y él quedan
frente a frente.*)

AZALEA   No quería venir.

LÁZARO   Yo no quería... A mí no me gusta... Con toda esta gente...
que tú... ¿Para qué me llamaste?

ROSALBA   ¿Azalea no te dijo nada? Tío, no se vaya. Este asunto es
de toda la familia, no de Lázaro y mío. Usted debería estar
hablando con Lázaro. Por favor, quédese cuando menos.

LORENZO   Yo no estoy... lo que yo digo es que... (*Tose.*)

LÁZARO   ¿Por qué es que... esto no es cosa nuestra, dices?

ROSALBA   Lázaro, yo no tengo derecho a mezclarme en tus asuntos,
no te merezco la confianza bastante para que seas sincero, y
lamento algunas cosas de mal entendido que hubo entre nosotros.
Por eso quiero que sea delante de toda tu familia lo que voy a
decirte. Lo que hiciste esta tarde, prefiero no calificarlo, y quiero
que... Oh, no sé como decírtelo.

LÁZARO   No me lo digas.

AZALEA   Te estás portando muy rara, oye. ¿Por qué le dices todo
eso?

ROSALBA   Lázaro, ¿por qué hiciste eso con Luz?

LÁZARO ¿Y por qué, todo esto? ¿Por qué me llamaste así, con todos detrás de ti? ¿Por qué no me hablaste como cosa de los dos?

ROSALBA No sigas con ese estilo. Lo que quieres es hacerme un chantage sentimental.

LÁZARO Yo no sé cómo se llama lo que hago, pero alguna, así, algo traes, que tú haces y no es como tú eres. Crees que, así, que vas a avergonzarme, que yo soy culpable, me tratas. Mira, yo, así, con estas cosas, con, pues hasta contigo, es decir, con lo que tú me dices, te di la razón, porque yo no la tenía. Pero ahora ya no, ya no te doy la razón; yo me doy la razón ahora.

ROSALBA (*seca*) No te entiendo, Lázaro.

LÁZARO Ni yo a ti. Tú hacías por ver, por entrar en mis cosas, vaya por entender, y ahora yo quiero hacerlo contigo, pero, yo no sé, yo no puedo.

ROSALBA No pienso pasar la vida tratando de descifrarte. Me parece bien que ahora lo intentes tú conmigo. Para lo que te llamé fue para pedirte algo. No quiero que lo hagas por mí, sino por Azalea, que es una niña.

AZALEA ¿De dónde estás sacando que soy una niña, y todas esas cosas? No me metas, ¿quieres?

ROSALBA Lázaro, estás moralmente obligado a hacer lo que voy a pedirte. Prométeme que lo harás.

LÁZARO Tú, nada más hablando. ¿Éso quieres que yo haga? No te prometo nada.

ROSALBA Mira, sólo una cosa voy a pedirte, y lo hago por Azalea, no por mí, porque me parece que estoy resultándote antipática, ¿verdad?

LÁZARO Sí.

ROSALBA Quiero que le des a Lucha una disculpa. Que la convenzas de que no se vaya. ¿Vas a hacerlo, Lázaro?

LÁZARO ¿Yo? No.

ROSALBA Lázaro, tú la echaste de la casa, tú debes decirle que se quede.

AZALEA ¿Es cierto que hiciste eso, Lázaro?

ROSALBA ¿No te lo había dicho tu mamá?

AZALEA No, no me había dicho nada.

LORENZO (*Avanza un paso, dispuesto a hacer su gran escena.*) No sabía yo nada de todos estos incidentes, Lázaro, pero con toda mi autoridad de padre, voy a decirte lo siguiente...

LÁZARO ¡Cállese usted!

LOLA ¡Ay, Dios de todos los cielos! ¿Callas a tu padre, Lázaro?

LÁZARO Esto, te está gustando mucho a ti, Rosalba. Así querías tú todo, así lo arreglaste tú para que yo... (*Bruscamente calla, y da la media vuelta para salir.*)

ROSALBA ¡Haz lo que te pedí, Lázaro!

LÁZARO (*sin volverse*) No, no voy a... (*Duda. Ve a* AZALEA, *que no le quita la vista. Baja la cara.*) No voy a hacer nada de eso... de esas cosas que tú me pides. (*Ve a* AZALEA.) Quiero decir, porque... ¿o tú, Azalea, quieres que vaya a decirle eso a ella?

AZALEA (*furiosa, casi llorando*) Si vas a pedirle perdón, Lázaro, dejo de hablarte para toda la vida. Vete a tu cuarto. (*Le da un beso y lo empuja.*) ¡Vete a tu cuarto!

(*Sale Lázaro.*)

XXIX

ROSALBA, AZALEA, AURORA, LOLA, RITA, FELIPE, LORENZO

AZALEA ¿Por qué habías de ser tú la que hiciera esto? ¿Por qué diablos? Y yo, tan bruta que fui a pedirte ayuda. No basta con que todos, él y ella, y Rita, hasta mi mamá, lo traigan como trapo del suelo.[72] Tengo que defenderlo yo, porque es tan... tan débil que no puedo ni decirle... papá. ¿Y tú? ¿Con qué derecho vas a protegerme?, ¿por qué has de tratarlo así?

ROSALBA Siento que lo hayas entendido de ese modo, cuando sólo he tratado de ayudarte.

AZALEA ¡Ayudarme! ¡Ayudarme! Eres una vanidosa, eso eres. Te pedí un poco de compañía y te creíste mi... mi madre, o algo así. Valiente ayuda. Mira que modo de meter las cuatro patas.[73]

ROSALBA Lamento no entender qué era lo que querías.

AZALEA Tú nada entiendes esta noche. Estás tonta, Rosalba. (*Sale, también por la derecha.*)

---

72. **lo... suelo:** they treat him like dirt (*lit.* like a floor mop) 73. **Valiente... patas:** A great help. Look what a mess you've made.

XXX

AURORA, LOLA, RITA, FELIPE, LORENZO, ROSALBA

LOLA   Ay, Felipe, usted ha de disculpar. Estos muchachos se ponen pesaditos a veces. No se fije usted, ¿eh?

RITA   Fíjate mejor, cómo sus gestiones con mi hermano han sido tan felices, como las que hizo contigo y conmigo.

FELIPE   ¿Cuáles gestiones?

ROSALBA   ¿Por qué estás ahora reprochándome? Tú me dijiste que no lo querías.

RITA   Repítelo, y repite todo lo que te confié. Publícalo en el periódico, grítalo por las calles. Es chistosísimo, yo hablo y lloro nada más por desahogarme, porque ni yo misma entiendo lo que me pasa, porque ni yo ahorita lo entiendo, y a ti se te ocurre que puedes resolver mi vida y decidir a nombre mío. Te tomamos un poco de confianza y te crees la reina de la casa. Y tú, idiota, un pedazo de idiota, eso es lo que eres. (*llorando ya*) ¿Tan infeliz soy, tan rara me porto que bastan dos palabras para creer que estoy loca? ¿No ves a tu hermana? ¿No te vuelve loco, no te dan ganas de abofetearla?, y oyes todo esto y no te das cuenta de nada. Ahí te quedas, viéndome como estúpido. Puedes irte a México, que no me importa. Estúpido, eso es lo que eres, estúpido. (*Sale.*)

XXXI

AURORA, LOLA, FELIPE, ROSALBA, LORENZO

ROSALBA   (*Se deja caer en un sillón, sonríe, viendo a todos, y dice con un nudo en la garganta*)   ¿Nadie más quiere decirme lo idiota que soy?

FELIPE   Yo... pues yo creo que... ya no vamos al baile, ¿verdad?

ROSALBA   Sí, cómo no. Dentro de un momento van a venir todos para que vayamos a bailar.

AURORA   Pues los muchachos ya no van al baile, pero si quiere ir, yo puedo acompañarlo.

FELIPE   No, yo... yo debo mejor despedirme. Gracias.

LOLA   Cómo me apenan las malcriadeces de estos muchachos.

LORENZO   Le juro a usted que ésta no es la educación que les hemos dado.

FELIPE   No se apene usted, pero, pues, como Chole y yo saldremos en la primera lancha, y tal vez ya no nos veamos, por eso voy a despedirme. Y a nombre de Chole, porque ya ha de estar durmiendo, quiero agradecerles todo y, pues... (*Baja la cara y empieza a darles la mano.*) Señora Lola, hasta... Adiós... digo, sí, adiós.

LOLA   ¡Cuánto siento que no se quede más tiempo!

LORENZO   Ma ha... parecido que... usted y Rita... han pospuesto el matrimonio.

LOLA   Pero, ¿va a volver pronto?

FELIPE   Prefiero que la señorita Rosalba les explique mañana. Yo... prefiero acostarme. Tengo sueño y... (*a Aurora*) Señora... (*Se dan la mano. A Rosalba*) Y... usted, pues ha sido muy amiga, le agradezco mucho, porque de la casa, pues pude confiar en usted, y...

ROSALBA   Si dice una palabra más, le pego. Váyase a la cama y déjese de ridiculeces.

FELIPE   Adiós, es decir... bueno. Pero expliqueles todo, señorita Rosalba. Hasta... mañana. (*Sale.*)

XXXII

LOLA, AURORA, LORENZO, ROSALBA

LOLA   ¡Pero este hombre ya se peleó con Rita! ¿Qué es lo que vas a explicarnos, Rosalba?

ROSALBA   ¿Yo, tía?

LOLA   Sí, tú.

AURORA   ¿Se enamoró Felipe de ti?

ROSALBA   Tú cállate. Mire, tía: Esto es un poco enredado, es que... Es que todo esto es un lío. Tendré que empezar por el principio.

LORENZO   Felipe dijo que tú ibas a explicarnos todo. ¿De qué se trata todo?

ROSALBA Todo es la casa de usted, que se viene abajo.[74] No es cosa de Rita, ni de Luz. ¿Quiere usted que le explique realmente lo que pasa, y por qué pasa, y qué debe usted hacer para que no pase? Si quiere, podemos hablar durante la cena.

LOLA ¿Cuál cena?

ROSALBA Los muchachos me han tenido la confianza que a ustedes no les tienen. Es natural. Podemos hablar de todo, y puede usted pensar mientras en hacer algo.

LORENZO ¿Algo acerca de qué?

XXXIII

Dichos. LUZ.

LUZ (*entrando, con un atado de ropa*) ¿Dónde está Azalea?

ROSALBA De ella, por ejemplo.

LUZ ¿Dónde está mi hija?

ROSALBA ¿A dónde va usted?

LUZ ¿Qué le importa? Ella y yo nos vamos ya.

LOLA Luz, por Dios. ¿A dónde quieres ir a estas horas?

LUZ Eso es cuenta mía.

ROSALBA Tío, si quiere usted que no sucedan cosas espantosas no deje que nadie salga de aquí hasta mañana.

LUZ ¡No me diga! ¿A quién no van a dejar salir? ¿Dónde está Azalea?

ROSALBA Azalea no se va a ir con usted.

LUZ ¿No me dicen dónde está? La busco por toda la casa y hasta de las greñas[75] si no quiere, pero se va conmigo.

AURORA Su hija está con Lázaro. Puede ir a buscarla si quiere, y a ver si él deja que la saque por las greñas.

LUZ (*Vacila.*) No me importa. Yo me largo ahorita y mañana sale ella conmigo, o traigo a los gendarmes para sacarla.

ROSALBA No la deje salir, tío.

LUZ (*Finge reír a carcajadas.*) Usted va a detenerme. Sería lo más chistoso. (*Va a la salida.*)

74. **se viene abajo:** is collapsing   75. **de las greñas:** by the hair

ROSALBA   Usted no sale de aquí. Regrese a su cuarto o... va a ver. ¡Deténgala, tío!

LUZ   ¿Qué cosa voy a ver? Deténgame usted, si puede.

ROSALBA   No, no voy a usar la fuerza, pero usted da un paso afuera y mi tío llama a los gendarmes y les dice que usted acaba de robar la caja de la botica.

LUZ   ¿Él va a hacer eso? ¿Él? (Se ríe.)

ROSALBA   ¿Verdad que sí, tío?

LORENZO   Yo, claro que...

LUZ   Atrévase, pues.

   (Va a abrir la puerta. LORENZO abre la boca y la cierra. La ve cómo va a salir.)

ROSALBA   (Corre a la ventana y grita.) ¡Policía! ¡Policía! ¿No quiere usted dormir aquí? Pues va a dormir en la cárcel. (LUZ se detiene rabiosa.) ¡Váyase a su cuarto, váyase!

LUZ   Usted no me grita a mí.

ROSALBA   Yo sí le grito, ¿no se va a su cuarto? (Grita.) ¡Policía! ¡Policía!

LUZ   (Cierra la puerta y se recarga en ella furiosa.) ¡Cierre usted esas ventanas, o van a venir de veras! (ROSALBA cierra una. LOLA cierra la otra.) ¿Por qué hace usted eso? ¿Van a tenerme aquí, por la fuerza?

ROSALBA   Mañana podrá usted irse, o quedarse, como guste. Pero por el momento váyase a su cuarto.

   (Tocan fuerte en la ventana.)

LOLA   ¡Ay, Dios Santo! Ahí están ya.

ROSALBA   ¡Váyase usted!

   (Sale LUZ.)

XXXIV

ROSALBA, LOLA, LORENZO, AURORA

LOLA   ¿Y ahora qué les decimos?

AURORA   La que les llamó que les explique.[76]

76. La... explique: Let the one who called them explain.

LOLA   Pero piensen algo. ¡Ay, Dios Santísimo!

AURORA   Valiente ocurrencia la tuya.

(*Tocan con más fuerza.*)

LORENZO   Pero... pero... ¿Puedes explicarme por qué quieres que se quede la mujer esa?

(*Tocan más fuerte.*)

ROSALBA   Bueno, entre más demoremos...[77] (*Abre la ventana.*)

XXXV

Dichos. UNA MUJER

MUJER (*afuera*)   ¿Qué sucede, don Lorenzo? ¿Les pasa algo grave?

LOLA   Ay, era usted. No, no pasa nada.

MUJER   Como oí que llamaban a la policía, pensé: ¡qué barbaridad! y pues, si algo se les ofrece...[78]

LORENZO   No, nada, muchas gracias. (*Tembloroso, se acomoda en un sillón.*)

MUJER   Porque los dos gendarmes están jugando ruleta en la plaza, si quieren, voy a llamarlos.

ROSALBA   No, todo fue una broma. Apostaron que no me atrevería yo a gritar. (*Temblorosa, se sienta en la ventana.*)

MUJER   ¡Ah, qué muchacha! Y qué elegantes. ¿Van a la fiesta del casino?

AURORA   No, es una fiesta especial que tenemos aquí en la casa. ¿O no se nota que estamos de fiesta?

TELÓN

---

77. **entre más demoremos:** *mientras más demoremos*   78. **si... ofrece:** if I can be of any service to you

ACTO TERCERO

La madrugada

I

NATIVITAS

En la cena, sola, no hay más luz que la de una luna gorda y viciosa, que se cuela por las ventanas. Hay un ruidito, además, constante, producido por la brisa fresca que a esa hora viene del río. Se le mezclan larguísimos criii de grillos y prolongados rrr de cigarras. Mucho muy lejos, audible apenas, un vocerío cantando un son. Las cortinas se agitan con el viento.

Una figura blanca se asoma desde afuera: es NATIVITAS. *Se ve una chispa entre sus manos, que luego traza una curva en el aire, hasta caer en el centro de la habitación. Y, en seguida, una cerrada descarga de cohetes. Los subraya la voz de:*

NATIVITAS (*gritando*) ¡Ave María Santísima del Prodigio, que nunca jamás los ojos vieron nada igual! ¡Ángeles de Belem, venid a verme!

    (*Otra descarga de cohetes.*)

NATIVITAS ¡Dulces corderitos, Ora Pro Nobis![79] ¡Guerra a Lucifer y a los leones paganos! ¡Dios nos libre del mal inocente que aseguran que reinando está! Se casa el rey con la reina mora que a veces canta y a veces llora. Cruz, cruz, cruz. Confiad en la Santísima Encarnación de la Cruz.

    (*Entra* LOLA.)

---

79. **Ora Pro Nobis** (*Lat.*): pray for us

II

NATIVITAS, LOLA

LOLA (*Grita hacia el comedor.*)   Es Nativitas.

NATIVITAS   ¡Hermanita querida, feliz resurrección te acoja! ¡Ven, ven, mira qué primor!

LOLA   Sí, pero no grites, Nativitas. ¿Quién te dio ese coheterío?

NATIVITAS   A mí no me lo dio nadie, mi dinero me costó. Y no me digas Nativitas. Ahora sí soy la Encarnación de la Cruz, ahora sí.

LOLA   Bueno, Encarnación, no grites, no grites. Vas a despertar a todo el mundo.

NATIVITAS   Hermanita querida, eso es lo que hay que hacer. ¡Hay que despertar a todo el mundo! (*Grita.*) ¡Arcángeles, pavo reales, venid a la cuna de Belem! (*Empieza a cantar «Las Mañanitas».*) [80] Éstas son las mañanitas... (*etc.*)

(*Entra* LORENZO.)

III

Dichos. LORENZO

LORENZO   ¿Qué cosa quiere?

LOLA   No sé, óyela.

(*Enciende la luz eléctrica,* NATIVITAS *no ha cesado de cantar.*)

LORENZO   Ya están encendiendo la luz enfrente. Ábrele la puerta.

LOLA (*Va a la puerta y la abre.*)   Nativitas, ven, entra, anda.

NATIVITAS (*Cesa de cantar.*)   ¿Quieres que sacramente tu casa?

LOLA   Sí, sacraméntala.

NATIVITAS   ¡Pues entro! (*muy grandilocuente*) Rataplán, rataplán, rataplán, rataplán. (*Y entra, marchando.* NATIVITAS *viene vestida con varias sábanas viejas, ceñidas al cuerpo con mecates. En las manos trae una jaula con un gato vivo. El gato maúlla, de vez en cuando, profundamente disgustado.*) ¿Te gusta mi vestido de parto?

80. «**Las Mañanitas**»: a popular Mexican song, usually sung as a serenade on a birthday or a saint's day

84

LORENZO (*sombrío*)   Sí, está precioso.

NATIVITAS (*confidencial*)   Porque estuve de parto. Y, ¿a que no saben qué parí? (*Esconde la jaula tras la espalda.*) ¿A que no saben?

LOLA   No, Nativitas. No sabemos.

NATIVITAS   Pues... ¡Este gatito! (*Se lo muestra.*)

LOLA   Qué bueno, Nativitas.

NATIVITAS   Le voy a poner[81] Antonio, por su patrón y padre, Señor San Antonio. (*con pena*) Ahora no fue del Espíritu Santo. (*Lo arrulla.*) Pobrecito, lo tengo en la jaula para que no vaya a desconfiar de mí. Como no nos parecemos mucho.

   (*Entra* ROSALBA.)

IV

Dichos. ROSALBA

ROSALBA   ¿Ve usted, tío? ¿Tengo o no tengo razón?

NATIVITAS   Ay, déjeme enseñarle mi criaturita. Mire, lo tuve hace un rato y quise que lo conocieran así, acabadito del salir del horno. Qué lindo, ¿verdad?

ROSALBA   ¿Ve usted, tía? Son las tantas de la madrugada[82] y esta mujer viene a... notificarles su parto.

LOLA   No, si tienes razón. Pero, ¿qué hacemos?

ROSALBA   Ya se lo he dicho.

NATIVITAS (*a* ROSALBA)   ¿Le gusta a usted?

ROSALBA   Sí, divino.

NATIVITAS   Pues me van a perdonar un momento. Es hora de la lactancia, y aquí, delante de ustedes, me da mucha pena. (*Sale corriendo por la derecha.*)

V

ROSALBA, LOLA, LORENZO

LOLA   Pobrecita. Cada vez que hay luna llena, ella está de parto. La última vez fue una rata.

81. **poner:** *llamar*   82. **son... madrugada:** it's the early hours of the morning

ROSALBA Bueno, va progresando. A ver qué hacen cuando llegue con un caballo.

LOLA ¿Pero en qué forma vamos a hacerla entender que no queremos verla más?

ROSALBA Háblele usted seriamente y verá.

LOLA Pues dile a Lorenzo, que es su pariente.

LORENZO Pero ahora no, Rosalba.

ROSALBA Tío, hemos discutido toda la noche, y usted está de acuerdo conmigo, ¿verdad?

LORENZO Sí, casi en todo he visto que pensamos muy similarmente.

ROSALBA ¿Entonces?

LORENZO Es que... ¿Cómo vamos a echar ahora a esa mujer, cuando la hemos recibido siempre? Y, vaya, después de todo, es pariente.

ROSALBA Pero, tío, si le he demostrado que es lo que usted llamaría la deshonra de su familia. ¿La recibiría usted si fuera una prostituta?

LOLA ¡Rosalba, qué palabra! Podías haber dicho una mujer mala.

ROSALBA Bueno, una mujer mala. En fin, es cosa de tío Lorénzo. Él piensa correr a esa mujer ahora mismo. Si usted se opone, yo los dejo que lo discutan.

LORENZO Sí, no veo por qué has de oponerte siempre.

LOLA ¿Yo?

(*Entra* AURORA, *aún en traje de noche.*)

VI

Dichos. AURORA

AURORA Dios Santo, qué susto me ha dado esa mujer. Despierto y la veo haciendo quién sabe qué cosas con un gato. ¡Qué horror! ¿Por qué me dejaron sola? Un momentito que me duermo y me abandonan con ella.

LOLA Momentito. Te dormiste desde que empezamos a discutir.

AURORA (*a Rosalba*) ¿Y qué decidiste?

ROSALBA Tío Lorenzo decidió muchas cosas.

LOLA   Ay, Dios mío. Ya se me había olvidado. (*Llora un poco.*)

ROSALBA   Tía, usted ha visto que es necesario.

LOLA   Yo no he visto nada. Creo que tú has sido la que has visto todo por Lorenzo y por mí.

ROSALBA (*muy inocente*)   ¿Yo? Yo nada más estuve de acuerdo con lo que ustedes ya tenían pensado.

LOLA   Yo nunca había pensado nada.

ROSALBA   Bueno, pero mi tío sí.

LORENZO   Naturalmente que sí.

   (*Entra* NATIVITAS.)

VII

Dichos. NATIVITAS

NATIVITAS (*al gato*)   Mamoncito precioso, chiquión, miren cómo se relame. ¿De quién es esa aureolita tan linda? ¿Y esos ojitos de estrellita? (*grandiosa*) Porque yo soy la Encarnación de la Cruz y éste es mi fruto sin pecado. (*Suspira.*) Lástima que fue gato. A ver si la próxima vez sale un niño.

ROSALBA   Ahora, tío.

LORENZO   Nativitas, tengo que decirte algo de gran importancia.

NATIVITAS   Ay, no puedo esperarme ya, hermanito santo. Es que debo sacramentar la casa de las Rodríguez con el fruto de mis entrañas. Pero conste, que acá fue donde vine primero. ¡Sale la Encarnación de la Cruz, con su hijo sacramentado! ¡Hosanna al príncipe de las bendiciones y a su purísima madre! (*Sale.*)

VIII

ROSALBA, LOLA, AURORA, LORENZO

ROSALBA   Tío, la dejó usted ir.

LORENZO   Naturalmente, de eso se trataba.

ROSALBA   No, tío. Se trataba de que la corriera usted.

LORENZO   Bueno, hija, claro, es cierto, pero la próxima vez habrá tiempo, ya verás.

AURORA   Yo no creo de ningún modo que ese gato sea hijo suyo.

LOLA   Vamos a acostarnos. Creo que nada queda por hablar.

ROSALBA   Tía, no. Es que ahora deben decirle a Rita y a Lázaro lo que piensan hacer.

LOLA   ¡Ahora! Si ya casi va a amanecer.

ROSALBA   Yo decía, porque si no lo hacen ahora ya no se va a poder.

LOLA   ¿Por qué no?

ROSALBA   ¿Qué objeto tiene, si no, que hayamos detenido a Luz? Y pienso en la pobre Rita, que ha de estar despierta. (*Se asoma por la izquierda.*) Sí, veo su luz encendida. Claro, si ustedes tienen sueño, pero mañana será demasiado tarde, porque Luz va a escaparse en cuanto nos acostemos. ¿Verdad, tío?

LORENZO   ¿Tú crees?

ROSALBA   Pienso yo, claro que mi tía se opone, pero esa es cuenta de ustedes dos.

LORENZO   ¿Tú te opones, Lola?

LOLA   Sí, me opongo, porque todo me parece una infamia.

LORENZO   Contaba yo con eso, Dolores. Pero es cosa que ya he decidido. O qué, ¿está mi autoridad en discusión?

LOLA   No, ni ha estado nunca. Se trata de algo en que nada tiene que ver la autoridad. Ésa no te la discuto.

ROSALBA   Entonces, voy a hablarles. Mamá, vé por Lázaro y por Luz. (*La empuja.*) Por favor, anda.

AURORA   Molona.

(*Salen.*)

IX

LOLA, LORENZO

LOLA (*Se derrumba llorando en un sillón.*)   ¡Casar a Lázaro con Luz! ¿A qué crees que me sabe esto? ¡No quiero, no quiero!, eso no lo permito yo.

LORENZO   No es cosa de permitir o no. La moral está por encima de nuestros permisos.

LOLA   ¡La moral! ¿Y por qué no los casaste entonces?

LORENZO   ¡Entonces! ¡Qué pregunta! Eran dos niños.

LOLA   ¿Y ahora? ¿Cuándo supimos lo del otro hijo? ¿Por qué no habías pensado en casarlos hasta que llegó Rosalba?

LORENZO   Porque... porque... (*Tose.*)

LOLA   No vaya a ocurrírsete decir nada de las ventanas. ¿Por qué no habías pensado casarlos?

LORENZO   (*Tose.*) Porque, hombre, porque pensaba yo en nuestra clase social, es cierto.

LOLA   ¿Y ahora qué? ¿Ya Lucha se volvió princesa?

LORENZO   Es que... (*inseguro*) Es que la clase moral importa más que la clase social.

LOLA   Esa frase es de Rosalba, no me vengas a mí.

LORENZO   Lola, tú sabes bien que siempre he predicado el matrimonio en estas situaciones. Es lo que debe ser, y nada más.

LOLA   Sí, pero, Dios Santo, pobrecito Lázaro. (*Llora otra vez.*)

LORENZO   ¿Y tú crees que Lázaro quiere otra cosa? Quiere casarse con Luz, nada más. Y... piensa en Azalea. (*sin convicción*) Sí, hay que pensar en Azalea. Necesita un hogar, una familia que no la avergüence. Y... es nuestra... nieta.

LOLA   ¡Lorenzo! ¡Hasta nieta vas a decirle! ¡Eso nos faltaba!

(*Entra* RITA. *En seguida,* ROSALBA.)

X

Dichos. RITA, ROSALBA

LOLA   Rita, pobrecita. Estoy segura de que estabas llorando. ¡Si ni siquiera te has cambiado!

RITA   No estaba llorando, pero supuse que Rosalba no cesaría de intrigar en toda la noche y me previne.

ROSALBA   No quisiera que pensaras así.

RITA   Claro que no quisieras. ¿Para qué me llamaron?

LORENZO   Hija, ya nos dijo Rosalba que en realidad no quieres a tu novio...

RITA   ¿También se lo dijiste a ellos? Eres... odiosa. ¿No quieres ir a contarlo por el resto del pueblo? Puedes ir, puedes decir que estoy tan vieja que acepto lo primero que cae. Sí, quiero a mi novio. Él es el que no me quiere a mí.

LORENZO   Hija mía, me desagrada que te exaltes así estando yo presente. Sobre todo, considerando que te tenemos buenas noticias.

RITA   ¿Qué buenas noticias?

LORENZO   Hija mía, vas a irte una temporada a Veracruz, con tu tía Clara.

RITA   ¿Ésa era la buena noticia?

LOLA   Pero, hijita, allá puedes conseguir otro novio, y hasta puede que mejor.[83]

RITA   Yo no quiero conseguir nada. Yo no conseguí a Felipe, él me consiguió a mí. Yo no quiero conseguir nada, ni necesito conseguir nada. (*Llora.*)

LORENZO   Hija mía. ¿No quieres ir entonces?

RITA   Lo mismo me da.[84] Aquí o allá, todo es lo mismo. Tal vez allá sea menos malo, sin Luz, sin Nativitas, sin Lázaro, pero me da igual.

ROSALBA   Rita, estamos ahogándonos en un vaso de agua.[85] Tú sabes que todo parte de una equivocación. Puedo explicarle a Felipe. Al fin y al cabo, yo tengo en parte la culpa.

RITA   ¡En parte! ¡Qué bien te tratas! Ya te imagino: (*La imita.*) «Sabe usted, Felipe, que Rita no está loca». Sí, va a creerte. Además, no me importa. Lo menos que podía yo esperar de ese... monstruo, es que estuviera enamorado de mí. Si me quiere, que me acepte sin explicaciones. Si no (*llora*), que se vaya y no vuelva yo a saber de él.

ROSALBA   Rita. No seas absurda. Tú sola te amargas. Yo voy a ir con él y...

RITA   Mira, Rosalba, tú vas a explicarle a ese hombre y bailo con Nativitas, delante de él, y me visto con toallas y me pongo a invocar al diablo. A ver a quién cree entonces. Te juro que lo hago. Y no me hables más, por favor. No quiero saber ni de él ni de ti.

ROSALBA   Está bien.

RITA   Claro que está bien. (*Se sienta. Con la voz muerta*) Me iré a

83. **hasta... mejor:** perhaps even better   84. **Lo... da:** It's all the same to me.
85. **estamos... agua:** we're all upset about nothing

Veracruz, si eso quieren. ¿No se les ha ocurrido algo más, para divertirme?

LOLA   Hija. ¿Ya sabes lo que quiere hacer tu padre?

RITA   ¿Qué cosa?

LOLA (*llorando*)   ¡Quiere casar a Lázaro con Luz!

RITA   ¿De veras? ¿De veras, papá?

LORENZO   Mira, hija, dicho sea así,[86] de ese modo, suena tal vez un poco extraño...

RITA   Pero, ¿es cierto?

LORENZO   ...sí.

RITA   ¡Bendito sea Dios!

LOLA   ¡Rita!

RITA   Sí. Bendito sea Dios. Que se casen y que se vayan a vivir por su lado. Porque no seguirán viviendo aquí, ¿verdad?

ROSALBA   No, Rita. Tu papá ha pensado que se vayan a vivir a otra parte.

LOLA   ¿Tú pensaste eso, Lorenzo?

LORENZO   Naturalmente que sí.

LOLA   ¿También lees el pensamiento, Rosalba? Porque yo no recuerdo que lo hayamos dicho.

XI

Dichos. AURORA. *Luego,* LUZ

AURORA (*entrando*)   Ya vienen todos. Yo no supe para qué los querían. A la criada la llamó Azalea, yo no me atreví.

LOLA   Ay, Lorenzo, por Dios. Vas a ser capaz.

AURORA   Lázaro estaba despierto. (*Entra* LUZ.)

LUZ (*hosca, desconfiada*)   Ya vine. ¿Qué me quiere?
   (*Pausa.*)

LOLA   Anda, dile lo que le quieres.

LORENZO   Dolores, no necesito que me indiques nada. Luz. (*Respira hondo.*) Hay que esperar a Lázaro.

LUZ   ¿Para qué me llamó? ¿Para molerme nada más?
   (*Entran* LÁZARO *y* AZALEA.)

86. **dicho sea así:** if you put it that way

XII

Dichos. AZALEA, LÁZARO

AZALEA *se quitó el vestido de noche y lleva uno casero. Hay un silencio largo.* LÁZARO *ve a todos. Al fin, tose para aclararse la garganta y, tras uno o dos titubeos, dice con firmeza:*

LÁZARO   ¿Usted me mandó llamar a mí, papá?

LORENZO   Sí, hijo mío. (*Tose.*) Yo le dije a mi hermana Aurora que... que tuviera la bondad de ir a llamarte. (*Sonríe, amable.*) Ella siempre ha sido muy gentil.

AURORA   Qué galante, oye.

LORENZO   No es galantería. Desde niños, me acuerdo que así eras... Por ejemplo, aquella vez que se cayó...

LOLA   ¡Lorenzo! ¿Crees que es el momento de ponerte a contar tu vida?

LORENZO   ¿Quieres decir que no te interesa la vida de tu marido?

LOLA   Me interesa lo que mi marido piensa decirle a mi hijo.

LORENZO   Ya sabes muy bien lo que pienso decirle.

LOLA   ¡Pues díselo!

LORENZO   No necesito que me indiques lo que tengo que hacer.

LOLA   ¿Vas a pelearte conmigo o a hablar con él?

LORENZO   Por el momento, contigo.

LOLA   Pues empieza con él. Quiero ver si eres capaz.

LORENZO   ¡Si soy capaz! ¡Ver si soy capaz! (*Decidido, se vuelve a* LÁZARO. *Hace una pausa. Respira hondo. Empieza.*) Esto es, pues, Lázaro, hijo mío: debo decirte que si ves a la familia reunida es porque se reunió especialmente para un asunto de la mayor gravedad. (*Se limpia la frente. Tose un poco.*) Lázaro, tú sabes que yo hago las cosas con rigor, pero exclusivamente para bien de todos ustedes. Y ya tú sabes, por eso mismo, que no me parece bien, ni soy partidario... (*Se humedece los labios. Camina.*) Esto es: lo que quiero decir es nada más esto. (*Se seca el sudor de las manos.*) Sale sobrando hablar de lo que ocurre, porque todos lo sabemos bien, pero... (*Carraspea.*) Mira, hijo, en resumen, lo poco que hay que decir es apenas lo siguiente. (*Abre la boca una o dos veces, pero calla. Al fin*) Díselo tú, Lola. Yo... yo podría decirle cosas demasiado duras al muchacho. Dile lo que hemos decidido.

LOLA   Yo no le digo nada, yo me opongo. Díselo tú, si puedes.

LORENZO   ¿Si puedo? (*Angustiado, toma su actitud de gran tono trabajosamente.*) Lázaro. (*Se limpia los labios.*)

RITA   Lázaro, se trata de que Lucha y tú van a casarse para irse a vivir no sé dónde, con Azalea. Eso es todo.

LÁZARO   De que Lucha... y yo...

LUZ   Ah, caray.

LORENZO   Sí, eso es todo.

AURORA   ¡Pues muchas felicidades, Lázaro! ¡Déjame abrazarlos!

LOLA   ¡Aurora!

ROSALBA   Mamá, siéntate y cállate.

LÁZARO   ¿Quién pensó la cosa esa, de casarnos?

LORENZO   Yo lo pensé, hijo.

AZALEA   Es que no puede ser. ¿Están locos? Si dizque toda la familia se reunió, ¿por qué no llamaron? Cuando menos, soy hija de ellos, y los conozco. No pueden casarse, no pueden. ¿Qué objeto tendría? Casi nunca se hablan, no se quieren. ¿Para qué? Y estoy segura de que ellos no quieren. ¿Quieres casarte con Lázaro, mamá?

LUZ   Pues... (*Los ve a todos.*) Pues yo sí quiero.

AZALEA   ¿Por qué? ¿Para qué?

LUZ   ¿Y por qué no? ¿Voy a ser siempre la criada? Si soy tu madre, y él es tu padre, y yo vivo aquí, ¿por qué diablos he de ser yo la criada? Me canso de casarme con él.[87]

AZALEA   ¿Y usted pensó esto? ¿No está viendo que va a ser un desastre? No, yo no quiero vivir así con ellos. Si es difícil ahora, imagínese si se casaran.

LORENZO   Azalea, lo hacemos principalmente por ti. Tú necesitas un hogar.

LUZ   Tú no te metas.

AZALEA   ¡Un hogar! ¿Me van a dar un hogar a los 15 años? Debieron haber dejado que naciera yo en otra parte. Yo no quiero un hogar, ni una familia. ¿Para que fuera como la de usted? ¿Para que al cabo del tiempo Lázaro se volviera como usted? No,

---

87.   **Me... él:** I'm dying to marry him.

muchas gracias. No diga que es por mí, porque yo no me voy a vivir con ellos.

LORENZO Azalea, tu mamá va a tener otro hijo.

(*Hay un silencio.* AZALEA, *desconcertada, ve a* LÁZARO *y a* LUZ.)

AZALEA No, eso no es cierto.

LORENZO Es verdad.

AZALEA ¿Vas a tener un hijo, mamá?

(LUZ *agacha la cabeza. Ve para otro lado. Se cohibe hasta el máximo.*)

AZALEA ¡Vas a tener otro hijo! ¿Y de quién?

LORENZO ¡Azalea, por Dios! ¡Naturalmente que de Lázaro!

AZALEA ¿Es cierto eso? ¿Vas a tener un hijo de Lázaro? ¡Contéstame! (*La toma por un brazo.*)

LUZ (*Se sacude bruscamente. Alza la cara agresiva.*) ¿Y usted qué se ha creído? ¿Que nada más Lázaro puede hacerme un hijo?

ROSALBA (*Se levanta de un salto.*) ¡Pero qué estúpida soy! ¡Eso no se me había ocurrido! ¡Lázaro, y no has hablado! ¿Cómo es posible que ni a mí me hayas dicho?

LÁZARO A ti menos. Ni a ellos. Esto debían saberlo todos sin que yo lo dijera. Qué, ¿nada más estoy para que me inventen cosas, cochinadas, y todo mundo las crea? ¿Por qué no me preguntó nadie, cuando menos? Usted, papá, que, por qué no podía llegar a decirme que si ese hijo de Lucha era mío, o que si me había yo acostado otra vez con ella, o que si lo que sea.[88] Usted y todos le tienen miedo a las palabras, a las puras palabras, y lo enseñan a uno a miedoso.[89] Uno piensa las cosas, y están bien y las hace, y entonces tienen un nombre, y uno le tiene miedo al nombre, no a la cosa que hace. Y uno se muere de miedo hasta que dice el nombre de la cosa, y entonces ve que no tiene por qué asustarse, que... hasta que era buena, que puede decirlo, delante de todo mundo. Acostarse con Luz, así, decirlo, yo me acosté con ella, ¿y qué? ¿Usted cree que me quedaron ganas? ¿Cómo me trató usted? ¿Cómo me trató todo mundo? Y yo, callado, muerto de ganas de mujer y con miedo a la palabra mujer, pensando cosas, hasta porquerías, y con miedo de ponerles nombre. Pero se acabó. Ya no me importan ni usted, ni la casa, ni el pueblo, ni el nombre de las cosas. Voy a hacer lo que se me antoje. (*Pausa. A* AZALEA)

88. o... sea: or anything else   89. lo... miedoso: they teach you to be afraid

94

Y tú, ¿creíste que iba yo a casarme porque a todos ellos se les daba la gana? Quería yo que cayeran así, nada más dejarlos que hicieran todo. Yo estaba pensando: ¡Casarme! ¡Ya mero![90] Tú y yo de todos modos, nos habríamos ido a Veracruz, o a México, o al demonio.

AZALEA ¡Lázaro! ¿Vamos a irnos de aquí?

LÁZARO Sí, tú y yo, a donde no veamos a nadie de esta gente, a donde no huela todo a botica y a solterona, como todo, como todos los de esta casa.

LOLA ¡Lázaro! ¡Cómo puedes decir que olemos a botica!

LÁZARO Quién sabe. No sé cómo puedo decir todo esto, pero lo digo y me alegro de decir todo esto. Ya, se acabó el tiempo de callarme. (*Ve a* LUZ, *y se ríe.*) ¿Todavía quieres casarte conmigo, Luz?

LUZ Yo no necesito que nadie se case conmigo. Yo tengo mi hombre, y será aguador, pero es mi hombre.

LOLA ¡Luz! ¡Es del aguador!

LUZ Sí, ¿y qué?

LOLA ¡Luz! ¿Y en dónde...?

LUZ ¿En dónde qué?

LOLA Nada. Vete a tu cuarto. Ya te llamaremos para decirte lo que decidamos.

LUZ ¿Ustedes? ¿Ustedes van a decidir qué? ¿Pues qué se ha creído? ¿Qué porque traje a Erasto aquí ya usted me va a gritar? Ni usted ni nadie. Las gracias habían de darme, por tanto que me he aguantado.

LOLA ¡Luz, es el colmo!

LUZ ¡Qué colmo ni qué su madre![91] La tienen a una encerrada, la ven a una como si fuera un bicho, todo porque una se dio su tropezón. No, si yo tengo mi sangre fuerte, qué, ¿me voy a quedar viéndoles el hocicote a todos, por toda la vida? ¡Nada más eso me faltaba! Si yo me hubiera largado desde cuando,[92] me aguanté nada más porque me daba pena con ustedes.

LOLA ¿Y crees tú que vamos a soportar que aquí en la casa estés con tus...?

---

90. **¡Ya mero!** Nothing doing!   91. **¡Qué... madre!** What do you mean, too much? (Luz uses a common vulgarism here.)   92. **Si... cuando:** I would have left a long time ago

LUZ   No, eso sí que no. A mí no me van a correr. Mire, yo me largo porque se me da la gana, porque me quise largar anoche y ésa no me dejó. Pero ya verá si amanezco en su pinche casa. (*Va a salir. Se detiene. Con una relativa dulzura a* AZALEA) ¿Y tú, qué?

AZALEA (*Baja la vista y vacila.*)   Mira, mamá, yo voy a irme con Lázaro. Pues tú... ya ves...

LUZ   ¿Estás brava conmigo?

AZALEA   No, mira. ¿Cuándo te vas tú?

LUZ   Mañana. Es decir al rato.

AZALEA   ¿Adónde vas a irte?

LUZ   A la casa de Erasto.

AZALEA   Yo voy a acompañarte allá.

LUZ   Bueno. Yo voy a arreglar mis cosas. (*Va a salir.*)

AZALEA   ¿Por qué no me dijiste?

(LUZ *la ve. Mueve la cabeza, sonríe, confusa. Se encoge de hombros y sale.*)

XIII

AURORA, LOLA, RITA, ROSALBA, LORENZO, AZALEA, LÁZARO

LOLA   ¡Cínica! ¡Desvergonzada!

AZALEA   ¡Cállese usted! ¡De mi mamá no va a hablar! ¡Delante de mí, no!

LOLA   ¡Valiente madre la tuya! ¡Hacer esas cosas teniéndote a ti!

AZALEA   Y valiente abuela usted. ¿Qué ha hecho por mí? ¿Qué le agradezco yo? Usted es peor que ella. (*Pausa.*) Lázaro, voy a ayudar a mi mamá.

LÁZARO   Sí, seguro, ayúdala.

AZALEA (*vacilante*)   ¿Quieres que vaya a... acompañarla, allá?

LÁZARO   Sí, acompáñala.

AZALEA   Para ayudarla a cargar sus cosas, ¿ves? (*Sale.*)

XIV

AURORA, LOLA, RITA, ROSALBA, LORENZO, LÁZARO

LORENZO (*Tose.*) Lola, creo que es demasiado tarde.

RITA Sí, es demasiado tarde. Lázaro, perdóname.

LÁZARO Yo no, yo no tengo ninguna cosa que... no, no me hagas esas cosas de pedir perdón.

RITA ¿Es cierto que vas a irte?

LÁZARO Sí, yo me voy.

RITA Haces bien. Yo también voy a irme, a Veracruz.

LÁZARO ¿Por qué?

RITA Porque... oh, no importa. Hasta mañana, Lázaro.

LÁZARO Hasta mañana.

(RITA *abraza a* LÁZARO, *rápidamente, y sale llorando por la izquierda.*)

XV

ROSALBA, LOLA, AURORA, LÁZARO, LORENZO

En ese momento se apaga la luz eléctrica. Un borroso amanecer se insinúa por las ventanas. Se oye cantar un gallo.

LORENZO Bueno, creo que es muy tarde. O muy temprano, ¿verdad? Ya quitaron la luz, ya todos tenemos mucho sueño, y... ya todos tenemos mucho sueño.

LOLA Lázaro.

LÁZARO Sí, mamá.

LOLA Ay, hijo... (*Rompe a llorar.*) No te vayas. ¿Qué voy a hacer si tú también te vas?

LÁZARO Puede usted escribirme, como los recaditos que me dejaba en la almohada ahora que[93] no me hablaba.

LOLA Es que te creía yo culpable, hijito.

LÁZARO Pues ahora voy a ser culpable en cuanto salga de aquí.

93. **ahora que:** *desde que*

LOLA ¡Lázaro! ¡Qué quieres decir! (*Pausa. Se oye un ronquido de* AURORA *en su sillón.*)

ROSALBA ¡Mamá, no ronques! (*La sacude.*) Levántate para que te acuestes.

AURORA Qué... qué cosa...

LORENZO Hijo mío.

LÁZARO Diga usted.

LORENZO Hasta mañana, hijo.

LÁZARO No, no se vaya usted todavía. Quiero que usted y yo hagamos las cosas esas, las cuentas.

LORENZO ¿Quieres que hagamos cuentas, hijo?

LÁZARO No, no se apure usted. Cuentas de la botica, quiero decir. Yo le trabajo,[94] ¿ve? y usted no me ha pagado nunca, y yo voy a irme. Así que... así que necesito dinero.

LORENZO ¡Lázaro! ¿Tú crees que entre un padre y un hijo puede haber cuentas de dinero?

LÁZARO Sí, papá.

(LORENZO *tose y hay otra pausa.* LOLA *ha encendido, durante los parlamentos anteriores, dos quinqués.*)

LÁZARO ¿Va usted a hacerlo, papá?

LORENZO ¿Qué cosa, hijo?

LÁZARO Las cuentas.

LORENZO (*Tose. Baja la cara. Al fin*) Sí, por supuesto que sí. Eso no tiene importancia.

LÁZARO (*Los ve a todos.*) Bueno, hasta... mañana. (*Va a salir.*)

ROSALBA ¡Lázaro!

(LÁZARO *se detiene y la ve.*)

LÁZARO ¿Qué quieres?

ROSALBA Quiero hablar contigo.

LÁZARO Hablar. Eso te gusta, siempre. (*Sale.*)

XVI

LOLA, AURORA, ROSALBA, LORENZO

ROSALBA ¡Lázaro! (*Se sienta, despacio. Se ve las orquídeas, marchitas. Se las quita y las deja en la mesa.*)

94. **Yo le trabajo:** I work for you

AURORA ¡Ay, que hambre tengo! Soñé que estaba comiendo unas cosas ricas.

LOLA Es que está amaneciendo. ¿Quieres desayunar?

AURORA Sí, porque aúllo.

LOLA Vamos. (*Se limpia los ojos.*)

ROSALBA Mamá.

AURORA ¿Qué cosa?

ROSALBA Mañana nos vamos a México.

AURORA ¿Mañana? ¿Estás loca? Faltan ocho días de fiestas.

ROSALBA Mañana nos vamos. Vete a desayunar, luego te explicaré.

XVII

Dichos. LUZ, AZALEA

Entran LUZ *y* AZALEA, *con sendos atados de ropa. Se hace un silencio hostil.* LUZ *los ve a todos. Digna, se yergue y camina a la salida.* AZALEA *abre la puerta. De pronto,* LUZ *se regresa. Dice algo a* LORENZO, *y, ahogada por la rabia, sólo se le escucha el «chin» de la primera sílaba.*[95]

LORENZO ¡Luz!

LUZ Y usted. Y usted. (*a* ROSALBA) Y usted, dos veces. Y todos. (*Va a la salida. Se vuelve.*) Todos, ¿lo oyeron?, todos. (*Sale, con* AZALEA.)

XVIII

LOLA, AURORA, LORENZO, ROSALBA

LOLA ¡Ordinaria! ¡Lépera!

LORENZO Cállate.

AURORA (*Corre a la ventana.*) ¡Vieja bruja! Usted, usted... (*Se calla.*) Ay, yo no sé decir esas cosas. ¿Para qué seré tan decente?

95. Luz has just employed a Mexican vulgarism.

LORENZO   ¡Aurora! ¡No te iguales!⁹⁶ Vámonos al comedor.

LOLA   ¡Ordinaria!, grosera.

(*Salen los tres viejos.*)

XIX

ROSALBA

ROSALBA *queda quieta, un momento, viendo al suelo. Va al piano. Empieza a tocar el «Danubio Azul», con un dedo. Se recarga en la tapa, oculta la cara entre los brazos. Va a la mesita. Coge las orquídeas. Las huele.* Ya no huelen a nada. (*Las despedaza.*) Idiota, estúpida, eso eres... qué manera de meter las cuatro patas... las cuatro patas... (*Da un solo sollozo. Deja caer los pétalos. Se limpia los ojos.*) Idiota. (*Camina unos pasos. Ve el fonógrafo. Lo acaricia. Coge el disco. Lo levanta para estrellarlo.*) No, no. (*Se pasa la mano por la frente. Coloca el disco de nuevo...*) Hablar, eso me gusta mucho. ¿Y qué? (*Camina. Se detiene.*) Hablar. (*Camina con decisión a la salida de la derecha. En el umbral se detiene. Regresa, despacito, a la mesa. Recoge los pedazos de las orquídeas.*) Pobrecitas. Pobrecitas. (*Se queda allí un momento, con los pétalos entre las manos. Los deja en la mesa, en un cuidadoso montoncito. De pronto, deja de moverse al azar: queda tensa un momento. Camina al patio y ve hacia afuera, a todos lados. Luego, en una sola dirección. Apaga los quinqués, y todo queda sumergido en una luz azulenca y borrosa, de próximo amanecer. Ella se sienta al piano y empieza a tocar el «Danubio Azul». Se interrumpe. Vuelve a asomarse con cuidado, a la puerta del patio. Regresa, de puntillas, a seguir tocando, con la atención puesta afuera. Se interrumpe y vuelve a asomarse. Ahora regresa muy rápidamente y vuelve a tocar, con todo el pedal puesto y grandes acordes, sin quitar la atención del patio. De pronto, da un acorde falso y con todo el antebrazo se recarga en el teclado. Permanece así, en silencio, con el oído atento. Después principia a actuar. Solloza una o dos veces, tal vez demasiado ruidosamente.*) Soy una tonta. ¿Por qué seré tan tímida? Si

96. **¡No te iguales!** Don't lower yourself!

pudiera yo explicarle, pero no voy a poder, nunca. ¡Cómo ha podido ser así todo! Si pudiera yo decirle... (*Se levanta. Se dirige a uno de los sillones.*) Él allí, yo podría sorprenderlo y decirle: (*al sillón*) Lázaro, fui una estúpida, hice todo por celos, por celos de Luz. Cuando una está enamorada no piensa, y yo estoy enamorada de ti, y soy tímida y fea. Si a veces me atrevo a hacer cosas que parecen audaces, es por disciplina. Me obligo a ser audaz, pero soy más tímida que tú. Y no conoces los celos, la ofuscan a una, y la hacen pensar estupideces, y peor, hacerlas. Esa escena que te hice, fue por despecho para que vieras cómo no me importaban nada tus líos con Lucha. Oh, Lázaro, tú me comprendes, ¿verdad? Y entonces, él está allí, y yo me siento, así (*lo hace, en el suelo*), y recargo mi cabeza en sus piernas, así. Y él me acaricia el pelo... (*Espera. Con un poco de angustia*) Me acaricia el pelo... (*Queda esperando, callada. No resiste más, ve hacia la puerta: nadie. Solloza otra vez. Espera. Por fin, deja caer la cara, de nuevo, entre los brazos. Con desaliento, murmura*) Idiota... Idiota...

(*Y permanece así, ya sin sollozos. Entra* LÁZARO.)

XX

ROSALBA, LÁZARO

La luz ha aumentado ligeramente. LÁZARO *avanza silenciosamente, hasta colocarse atrás de* ROSALBA. *Permanece allí, sin ser notado, hasta que:*

LÁZARO   Tú, Rosalba.

ROSALBA   (*Se sobresalta auténticamente. Se vuelve y lo ve, desde el suelo. Se recupera y vuelve a su papel.*) Lázaro, no me habrás oído, ¿verdad? He estado haciendo muchas tonterías.

LÁZARO   Sí, te estuve oyendo. ¿Para qué hacías tú las payasadas esas?

ROSALBA   ¿Las... payasadas?

LÁZARO   Sí, payasadas. Ya sabías que estaba yo allí. ¿Para qué eso? (ROSALBA *se levanta. Con la cara baja camina hacia la ventana. Se vuelve, brusca.*)

ROSALBA   Para atreverme a decírtelo.

LÁZARO   Tú no... no me gustas haciendo esas cosas así, de payasadas y eso. Yo, yo me muero de miedo y no digo nada, o hago cosas así, ridículas, pero a mí no me gusta (*empieza a temblar*), que me engañes así. Yo... nunca te he engañado, porque... así, te quiero mucho. Por eso... yo no... (*Da la vuelta para salir.*)

ROSALBA   (*Corre a él, lo alcanza, lo vuelve.*) Lázaro, querido, Lázaro, soy una idiota, ¿ves? (*Lo abraza.*) Hago teatro para los demás, a veces hasta para mí sola, no puedo evitarlo. No te pongas así, por favor, querido, no tiembles, que... (*Lo estrecha, llorando. Permanecen así, un momento. Ella, como gatita, se le restriega en el cuerpo. Se separa un momento.*) Te quiero mucho, ¿ves? Te quiero mucho, mucho. (*Lo estrecha.*)

LÁZARO   Me quieres tú, así, ahora. (*Se separa.*) En México todo cambia. Yo voy a ser, pues, más ridículo. Y tú vas a estar peor, quiero decir, haciendo más teatro de ése. Y allá, junto a otras gentes, otros tipos... No, no.

ROSALBA   ¿No qué?

LÁZARO   Nada.

ROSALBA   ¿Crees que esto es pasajero, Lázaro? ¿Crees que voy a cambiar?

LÁZARO   (*triste*)   Sí, eso creo.

ROSALBA   (*Se pasa la mano por la frente.*)   Es que... eso ni yo misma lo sé. ¿Qué puedo contestarte?

LÁZARO   Ninguna cosa. Pero... pero... (*Camina unos pasos.*) Pero qué... así, qué demonios me importa. (*La abraza, rápida y torpemente la besa, un poco furtivo y tímido. La ve, cogiéndola por los hombros, la abraza como si quisiera apachurrarle las costillas. La luz ha cambiado a roja y un campaneo furioso empieza en una iglesia lejos. Suspira y la suelta.*) Yo leí una novela un que así, el muchacho la aplasta a ella. Pero no se puede bien.

ROSALBA   (*feliz*)   ¿Querías aplastarme, Lázaro? Salvaje. (*Lo besa largamente. Una racha de viento agita las cortinas, la calle está roja y la campana no ha cesado.*) Mira qué amanecer, Lázaro.

Mira la calle. Todo es perfecto. No hay una sola cosa que desentone en la mañana.

(*Entran* CHOLE *y* FELIPE. *Ella trae puestos, nuevamente, su vestido morado y su abrigo de peluche. El cargamento de maletas está aumentado con algunas bolsas y morrales.*)

XXI

Dichos. CHOLE, FELIPE

CHOLE   ¿Soy tu mula de carga o qué? Mira cuántos paquetes traes tú y cuántos yo.

FELIPE   Pero estos son los más pesados, Chole.

CHOLE   Sí, pero no me digas que no puedes cargar más.

FELIPE   Está bien. Dame unos. Ah, buenos días señorita Rosalba. Buenos días, señor.

LÁZARO (*Gruñe.*)   Buenos días. (*Y se repliega detrás de* ROSALBA.)

ROSALBA   ¿Ya se van de viaje?

(*La campana cesa.*)

FELIPE   Ya. Pues, usted ve.

ROSALBA   ¿Está usted seguro de su decisión? ¿No irá a arrepentirse?

CHOLE   ¡Eso nada más iba a faltarnos! No, no se arrepiente. Qué bueno que ya nos largamos del pueblo éste. Valiente paseo, con locas por todos lados.

FELIPE   Que... que temprano se levantaron ustedes.

CHOLE   ¡Temprano! Si perdemos la lancha va a ser por culpa tuya.

ROSALBA   Sí, es que no nos acostamos siquiera.

FELIPE   Sí, tienes razón. Señorita Rosalba, ya nos vamos. (*Trata de darle la mano.*) Se nos hace tarde. ¿Dice que no se acostaron?

ROSALBA (*Toma el hombro de* LÁZARO *y lo aprieta.*)   No, como estuvo aquí el médico toda la noche.

FELIPE   ¿Estuvo el médico aquí?

CHOLE   ¡Felipe! Si tú no te vienes a la lancha me largo sola.

FELIPE   Sí, sí. (*Ve a* ROSALBA *sin moverse.*) ¿Hubo enfermo?

ROSALBA   Sí hubo. Lázaro, se les hace tarde.[97] Ayuda a Chole con unas maletas y acompáñalos, ¿quieres?

---

97. **se... tarde:** it's getting late for them

LÁZARO ¿Yo?

ROSALBA O llévalos hasta donde consigan un cargador. Anda. (*Lo conduce y le da unas maletas de las de* CHOLE.)

CHOLE Vaya, siquiera.

ROSALBA Que tengan muy buen viaje, Chole.

CHOLE Qué buen viaje vamos a tener, con esta porquería de pueblo incomunicado, y el calor que hace. Vámonos. Adiós.

(*Salen ella y* LÁZARO. ROSALBA *detiene a* FELIPE.)

XXII

ROSALBA, FELIPE

ROSALBA Adiós, Felipe.

FELIPE Adiós, señorita, y que se alivie el enfermo.

ROSALBA La enferma, gracias.

FELIPE La... enferma. ¿Fue la señora?

ROSALBA No. (*Suspira. Hace una pausa.*) Adiós, Felipe. Es mejor que no sepa nada.

FELIPE ¿Nada de qué? ¿Qué sucedió? ¿Qué le pasó a Rita? ¿Se puso peor?

ROSALBA No, no se apure usted. Fue en error. Hay tantos frascos en la botica. Y ya está bien, ya.

FELIPE ¡No, por favor! ¿Qué cosa hizo?

ROSALBA Fue un error, le digo. Por coger el frasco de las almendras, pues cogió otro.

FELIPE ¿Cogió otro?

ROSALBA El del ácido prúsico.

(FELIPE *deja caer todas las maletas. Se recarga en la puerta. Jadea, sin poder hablar. Al fin*)

FELIPE ¿Dónde está?

ROSALBA Ya la destruimos.

FELIPE ¿A quién?

ROSALBA ¿No me preguntaba usted por la carta?

FELIPE ¿Cuál carta?

ROSALBA Oh, Dios mío, qué torpe soy. Se lo he dicho. La carta que dejó ella. No le diga usted nada a nadie. Trátela como si no supiera nada o recaerá.

FELIPE   Pero... ¿puedo verla?

ROSALBA   Sí, pobrecita. Pero no le dé usted falsas esperanzas. Mejor váyase a México. La esperanza lastima.

FELIPE   No, no. (*Tiembla todo. Se limpia los ojos.*) ¿Por qué lo hizo?

ROSALBA   ¡Felipe!, ¿usted me lo pregunta?

FELIPE   ¿Dónde está ella? Déjeme verla.

ROSALBA   Está en su cuarto.

(FELIPE *se precipita.*)

ROSALBA   Y, Felipe, oiga.

FELIPE   ¿Sí?

ROSALBA   No le recuerde usted esto. Podría intentarlo otra vez. Y tal vez ya lo tenga olvidado.

(FELIPE *asiente y sale.* ROSALBA *suspira, con alivio. Suenan unos cohetes, lejos. Otros más cerca. Entra* FELIPE *nuevamente.*)

FELIPE   No puedo verla.

ROSALBA   ¿Por qué?

FELIPE   ¿Cómo voy a tocar en su recámara?

ROSALBA   Así. (*Toca en la madera.*)

FELIPE   Tiene usted razón. (*Va a salir.*)

ROSALBA   Oiga. (*Él se detiene.*) Esto ha sido confidencial. Había yo jurado a la familia que no le diría nada. Confío en su discreción.

FELIPE   Claro, naturalmente. Yo... yo soy un caballero. Y es que... bueno, uno puede dejar de tener hijos, ¿verdad?

ROSALBA   ¿Cómo dice usted?

FELIPE   Quiero decir... perdón... es que... (*Sale.*)

XXIII

ROSALBA. *Luego,* AURORA, LOLA, LORENZO

La luz se ha ido haciendo más diurna. ROSALBA *se sienta en el marco de la ventana. Entran los padres.*

AURORA   Dios Santo, qué noche hemos pasado, sin pegar los ojos. ¿No vas a desayunarte?

ROSALBA   No.

AURORA   ¿Qué es eso de que ya vamos a irnos? ¿Quieres explicarme?

ROSALBA   No, mamá. No es nada. Ya cambié de idea.

LOLA   Me alegro, hijita. A ver si tú puedes disipar un poco las penas de esta casa. (*Se talla los ojos con un pañuelito.*)

ROSALBA   ¿Penas? ¿Cuáles penas?

LORENZO   ¡Rosalba! ¡Qué pregunta!

(LÁZARO *entra, corriendo.*)

XXIV

Dichos. LÁZARO

LÁZARO   ¿Qué pasó? La mujer esa dice que si el otro no llega que ella se va sola.

ROSALBA   ¿La dejaste en la lancha?

LÁZARO   Sí.

LOLA   ¿Cuál otro?

ROSALBA   ¿A qué horas sale la lancha?

(*Un campaneo furioso, mucho más cercano, empieza a sonar.*)

LÁZARO (*Lo oye.*)   Ahorita. Van con el reloj de la iglesia.

ROSALBA   ¿Y la dejaste a bordo?

LÁZARO   Sí.

LORENZO   ¿De quién están hablando?

(*Entra* RITA, *corriendo.* FELIPE, *tímido detrás.*)

XXV

Dichos. RITA, FELIPE

RITA   Papá, mamá, Felipe se queda. (*Radiante, ve a todos.*) Felipe no se va. Me dijo que... se queda. (*Se ruboriza de pronto.*) Y yo, me... alegro mucho. (*Lo toma de la mano.*)

ROSALBA ¡Rita, qué bueno! ¡Cuánto me alegro yo!

(*Empieza un coheterío vivo a tronar.* ROSALBA *abraza a* RITA, *que, feliz, la estrecha también.*)

LÁZARO Su, la ésa, su hermana esa, ya se la llevó la lancha.

FELIPE ¿A mi hermana? ¿Cómo es posible? (*Va a correr, se detiene, ve a* RITA, *no sabe qué hacer.*)

LÁZARO Ya ni corra, ya se fue.

RITA (*radiante*) ¡Qué lástima, Felipe! ¡Ya no va a poder acompañarnos a pasear! (*Lo toma del brazo.*)

LOLA (*feliz*) ¡Lorenzo, se queda este hombre! ¡Y la hermana es la que se fue!

LORENZO (*por lo bajo*) Dolores, no hables en ese tono.

AURORA Pobre Rita. A la luz del sol es más feo todavía.

LOLA ¡Aurora!

LORENZO Hermana, ¡cállate!

(*Los cohetes menudean. Las campanas siguen y unos cantadores de son vienen acercándose. Un sol amarillo dibuja en el suelo largas rayas con las rejas de las ventanas.*)

ROSALBA Lázaro, ¿sabes lo que es alegría fisiológica?

LÁZARO ¿Alegría fisiológica?

ROSALBA Sí, sentir, sentir tan profundamente la alegría que forme ya parte del cuerpo mismo, como algo físico, con las campanas, con el amanecer, con todo.

LÁZARO ¿Y todo eso a qué viene?[98]

ROSALBA Lázaro, no viene a nada. Viene a que estoy contenta y quiero hablar bien, lucirme. ¿Ya? ¿A dónde van esos hombres? ¿A alguna fiesta?

LÁZARO Sí, a una.

ROSALBA Pues vamos todos. Rita, Felipe, miren qué día. (*Toma de la mano a* LÁZARO. *Abre la puerta de par en par y hay un resplandor de sol tras ellos.*)

RITA ¿Vamos, Felipe?

FELIPE ¿No te hará daño salir?

RITA ¿Daño? ¿Por qué?

FELIPE No, no, no. Por nada. Vamos.

AURORA ¡Espérenme! ¡Voy con ustedes!

LOLA ¡Aurora! ¿Te vas con ellos? ¡Y vestida así!

98. ¿**Y... viene?** And what's all that about?

AURORA   Sí, así. Y ya sé que los viejos no deben andar en fiestas, por eso me voy con ellos.

ROSALBA   La mañana está tan linda que todo mundo puede ser joven. Todo mundo es joven en realidad. ¡Vámonos!

(*Salen corriendo. Los ruidos: cohetes*, música y campanas, *han llegado al clímax.*)

TELÓN

México, D.F., julio de 1949/febrero de 1950

Francisco Arriví

b. 1915

Francisco Arriví was born in San Juan, Puerto Rico, in 1915. A graduate of the University of Puerto Rico, he studied drama at Columbia University. Arriví has been closely associated with the Puerto Rican drama revival as playwright, director, and producer almost since its beginning in 1938. In 1944 he organized the experimental group Tinglado Puertorriqueño, and for some years has been Director of the Theater Section of the Institute of Puerto Rican Culture. In this capacity he has organized the theater festivals which have been of major importance in providing continuity for the movement as well as an outlet for many of the younger dramatists. These festivals, begun in 1958, have become high points in Puerto Rican theater.

Arriví has published critical studies and two collections of poetry, *Isla y nada* (1958) and *Frontera* (1960), but it is in the theater that he is most at home. His training has provided him with a solid grounding in the theatrical aspects of drama. He makes skillful use of lighting and physical movement, and music plays an important part in his work, providing an external reference for the inner conflicts.

Arriví's plays correspond roughly to two periods. In the first, he broke away from the obsessive preoccupation with social problems that dominated the Puerto Rican stage during the early years of the movement. This period includes *El diablo se humaniza* (1941), *Alumbramiento* (1945), *María Soledad* (1947), *Caso del muerto en vida* (1951), and *Club de solteros* (1953). Most important of these are *María Soledad* and *Club de solteros*. The first is a complex symbolic drama which is both a study of a psychopathic obsession with purity and a restatement of the legend of the Sleeping Princess. *Club de solteros* is a full-length farce dealing with the eternal struggle between man and woman, in which man comes off a poor and ridiculous second. In its imaginative staging and ironic statement, *Club de solteros* is close to "the theater of the absurd."

In the second period, Arriví turned again toward Puerto Rican reality in the trilogy *Máscara puertorriqueña*, which deals with the psychological results of the rejection of the Negro heritage. The trilogy includes *Bolero y plena* (1956), consisting of the short plays *El murciélago* and *Medusas en la bahía*; *Vejigantes* (1958); and *Sirena* (1959). These are not simple attacks on racism, but serious studies of the psychological dislocation and social alienation of those who cannot accept themselves as they are.

Vejigantes[1] is typical of this second period in its use of contrasting social milieu, a musical theme which underscores the nature of the struggle, a careful development of individual psychology, and a brilliantly theatrical climactic scene. It ranks among the finest of contemporary Latin-American plays.

1. **Vejigantes:** a Puerto Rican folk festival of African origin.

Vejigantes

drama en tres actos

Estrenado en el Teatro Municipal Tapia de San Juan, el 29 de mayo de 1958, durante el Festival de Teatro del Instituto de Cultura Puertorriqueña, con el siguiente reparto, en orden en que aparecen:

TOÑA	*Lucy Boscana*
BENEDICTO	*José Luis Marrero*
MÁSCARA LOCA 1	*Ramón Arbona*
MÁSCARA LOCA 2	*Ulpiano Rivera*
CABALLERO 1	*Joaquín Collazo*
CABALLERO 2	*Luis Rafael Sánchez*
MARTA	*Mona Martí*
CLARITA	*Mercedes Sicardo*
BILL	*Kirkwood Jarman*
MÁSCARAS LOCAS	*Joaquín Peña, José García Tañón, Martín Padilla, Eddie Fernández Cerra, Juan González, Reinaldo Medina, Aristeo Rivero Zayas, Ángel Rivera*
TIMBALEROS	*Caballeros de la Bomba*

ACTUACIÓN ESPECIAL DE   *Aida Lois*
DIRECCIÓN   *Nilda González*
ESCENOGRAFÍA   *Rafael Ríos Rey*
VESTUARIO   *Myrna Casas*
ILUMINACIÓN   *Edwin Silva Marini*
UTILERÍA   *Luis Calvo*
SONIDO   *Wilfredo Garcia*
AYUDANTE DEL DIRECTOR   *Elsa D. Román*
BAILE DEL PRIMER ACTO   *Ballets de San Juan*
VESTUARIO DE MÁSCARAS Y CABALLEROS   *Cortesía de Ballets de San Juan*

Lugar de acción

PRIMER ACTO año de 1910, en un palmar de Loíza[2]
SEGUNDO ACTO año de 1958, en una residencia del Condado[3]
TERCER ACTO el mismo lugar, minutos más tarde

2. **Loíza:** a town on the north coast, east of San Juan, famous for its preservation of folk music and dance   3. **Condado:** an exclusive residential section of San Juan

115

PRIMER ACTO

Escenario a oscuras. Se escuchan al fondo, creciendo desde la nada, golpes de bomba sobre las timbas llamadas Consentida y Malcriada.[4] *El coro de* TIMBALEROS *canta incesantemente la misma estrofa:*

TIMBALEROS

Joyalito, ay, Joyalito,
Joyalito, ay, Joyalito,
te olvidaron en el puente.

(Luces polícromas de un atardecer cálido definen, primero, la llama flotante de un flamboyán; luego, un bohío de pajas contra el friso de cocoteros franjeado de mar violeta.

En el batey de arenas playeras, entre el segundo y tercer término, las manos de los TIMBALEROS *arden sobre los cueros de las timbas.)*

TIMBALEROS

Joyalito, ay, Joyalito,
Joyalito, ay, Joyalito,
te olvidaron en el puente.

(Los TIMBALEROS, *contorsiones de carne achocolatada, visten a usanza de la primera década del siglo XX: pañuelos multicolores en la cabeza, camisas y pantalones de hilo blanco. El «santo»*[5] *que los posee espasmódicamente ha desabotonado sus camisas. Golpean con los pies, abultados y callosos, las arenas de sílice dorado.*

TOÑA, *mulata oscura de cuerpo tenso y frescote como una palmera moza, irrumpe en el centro de la escena y ríe excitadamente mientras escruta los alrededores. Su rostro chispea gracia y salud animal. Viste jubón de avispa y falda voladiza hasta el tobillo. Cubre su cabeza con un pañuelo de colores.)*

---

4. **Consentida y Malcriada:** names of two distinctive types of drum used in popular festivals 5. **santo:** a frenzy induced by religious exaltation or emotional excitement

TIMBALEROS (*al unísono, con alegría*)   ¡Toña!

(TOÑA *saluda con la mano. Remira hacia las palmas al tiempo que los* TIMBALEROS *cuelan su entusiasmo en Joyalito.*)

TIMBALEROS

Joyalito, ay, Joyalito,
Joyalito, ay, Joyalito,
te olvidaron en el puente.

(TOÑA *se acerca a la izquierda, juguetonamente recelosa, y de pronto echa a correr hacia la derecha con una carcajada. Desaparece.*

Poco después, un Vejigante [6] *aparece por la izquierda, se planta en medio del escenario y explora los alrededores. Acusa un movimiento tambaleante de persona ebria. Descubre a* TOÑA *entre las palmas y desaparece en pos de la mulata cuya risa se escucha todo el tiempo.*)

TIMBALEROS

Joyalito, ay, Joyalito,
Joyalito, ay, Joyalito,
te olvidaron en el puente.

(TOÑA *irrumpe en el escenario nuevamente, esta vez desde la derecha, seguida de cerca por el Vejigante. Ríe con susto y complacencia a medida que le hace describir círculos al monstruo. Desaparece por la izquierda con el Vejigante a los talones.*)

TIMBALEROS

Joyalito, ay, Joyalito,
Joyalito, ay, Joyalito,
te olvidaron en el puente.

(TOÑA *cruza en veloz carrera por detrás del bohío seguida por el Vejigante, un poco apartado ahora. Desaparecen por la derecha lejana.*)

TIMBALEROS

Joyalito, ay, Joyalito,
Joyalito, ay, Joyalito,
te olvidaron en el puente.

(TOÑA *entra rápidamente a la medialuna formada por las timbas, se detiene y escruta al palmar nuevamente.*

El Vejigante aparece, desapercibido de TOÑA, *por detrás del*

6. **Vejigante:** a participant in the festival who wears a distinctive horned mask

118

flamboyán a la derecha. Se detiene junto al tronco. Hace equilibrios por contemplar la esplendidez física de la muchacha.

TOÑA *se vuelve y su vista choca con el monstruo cornudo, quien ríe estentóreamente. La muchacha termina por reír también con toda su lozanía y joven animalidad.*

Un TIMBALERO, *viejo entre jóvenes, se incorpora impulsado por el «santo». El resto suspende el canto.*)

TIMBALERO (*sobre los golpes de bomba*)   Baila la bomba, Toñita.

CORO   Baila, negrola.

(TOÑA *mantiene los ojos fijos en el Vejigante, quien la invita a acercarse con un movimiento simultáneo de ambas manos enguantadas.*)

TIMBALERO (*marcando el ritmo con el cuerpo*)   Baila la bomba, Toñita.

CORO   Baila, negrola.

(TOÑA *se vuelve hacia los* TIMBALEROS.)

CORO   Baila, negrola, baila.

(TOÑA *ojea de medio perfil al Vejigante y comienza a marcar los golpes de bomba con la cabeza.*)

CORO   Baila, negrola, baila.

(TOÑA *se toma dos puntas de la falda voladiza, saluda con un golpe de cuerpo*[7] *a la Consentida, luego a la Malcriada, finalmente al Vejigante, y se entrega al baile de bomba. Los* TIMBALEROS *inician el canto otra vez.*)

TIMBALEROS

Joyalito, ay, Joyalito,

Joyalito, ay, Joyalito,

te olvidaron en el puente.

(*El Vejigante se zarandea grotescamente en un intento de imitar las agilidades musculares de la mulata.*

TOÑA, *en un crescendo de compulsiones rítmicas, se acerca al Vejigante y le recorta frente a frente insinuantes figuras de bomba.*

El Vejigante, alucinado por las incitaciones, bailotea dislocadamente. Ante una figura relampagueante que TOÑA *repite y repite, presa ya del ritmo, el monstruo se arranca la careta cornuda. Queda al descubierto la cara sonrosada y bigotuda de* BENEDICTO, *un gallego treintón encandilado por los humos alcohólicos.*)

7. **golpe de cuerpo:** an emphatic movement

BENEDICTO (*estentóreo*)   ¡Viva España y Puerto Rico!

TIMBALEROS (*impertérritos*)

Joyalito, ay, Joyalito,

Joyalito, ay, Joyalito,

te olvidaron en el puente.

BENEDICTO (*más estentóreo aún, enarbolando la careta*)   ¡Viva Alfonso XIII [8] y Toña de Loíza!

(TOÑA *ríe, y baila que baila,*[9] *se aleja del español, quien se ha puesto la careta y sigue a la mulata con tumbos descompasados hasta la medialuna de timbas.*)

BENEDICTO (*cabeceando detrás de la cintura de Toña*)   Baila, negrola, baila.

TOÑA (*de espaldas al Vejigante*)   Baile, gallego, baile.

BENEDICTO (*intentando agarrar a Toña*)   ¡Santiago y cierra España! [10]

TOÑA (*librándose del gallego con una figura de bomba*)   Baile, gallego, baile.

(*El Vejigante trata de acoplar pasos inarmónicos que Toña avista sonreídamente con el rabo del ojo.*)

BENEDICTO (*con un nuevo avance lúbrico*)   ¡Santiago y cierra España!

TOÑA (*librándose otra vez*)   Baile, gallego, baile.

(*Se escucha una marea de voces emitidas en falsete e irrumpen* MÁSCARAS «LOCAS» — *hombres vestidos de mujer con cara tiznada* — *de la fiesta santiaguina.*[11] *Se detienen, revuelo de caras negras y mulatas, frente a la visión de* TOÑA *y el Vejigante. Ríen con ahuecamiento de cotorras, comentan en tonos agudos sobre la pareja y terminan por empujarse al baile con gran chismorreo y contento.*

TOÑA *se mueve con suprema gracia y agilidad entre las máscaras. El Vejigante la persigue tozudamente, a puro traspiés, choque tras choque contra las «LOCAS», quienes simulan gestos de enojo y apoyan la actitud con rápidas conversaciones en falsete.*)

TIMBALEROS

Joyalito, ay, Joyalito,

Joyalito, ay, Joyalito,

te olvidaron en el puente.

---

8. **Alfonso XIII:** King of Spain, 1902–31   9. **baila que baila:** dancing away   10. **Santiago... España:** the traditional Spanish battle cry   11. **fiesta santiaguina:** the festival of St. James the Apostle, celebrated on July 25

(*El Vejigante intenta agarrar a la mulata en varias ocasiones sin conseguirlo. Opta por bailar en el centro de los danzantes y hacerse el desentendido.* TOÑA *se le acerca peligrosamente y lo banderillea.*[12] *En un descuido de la mulata, quien se confía demasiado, febril ya por el embrujo del ritmo y la incontenible penetración de la noche, el Vejigante logra agarrarla. Forcejean.* TOÑA *se libra con un empujón que vuelca al Vejigante boca abajo. Aprovecha la consiguiente bulla y risa de las «*LOCAS*» para dispararse del baile y desaparecer entre las palmas de la izquierda.*)

TIMBALEROS

Joyalito, ay, Joyalito,
Joyalito, ay, Joyalito,
te olvidaron en el puente.

(*El Vejigante se incorpora. Busca a* TOÑA *entre las máscaras e inicia un movimiento para separarse del grupo. Algunas «*LOCAS*» lo agarran y lo hacen bailotear contra su gusto. En una de las vueltas, alcanza a ver a* TOÑA, *quien se aleja rápidamente.*)

BENEDICTO ¡Toña! ¡Negrola! No me niegues tu melao.[13]

(*El Vejigante se libra de las máscaras, que ríen y chillan en falsete, y corre a tumbos detrás de la mulata. Desaparece.*

*Las «*LOCAS*» se desparraman junto a la izquierda a curiosear la persecución. La comentan excitadamente con gran escarceo de cotorras.*

Los TIMBALEROS, *poseídos totalmente del «santo», abofetean violentamente el cuero de las timbas y vierten el canto en erupciones telúricas.*)

LOCA 1 (*mirando hacia el palmar*) No la alcanza.

LOCA 2 La alcanza.

LOCA 1 Se le pierde en el matorral.

LOCA 2 La alcanza.

LOCA 1 (*empujando a la máscara cómicamente*) ¿Por qué tú crees que la alcanza?

LOCA 2 Porque Toña se dejará alcanzar.

LOCA 1 ¿Y por qué Toña se dejará alcanzar?

LOCA 2 Porque le gusta el gallego.

LOCA 1 ¡No me digas! Ha dicho que no le hace caso.

---

12. **banderillea:** she dances about him like a banderillero taunting a bull 13. **melao:** *melado* honey-colored (also the name of various sweets; here used metaphorically)

LOCA 2   Haciéndose y gustándole.[14] ¿Me entiendes?

LOCA 1   Pues claro que te entiendo, mascarita. Haciéndose y gustándole. (*Ríe.*)

LOCA 2 (*con voz natural*)   Van días[15] que ese gallego arde por Toña.

LOCA 1   ¡Jesús, mascarita! No hables con voz de hombre. Me asustas...

LOCA 2 (*con voz natural*)   Hoy tiene el diablo por dentro y le echará mano en el matorral.

LOCA 1 (*llevándose los dedos índices a los oídos*)   Déjame taparme los oídos.

LOCA 2 (*con voz natural*)   Estos españoles siempre nos llevan las prietas más guapas.

LOCA 1 (*retirando un dedo índice*)   ¿Qué dijiste, mascarita?

LOCA 2 (*subiendo la voz*)   Estos españoles siempre nos llevan las prietas más guapas.

LOCA 1   ¿Y te apuras? Ya sabemos que las mulatas se desvelan por los blancos. (*invitando a la comparsa*) ¡A bailar, a bailar!

(*Las «LOCAS» se entregan al baile de bomba con gran ímpetu y algarabía. La «LOCA 2» permanece inmóvil, los ojos fijos en el palmar.*)

LOCAS

Joyalito, ay, Joyalito,

Joyalito, ay, Joyalito,

te olvidaron en el puente.

(*Las sombras disuelven las luces polícromas del atardecer. Desaparecen las «LOCAS», los* TIMBALEROS, *el bohío, el friso de palmas y la franja de mar violeta. Permanece la llama del flamboyán, fuego inmóvil en el cerco de tinieblas.*

El canto y los golpes de bomba aumentan desde fuentes invisibles. Se sostienen unos segundos y, luego, receden a un término lejano, al tiempo que gana sonoridad un extendido «pizzicato» de coquíes sobre estridencias de grillos y «esperanzas».

Una luz plateada de luna, que atenúa el fuego del flamboyán, descubre a TOÑA *y al español.*

TOÑA *aparece sentada en las arenas. Se apoya en su brazo izquierdo con dejadez. El pañuelo con que cubría sus duros moños,*)

---

14. **haciéndose y gustándole:** when the time comes, she will like him.   15. **van días:** *hace días*

desgreñados ahora, se descuelga de un matojo. Su jubón y su falda revelan estrujamientos y violencias. Fija la vista en las arenas frente a sí.

El español, vestido con camisa vasca y pantalones de bayeta, ajusta una boina a su cabeza. Un resto de borrachera le provoca débiles tumbos; pero ya mira a TOÑA *sin deseos. Se decide a recoger los guantes, el disfraz y la careta de vejigante, dispersos alrededor de la muchacha. Les sacude la arena y, luego, contempla a* TOÑA *un instante.*)

BENEDICTO No hay que afligirse. Estas cosas tienen arreglo.

(TOÑA *guarda silencio.*)

BENEDICTO (*subiendo la voz*) He dicho que estas cosas tienen arreglo. Mañana hablaré con tu padre.

(TOÑA *levanta la cabeza lentamente. Reprime una tímida esperanza.*)

BENEDICTO (*enfáticamente, buscando impresionarla*) A primera hora.

TOÑA (*débilmente, con temor de expresar su verdadero sentimiento*) Yo no debo volver a casa.

BENEDICTO ¡Claro que volverás!

TOÑA Usted conoce a papá. Sería capaz de picarme con el machete.

BENEDICTO Vaya si le conozco.[16] Le he comprado miles de cocos para la tienda. Acostumbra henderlos de un solo tajo.

TOÑA Hará igual conmigo.

BENEDICTO Entonces piensa. Si te abandona la calma para hacer lo que debe hacerse, nos enterrarán a los dos. Tanto, por una locura común de hombre y mujer. Medio barrio ha nacido de amores como éste.

TOÑA ¿Qué hago?

(BENEDICTO *guarda silencio unos segundos.*)

BENEDICTO (*después de tomar una decisión, arrodillándose junto a Toña*) Escúchame con atención y no me discutas.

(TOÑA *lo estudia con recelo.*)

BENEDICTO ¡Ánimo, muchacha! Te aseguro que saldrás de este lío.

(TOÑA *espera.*)

BENEDICTO En primer lugar, te compones la facha del pelo y el traje. ¿Estamos de acuerdo?

(TOÑA *guarda silencio.*)

16. **Vaya... conozco:** I'll say I know him.

BENEDICTO   ¿Qué le pasa a tu lengua? ¿Se la comieron los ratones?

TOÑA (*sin expresión*)   Ya me arreglaré.

BENEDICTO   ¡Estupendo!... En segundo lugar, pasas por el baile de bomba como si nada hubiera sucedido. Le informas a la gente que..., que yo no pude alcanzarte... ¿Entendido?

TOÑA (*comenzando a intuir las intenciones del español*)   Veo.

BENEDICTO   ¿Qué ves?

TOÑA (*con un movimiento de hombros*)   Nada.

BENEDICTO   ¡Ánimo, muchacha! (*después de vacilar un instante*) Pues bien. Bailas un rato y luego te diriges a casita. Como de costumbre, pides la bendición a tus padres, das las buenas noches y te acuestas a dormir.

TOÑA (*mecánicamente*)   A dormir...

BENEDICTO (*incorporándose*)   Claro. Con absoluta fe de que mañana me ves por el barrio. Tempranito.

TOÑA   Gracias.

BENEDICTO   Si oyes mis consejos, no te pesará.

TOÑA (*sin esperanza*)   ¿Y qué piensa decirle a papá?

BENEDICTO   ¿A tu padre?... (*Se incorpora y la contempla unos segundos.*) Harás en esfuerzo por no enojarte. En ese momento, necesito toda tu presencia de ánimo. Nada de nervios. Si alguna indiscreción hace sospechar a tu padre, adiós cabezas de Toña y Benedicto. De eso estoy tan seguro como que reina Alfonso XIII y los yanquis nos birlaron a Puerto Rico hace diez años.

TOÑA (*duramente, con intención de hacerse daño*) ¿Qué piensa decirle?

(*El español guarda silencio.*)

TOÑA (*por no llorar*)   ¿Qué?

BENEDICTO (*después de una pausa, bajando la voz*)   ¿Te gustaría lavarme la ropa y hacerme la comida?

TOÑA (*herida*)   ¿Eso?

BENEDICTO (*extendiendo una mano*)   No lo interpretes de esa manera. Hay razones para este proceder.

(TOÑA *rompe a llorar.*)

BENEDICTO   ¡Vaya! Ninguna piensa con la cabeza. Ni blancas, ni prietas. (*conciliador*) ¿A qué[17] viene el llanto, si me propongo arreglar el asunto?

(TOÑA *se vuelve y llora de espaldas al español.*)

17. **a qué:** *por qué*

BENEDICTO   No debes tomar a mal[18] que te lleve de ese modo. ¿Cuántas de este barrio no empezaron así y hoy exhiben lujos por las aceras de San Juan?

(TOÑA *se deja caer sobre los brazos y llora incontaniblemente.*)

BENEDICTO (*arrodillándose nuevamente*)   Hay una casita de madera detrás de la tienda. Podrás disponer de ella todo el tiempo que desees.

(TOÑA *menea la cabeza negativamente.*)

BENEDICTO   Ten calma. Por el momento, me sería imposible llevarte de otra manera. Mi hermano establecido en San Juan, el mayor, armaría tamaño escándalo. Escribiría a España para informar a mis padres. Éstos esperan casarme con una muchacha de mi pueblo. No quiero enojar a los viejos. (*con un movimiento de ambas manos*) No entienden que uno pueda enamorarse en las Antillas. Dicen que la sangre africana debe quedarse en ultramar.

(TOÑA *se incorpora de medio cuerpo y lo mira con un orgullo bañado en lágrimas.*)

TOÑA   Si lo desea, no tiene que cargar conmigo. Más parece que trata con una bestia que con una mujer.

BENEDICTO (*con decisión*)   ¡Paz en la tierra! No pierdas el único camino que nos puede juntar. Es cierto que pediré a tu padre que te emplee de sirvienta, ¡vive Dios!, no queda otro remedio, pero allá en la tienda, cuando haya terminado la faena del día nos encontraremos a solas, Toña será para mí, la prieta más guapa y mejor bailadora de bomba.

TOÑA (*con desprecio*)   ¡Puerco!

(*El español ríe.*)

TOÑA (*con ira*)   ¿Qué piensa hacer si nace una criatura?

BENEDICTO   Hablaremos luego de ese tema.

TOÑA   Dígame: ¿qué piensa hacer si nace una criatura?

BENEDICTO (*después de una pausa*)   Ya vestirá y comerá.

(*La toma en los brazos y trata de besarla.* TOÑA *forcejea. Se escuchan voces de hombres que se acercan. El español mira hacia la izquierda y se incorpora.*)

BENEDICTO (*después de poner atención a las voces*)   Ya sabes. Por la mañana. Nada de nervios. Sirvienta en el día, pero reina en la

18. **tomar a mal:** *entender mal*

noche. Con el tiempo, si las cosas cambian, ¡quién sabe si pueda arreglarlo mejor! (*Se pierde en las sombras de la derecha.*)

(TOÑA *mira al vacío unos segundos, luego vuelve la cabeza en pos del español.*

Entran dos CABALLEROS *por la izquierda. Los disfraces, adornados con espejitos y cintas multicolores, relumbran fantásticamente en la luz de la luna.*

CABALLEROS (*al unísono, con alegría*)   ¡Toña!

(TOÑA *se vuelve y los mira.*)

CABALLERO 1   ¿Qué haces por aquí?

TOÑA   Nada. Me eché a dormir en la luz de la luna.

CABALLERO 2 (*riendo*)   La misma susuvana de siempre.

TOÑA   ¡Es tan bueno dejarse besar por la luz de la luna! Sabe a espuma de mar.

CABALLERO 2   Sería mejor que te dejaras besar por un hombre. Amarra, como la carne del caimito. (*Ríe.*)

TOÑA   Lo pensaré. ¡Hay tanto puerco en el palmar! Ningungo haría soñar lo que soñé esta noche.

CABALLERO 1   ¿Y qué soñaste?

TOÑA   Que mi cuerpo se convertía en un níspero maduro.

CABALLERO 1   ¡Hum! ¡Tú estás enamorada!

TOÑA   Un cuchillo de fuego abrió en dos el níspero.

CABALLERO 1   Veo. Te quedaste dormida (*señalando el flamboyán*) mirando el flamboyán. Dicen que éstos se enamoran para el tiempo de la florecida. Y que necesitan besar y besar hasta cubrir de flores la última rama.

TOÑA   Eso dicen...

CABALLERO 1   ¿Y qué más soñaste?

TOÑA   Del almíbar nació una niña más blanca que yo.

CABALLERO 2   El sueño de todas las prietas. Hijos blancos... Dicen que el gallego Benedicto te ha perseguido por el palmar.

TOÑA (*incorporándose*)   Un rato.

CABALLERO 2   ¿Dónde está?

TOÑA (*señalando hacia el frente*)   Lo dejé enredado en una mata de mayas. (*limpiándose de arenas*) Si hubieran visto cómo pataleaba y sacudía los cuernos...

(*Los* CABALLEROS *ríen.*)

TOÑA (*tomando el pañuelo multicolor de la mata*) Parecía un demonio agarrado por la mano de Dios.

CABALLERO 2 Si te molesta mucho, cuenta conmigo. He jurado darle una pela como se pase de la raya.[19]

TOÑA (*arreglándose el jubón*) Me dejo echar flores,[20] pero no me gusta. Tiene cara de tomate desteñido y más bigotes que diez gatos juntos.

CABALLERO 2 Estos gallegos nos quieren de afuerita. En mirando negro o canela, se les priva el alma.[21]

TOÑA (*agitando el pañuelo*) ¿Bailamos bomba, negrolos?

CABALLERO 1 ¿Y quién se le niega a Toña? La prieta más querida del palmar.

TOÑA (*con una palmada*) ¡Pues a bailar en la noche de Santiago!
(*Los* CABALLEROS *comienzan a marcar el ritmo de Joyalito con las manos.* TOÑA *se toma dos puntas de la falda voladiza, saluda a una y otra máscara, y se entrega al baile de bomba. Los* CABALLEROS *le ceden el centro y bailan a derecha e izquierda de la mulata.*

Las MÁSCARAS LOCAS *entran bailando desde todos los ángulos. Rodean a* TOÑA *y a los* CABALLEROS.)

LOCAS ¡Toña!... ¡Toña!... ¡Toña!... ¡Toña!...
(*El canto de Joyalito y los golpes de timba se acercan al primer término.*)

TIMBALEROS (*invisibles*)
Joyalito, ay, Joyalito,
Joyalito, ay, Joyalito,
te olvidaron en el puente.

TOÑA (*sola*)
Joyalito, ay, Joyalito,
Joyalito, ay, Joyalito,
te olvidaron en el puente.

CABALLEROS y LOCAS (*a coro*)
Joyalito, ay, Joyalito,
Joyalito, ay, Joyalito,
te olvidaron en el puente.

---

19. **He... raya:** I've sworn to give him a beating as soon as he goes too far.   20. **Me... flores:** I allow him to say pretty things to me.   21. **En... alma:** As soon as they see black or cinnamon, they lose their hearts.

TODOS

Joyalito, ay, Joyalito,
Joyalito, ay, Joyalito,
te olvidaron en el puente.

(*Durante unos minutos se escuchan las timbas solamente.* TOÑA *recorta figuras de bomba por todo el ámbito del escenario. Se ayuda con el pañuelo para acentuar las figuras. En una ocasión, cuando se encuentra al centro del escenario, rompe a cantar sola mientras su cuerpo se convierte en un estallido de fiebres.*)

TOÑA

Joyalito, ay, Joyalito,
Joyalito, ay, Joyalito,
te olvidaron en el puente.

(*Se detiene súbitamente y arroja el pañuelo al aire con un grito.*)

TOÑA ¡Viva Santiago Apóstol (*Permanece inmóvil.*)

(*Las* MÁSCARAS *se detienen y miran a* TOÑA.)

TOÑA (*después de recorrer el ámbito con la mirada*) Buenas noches. (*Se dirige a la izquierda.*)

CABALLERO 1 No te vayas, Toña.

TOÑA (*junto a la izquierda*) Tengo que acostarme temprano.

CABALLERO 1 Siempre has bailado toda la noche. La luz de la mañana te encontró debajo del flamboyán.

TOÑA Hoy se me cierran los ojos.

LOCA 2 (*con voz natural, acercándose*) Te ves muy cansada, Toña.

TOÑA Los flamboyanes tienen la culpa, mascarita. Se empeñan en besarme, los muy...

(*Las* MÁSCARAS *ríen.* TOÑA *desaparece.*)

CABALLERO 2 (*a la* LOCA 2) No me engaña. ¡Toña ya no es Toña!

LOCA 2 (*con voz natural*) Yo sabía que el gallego...

CABALLERO 2 ¿Lo quiere?

LOCA 2 (*con voz natural*) Bebería sales por él.

CABALLERO 2 Entonces..., crucemos los brazos.

LOCA 2 ¡Pronto se irá del palmar!

CABALLERO 2 ¿Tú crees?

LOCA 2 ¡Pronto! ¿No le viste la mirada?

CABALLERO 2 Llorosa...

LOCA 2 Un vejigante se le ha metido en el alma.

LOCA 1 (*en falsete*)   ¡A bailar, mascaritas! (*bailando grotescamente, en falsete*)

Joyalito, ay, Joyalito,

Joyalito, ay, Joyalito,

te olvidaron en el puente.

(*Todos, excepto el* CABALLERO 2 *y la* LOCA 2, *que permanecen inmóviles, los ojos en pos de* TOÑA, *se entregan al canto y al baile*)

Joyalito, ay, Joyalito,

Joyalito, ay, Joyalito,

te olvidaron en el puente.

(*El canto de los* TIMBALEROS *y los golpes de bomba receden a un término remoto como si el tiempo los arrinconara en el pasado. La luz de la luna, al desvanecerse, desdibuja a las máscaras que desaparecen totalmente.*

Al cerrarse el telón sólo se vislumbra la llama flotante del flamboyán. Se definen el «pizzicato» de coquíes y las estridencias de grillos y esperanzas.

A lo lejos, durante el entreacto, persiste el golpear sobre las timbas.)

SEGUNDO ACTO

Al descorrerse el telón, se desvanece el golpear sobre las timbas.

Aparece una sala de arquitectura moderna amueblada al estilo de la época: sofá, butacas y una mesa de centro sobre la cual descansa una pequeña radiola. La mesa permite un espacio para ceniceros y otros usos.

Salida al comedor y a la cocina por un claro a la izquierda. Entrada de la calle por un amplio claro rectangular al fondo. A lo largo del pasillo, se dibuja una reja ornamental que descubre el jardín de flamboyanes florecidos y otras formas de vegetación tropical. Algunas viviendas del Condado acusan su silueta detrás de los flamboyanes. Una puerta enrejada, en armonía con el claro del fondo, permite la entrada al jardín.

En el recodo de la pared izquierda y el fondo, se distingue un gran retrato fotográfico de BENEDICTO *a los cincuenta años. Las patillas y el bigote canosos del gallego contrastan con la boina negra.*

En el recodo de la pared derecha y el fondo, se distingue el cuadro al óleo de un español cuarentón de aspecto plantígrado, cutis sonrosado y pelo castaño.

La sala se recorta en penumbra. Los claros se definen por luces reflejas. Un plateado relumbre de luna acusa los flamboyanes del jardín y el diseño de la reja.

MAMÁ TOÑA, *la* TOÑA *del palmar, cuarenta y cinco años después, se enmarca en el claro del fondo y enciende la lámpara central de la sala. La luz descubre el contraste de su tez achocolatada con el algodón del pelo, recogido en duros moños detrás de las orejas. Su cuerpo, aunque un poco encorvado, conserva agilidad. Viste de blanco.*

MAMÁ TOÑA *se acerca a la radiola. Saca un disco fonográfico de un sobre que ha traído consigo. Hace un esfuerzo por leer el sello del disco, se restrega los ojos y lee nuevamente. Asiente con satisfacción y abre la tapa de la radiola. Pone el disco en el plato giratorio y hace funcionar el mecanismo de éste. Baja la tapa y espera el sonido con una sonrisa entre pícara y alegre.*

Se escucha quedamente la bomba titulada «Joyalito», primero un golpear sobre las timbas Consentida y Malcriada, luego la voz que acompaña la percusión:

Joyalito, ay, Joyalito,
Joyalito, ay, Joyalito,
te olvidaron en el puente.

(MAMÁ TOÑA *esboza una sonrisa de gozo. La música la recuerda su juventud cimarrona.*)

MAMÁ TOÑA (*contagiada con la música, en voz baja*) Joyalito, ay, Joyalito... (*Deja pasar los primeros versos. Uniéndose al canto nuevamente*) Joyalito, ay, Joyalito... (*Deja pasar los primeros versos. Cantando ahora los tres versos*)

Joyalito, ay, Joyalito,
Joyalito, ay, Joyalito,
te olvidaron en el puente.

(*A medida que canta,* MAMÁ TOÑA *comienza a ensayar los movimientos característicos de la bomba.*

MARTA *se enmarca en el claro del fondo y contempla a* MAMÁ TOÑA *con disgusto.*

MARTA *cuenta cuarenta y cinco años de edad. Bajo el color sepia de su tez se acusan rasgos negroides revestidos en esta ocasión de una excesiva capa de polvo blanco. Contiene su pelo tenso en un turbante de colores que lo cubre totalmente. Viste un lujoso traje que abotona en el cuello y las muñecas.*

MAMÁ TOÑA, *de espaldas a* MARTA, *se entrega graciosamente al ritmo de la bomba.*)

MAMÁ TOÑA (*gozando sin frenos*)

Joyalito, ay, Joyalito,
Joyalito, ay, Joyalito,
te olvidaron en el puente.

(MARTA *se afirma el turbante subconscientemente, movimiento que repite a menudo, y luego apaga la luz del lamparón.*)

MAMÁ TOÑA (*dejando de bailar*) ¿Quién apagó la sala?

MARTA (*acercándose a encender la lámpara de mesa junto al sofá*) Marta.

MAMÁ TOÑA ¿Y por qué me dejas a oscuras?

MARTA (*después de encender la lámpara*) No me explico tu manía de meter el sol dentro de la casa.

MAMÁ TOÑA Pues yo no razono la tuya de vivir como los múcaros. A los difuntos con esa moda.[22] Me gusta verme como soy: algodón y café. (*Se dirige al conmutador del lamparón y lo oprime.*)

MARTA (*despues de contemplar la operación y arreglarse una vez más el turbante, mientras se dirige a la radiola*) ¿Quién te dió ese disco?

MAMÁ TOÑA Déjalo terminar.

MARTA (*alzando la tapa de la radiola*) ¿Quién?

MAMÁ TOÑA (*resignada*) Clarita. Sabe que la bomba me encanta y me lo trajo de San Juan ayer tarde.

(MARTA *ha detenido el mecanismo y saca el disco.*)

MAMA TOÑA A pesar de los pesares,[23] la nieta me tiene cariño. Apenas podía creer que me regalaba un disco de bomba, pero tuve que convencerme. Hasta un abrazo me dió. El primero en muchos días. Se lo agradecí de todo corazón y la pobre se echó a llorar.

(MARTA *guarda silencio.*)

MAMÁ TOÑA Marta, hija, la nieta es más buena que el pan.[24]

MARTA (*después de una pausa, ofreciendo el disco a* MAMÁ TOÑA) Toma. Lo guardas en tu cuarto hasta nuevo aviso.

MAMÁ TOÑA (*tomando el disco*) No es para tanto.[25] El título de maestra no te obliga a despreciar la bomba. Tus estudios los luché yo, más que más,[26] una bailadora de esta música. (*señalando hacia el cuadro de* BENEDICTO) Bastante trabajo costó convencer a Benedicto. El muy animalote no quería refinarte. Si no es por mis lágrimas, te quedas como el azúcar negro, con el olor a guarapo.

MARTA Como persona educada, debo dar el ejemplo en esta barriada residencial. Es una música, si puede llamarse tal, insoportable.

MAMÁ TOÑA (*mostrando el disco*) No se bailaba otra en Loíza cuando yo me criaba. El gallego de tu padre me enamoró al son de las timbas. El muy correntón cerraba la tienda a las seis del

22. **A... moda:** That's only for the dead.   23. **A... pesares:** in spite of everything
24. **más... pan:** a really fine person   25. **No... tanto:** It's not that bad.   26. **más que más:** more than anyone

sábado y a bailar se ha dicho.[27] ¡Y qué trompo era el gallegote![28]
Comenzaba a puntear las varillas con el primer vuelo de los mur-
ciélagos y daba los últimos tumbos con el sol de la mañana.
¡Cómo atizaba a los timbaleros el muy sinvergüenza! (*volviéndose
hacia el retrato de* BENEDICTO) ¡Dios te permita bailar bomba en
los palmares de la gloria! (*después de una pausa en la que recuerda
al español*) Ya ves. Tu padre era español y no tenía remilgos en
bailar la bomba.

MARTA   Mamá Toña. Vivimos en el Condado. (*señalando hacia el
jardín*) Los vecinos aborrecen esta música. La asocian con...

MAMÁ TOÑA   ...gente de color. Mi hija. (*señalando hacia el jardín*)
Los encopetados de ahí afuera, ¿qué bailan?, dime tú, ¿qué bailan? Rumba y mambo. Para casar las parejas en terminando el
dale que dale.[29]

MARTA   Te repito que no cuadra en este lugar. Es un alboroto indigno.

MAMÁ TOÑA   Indignos son los meneos que acostumbran los vecinos.
Ya he visto sus bailes por las celosías. ¡Guaya que guaya![30] La
bomba se bailaba decentemente. Se hacía la varilla y punto. No
se permitían los molinillos de cintura, ni los trapicheos de cadera.

MARTA (*terminante*)   Prohibida en esta casa.

MAMÁ TOÑA   Ya. Ni los años de muchacha me permites recordar.
¿Habrá peor castigo para un prieto que vivir en casa de hijos
blancos?

MARTA (*extendiendo el brazo*)   No empecemos.

MAMÁ TOÑA   Ay, mi hija... Yo era feliz en el palmar de Loíza.
Jugaba en las arenas blancas, corría suelta frente al mar azul y
podía bailar la bomba bajo las flores del flamboyán. ¡Que si
podía![31] La bailaba horas y horas junto al bohío de Ño[32] Peña, el
mejor timbalero de Loíza. La gente me formaba rueda y yo hacía
primores con este cuerpo. Si hubieras visto cómo me miraba el
fiestero de tu padre. Lagarto detrás de avispa. (*recortando un
paso de bomba*) Joyalito, ay, Joyalito... (*mirando a* MARTA *de reojo*)
Nadie me encerraba en el cuarto de atrás.

---

27. **a... dicho:** the dancing started   28. **qué... gallegote:** what a dancer the gallego was
(i.e., he danced so well he spun like a top).   29. **en... dale:** as soon as they're done
(a reference to the bodily contact and the sensual movement of the rumba and mambo)
30. **¡Guaya que guaya!** an emphatic expression of disapproval   31. **Que si podía:** Could
I!   32. **Ño:** *Señor*

MARTA (*tocada en su gran culpa*)   ¿Y quién te encierra?

MAMÁ TOÑA   Tú. Si pudieras, le echarías candado a la puerta.

MARTA (*después de una pausa, luchando contra un relampagueo de bien*) Escúchame, Mamá Toña..., y trata de comprender una vez más.

MAMÁ TOÑA   Lo que significa «hazte la dura[33] para seguir aguantando».

MARTA   Hay que tener calma. Ya vendrán mejores días. Antes tenemos que casar a Clarita.

MAMÁ TOÑA   Ya sé por dónde crece el río.

MARTA   Tan pronto se case y parta a vivir en Estados Unidos...

MAMÁ TOÑA   ¿Y por qué tan lejos?

MARTA   Quiero que viva fuera de Puerto Rico. Lejos. Donde no la toque el pasado nuestro.

MAMÁ TOÑA   ¡Hum! El pasado anda por dentro de uno hasta la hora de dar el piojo.[34] Aquí y en las islas Filipinas.

MARTA   Con su partida, nos mudaremos a los palmares de Loíza. Allí podrás respirar a tus anchas.

MAMÁ TOÑA   Sin Clarita...

MARTA   Su felicidad justifica cualquier sacrificio. Tenemos que darle todas las oportunidades de un mundo mejor.

MAMÁ TOÑA   A veces pienso que debe zambullirse en el nuestro. A la larga, cargará con menos espinas.

MARTA (*compulsivamente*) No, no. Aquí se vive con el alma encogida. Unos rencores nos condenan. Se sufre sorda, interminablemente.

MAMÁ TOÑA (*sentida*)   Todo por Mamá Toña y un español encandilado.

(*Guardan silencio unos segundos.*)

MARTA (*en voz baja, tratando de no herirla*)   Escúchame... Esta noche..., dentro de unos minutos..., nos visita Bill, el pretendiente americano.

MAMÁ TOÑA   Lo barruntaba... Ha bastado con mirar la marea de lujos. (*hacia el cuadro de la derecha*) El gordote de tu marido, tan maceta, estará dando saltos en la tumba.

MARTA   Mamá Toña. Te ruego que consientas una vez más...

MAMÁ TOÑA   No gastes más saliva... ¿Que me esconda en el rincón

---

33. **hazte la dura:** be strong   34. **dar el piojo:** *morir*

más oscuro de la casa y aguante el aliento? ¿Eso es? Pues lo aprendí hace tiempo. He tenido que vivir como el juey, asomándome a la boca de la cueva cuando no hay nadie por los alrededores.

MARTA   Tan pronto Bill se entusiasme del todo...

MAMÁ TOÑA (*con un gesto hacia el cuadro de la izquierda*)   Ni tu padre, que jamás tuvo que empañetarse (*señalando el rostro de* MARTA) la cara con blanquete, mi pidió tales humillaciones. Es verdad que nunca se casó conmigo — ¡quiera el diablo[35] descontárselo en las pailas del infierno! —, pero me presentaba a muchísimos amigos, y los amigos entendían que yo era su mujer. Y tu marido (*con un gesto hacia el cuadro de la derecha*), ¡ahí la perla de tu marido, un asturianote de almacén más parecido a un oso que a un ser humano, borrachín, mal hablado y abusador contigo, solía pasearme por esta ciudad que mis tatarabuelos defendieron de los ingleses. Eso agradezco al par de españoles que no puedo agradecer (*con una inclinación frente a* MARTA) a Su Majestad.

(MARTA *guarda silencio.* MAMÁ TOÑA *se dirige al claro del fondo. Se detiene y piensa un segundo.*)

MAMÁ TOÑA (*volviéndose*)   Y el tomate pintón,[36] ¿por qué se habrá retrasado?

MARTA (*meneando la cabeza*)   No sé.

MAMÁ TOÑA   Un mes de visitas corridas y después... nubes y tristezas de Clarita durante siete días.

MARTA   ¿Cómo sabes de las entradas y salidas de Bill?

MAMÁ TOÑA   Por brujería. Las personas nacidas en Loíza tenemos fama.

MARTA (*molesta*)   Te escondiste en el pasillo. Si a Bill se le ocurre pasar al interior de la casa...

MAMÁ TOÑA   ¡Quia! No me escondí en ningún pasillo. Lo averigüé por medio del súcubo, Marta y del súsubo... Iban y venían de la sala al cuarto de atrás. Me confesaron que el tomate pintón descubrió el secreto del turbante.

MARTA   No hables más tonterías. (*Se afirma el turbante.*)

MAMÁ TOÑA   Te adelanto que necesito hojas de tártago para alejar un mal espíritu.

---

35. **quiera el diablo:** may the devil   36. **tomate pintón:** painted tomato (a sarcastic allusion to the tropical sun's effect on white skin)

MARTA (*nerviosa*) Basta. Comienzas a llenarme la cabeza. (*Se afirma el turbante.*)

MAMÁ TOÑA (*después de una pausa en la cual observa el turbante*) Marta, hija. Eres muy infeliz. Creo que te haré un favor con morirme y dejar escrito que me entierren en la fosa común. Te aliviará del todo.

MARTA (*acercándose nerviosamente al claro de la izquierda*) Mamá Toña..., Bill no tardará.

MAMÁ TOÑA (*sonando los labios con resignada amargura*) ¡Y dicen que la esclavitud se abolió en el 73! No digo la de mi abuelo. Ésa fue abolida en buena hora, y a triscar sin cadenas, corderos del Señor. Pienso en la tuya. Tu adoración ciega por el pellejo blanco, que no pasa de ser tan pellejo como el mío.

MARTA (*de espaldas a Mamá Toña, mirando hacia afuera*) Tú sabes que defiendo el bien de mi hija.

MAMÁ TOÑA ¿Y qué bien puede traer una cadena de conciencias torcidas? (*Mira unos segundos a* MARTA *y se vuelve hacia el fondo. Vacila entre seguir o preguntar nuevamente. Opta por preguntar.*) Y ese americano..., ¿tú crees que tenga buen fondo?

MARTA (*sin volverse*) Los americanos, por regla general, son personas muy decentes.

MAMÁ TOÑA Pues mira. He sabido, a los sucusumucos,[37] de muchos cocos rancios... Si éste no presta garantías, lo mejor es que Clarita aguarde y pida a San Antonio otro tomate pintón, digo, si el marido tiene que ser de los Niuyores.

MARTA Bill no es de Nueva York.

MAMÁ TOÑA ¿Y de dónde?

MARTA De Alabama. En el sur de Estados Unidos.

MAMÁ TOÑA ¿No es por ahí donde linchan a la gente de color?

MARTA Se da un caso. Dos. Ya no sucede como antes.

MAMÁ TOÑA (*con un movimiento de hombros*) ¡Gente que llega a esos extremos!... ¡Aunque no pase de un caso!...

MARTA (*volviéndose*) Mamá Toña. Dejemos la conversación. Bill llegará de un momento a otro.

MAMÁ TOÑA Ay, Martita... Ten cuidado a qué risco empujas la nieta. La piel engaña como el demonio.

---

37. **a los sucusumucos:** by pretending to be dumb

MARTA   Cuando Bill proponga a Clarita, haré las preguntas indispensables.

MAMÁ TOÑA   Pero... (*acercándose a* MARTA *unos pasos*) ¿es que todavía no le ha dicho nada a la muchacha?

MARTA   Nada. Por el contrario, ha dejado de visitarla.

MAMÁ TOÑA   Ya me di cuenta. Desde el día que fueron a la playa de Luquillo.[38]

MARTA (*señalando hacia el pasillo*)   ¡Y dices que no averiguas desde ahí!...

MAMÁ TOÑA (*después de una pausa*)   Marta. Créeme. Esta vida de máscaras no conduce a la vereda real. Tu padre, vestido de vejigante, me alejó de ella, y ese turbante parece cortado de aquellos colorines.

MARTA (*con histerismo*)   ¿Por qué, piensa, piensa, me he tomado la iniciativa de invitar a Bill?

MAMÁ TOÑA   ¿Has sido tú la que invitaste?

MARTA   Yo.

MAMÁ TOÑA (*naturalmente*)   ¿Por qué?

MARTA   Para librar a mi hija de esas máscaras. No quiero que le conviertan la vida en un mal sueño de temores y negaciones.

   (MAMÁ TOÑA *se encoge de hombros y echa la cabeza a un lado*.)

MARTA   Mamá Toña... Bill conviene a Clarita en muchos sentidos. Es blanco sin tacha y reside fuera del país. Si llega a enamorarse seriamente de la muchacha, la sacará de Puerto Rico. En Estados Unidos, Clarita no tendrá nada que temer.

MAMÁ TOÑA   ¿Y su conciencia?

MARTA   El nuevo ambiente la curará de estas angustias puertorriqueñas.

MAMÁ TOÑA   ¡Hum! Hay gusanos que engordan por debajo de la cáscara.

MARTA   Hagamos por salvarla. Cada una a su modo. ¡Que Bill nos crea libres de fantasmas!

MAMÁ TOÑA   Hija... El matrimonio con tantas caretas puede amargar más que el pasote. Tú supiste lo que es canela en las costillas.[39] El asturiano que cargó contigo se creía superior y en los

---

38. **Luquillo:** the most famous of Puerto Rico's beaches, all of which are open to the public   39. **canela... costillas:** cinnamon in the ribs (i.e., a touch of African ancestry)

momentos de coraje se le escapaban lindezas contra cierto tipo de puertorriqueños. Viviste junto a él como las pencas secas de las palmas: luchando por no caerte.

MARTA   Por favor, mamá..., no me desesperes.

MAMÁ TOÑA (*meneando la cabeza*)   Martita... Nunca será la paz con nosotras. (MAMÁ TOÑA *se vuelve hacia el fondo con intenciones de dirigirse a su cuarto.*)

(CLARITA *se enmarca en el claro del fondo. Contará veinticinco años. Cabellera ondulante, piel blanca, facciones mediterráneas un poquitín gruesas. Una nota de modernidad recubre su esbeltez de hembra joven puertorriqueña sazonada por un toque de sangre africana. Sus gestos espresan la blandura y suavidad de su naturaleza profundamente femenina y amorosa que los estudios universitarios han afinado. Viste un traje de noche ceñido al atractivo modelado de su carne.*)

MAMÁ TOÑA (*deteniéndose*)   Gracias por el disco, hijita.

CLARITA (*con dulzura*)   Ya te traeré otros, abuela.

(MAMÁ TOÑA *sonríe.*)

MAMÁ TOÑA   Nunca pensé oír en disco a «Joyalito».

CLARITA   Es una grabación patrocinada por el Gobierno.[40] (*dirigiéndose a la mesa del centro, de donde toma un cigarrillo*) Se ha despertado un gran interés por todo lo puertorriqueño.

(MAMÁ TOÑA *mira a* MARTA *con el rabillo del ojo. Ésta se vuelve hacia el claro de la derecha.* MAMÁ TOÑA *ríe y luego contempla a* CLARITA, *quien enciende el cigarrillo.*)

MAMÁ TOÑA   Esta noche pareces una reina de España.

CLARITA   Gracias.

MAMÁ TOÑA   Ni la reina María Cristina lució más elegante.

CLARITA (*por llevar la conversación*)   He nacido con suerte.

MAMÁ TOÑA   No digo yo te mereces un americano. Te deben regalar toditos los Estados Unidos.

CLARITA (*sentándose en el sofá*)   Los ojos del alma, abuela, ven maravillas donde no las hay.

MAMÁ TOÑA   No, mi hija. Los ojos del alma ven las verdaderas maravillas. Quien no reconozca en ti la gracia del cielo, bien puede

---

40. **patrocinada... gobierno:** Confronted by increasing industrialization and Americanization, the government has undertaken a campaign to preserve the heritage of popular music and dance, as well as colonial architecture, etc.

arrojarse a los tiburones. Además de bonita, tienes un corazón de níspero. Esta vieja no se cansa de mirarte.

(MARTA *hace un gesto de impaciencia.*)

MAMÁ TOÑA   Por eso, si algo te doliera, me dolería a mí también.

CLARITA   Eres un encanto, Mamá Toña. (CLARITA *aspira el humo profundamente.*)

MAMÁ TOÑA (*después de una pausa*)   Clarita...

CLARITA   Dime, abuela...

(MARTA *se vuelve.*)

MAMÁ TOÑA   Le aconsejaba a tu mamá que te proteja de novios con ideas (*tocándose la cabeza por detrás*) acá en lugar (*tocándose la frente*) de aquí.

CLARITA (*con naturalidad*)   No entiendo.

(MARTA *mira a* MAMÁ TOÑA *de hito en hito.*)

MAMÁ TOÑA (*restando con la actitud la verdadera intención de la palabra*)   Quise decir, por decir, que muchos americanos, tan pronto ponen pie en Puerto Rico, comienzan a ocultar lo que piensan. Algunos resultan más falsos que la hoja del yagrumo.[41]

CLARITA (*sin el más ligero asomo de enfado*)   ¿Piensas en Bill?

MAMÁ TOÑA   Bueno...

(MARTA *contiene un gesto de intromisión y se vuelve hacia el retrato de su esposo.*)

CLARITA (*después de pensar unos segundos*)   Tranquilízate. Bill no ha pasado de ser... un compañero agradable.

MAMÁ TOÑA (*con la cara ladeada*)   Has paseado con él días de días.[42] Has bailado noches de noches.

CLARITA   Eso no tiene importancia.

MAMÁ TOÑA   Perdóname que me entrometa, pero hoy no se baila por amor al arte.

CLARITA   El director de la compañía me pidió que acompañara a Bill y lo orientara en la ciudad. Un vendedor de seguros tiene que relacionarse con todos los centros sociales donde acude la gente de negocios.

MAMÁ TOÑA   ¡Bonita orden! No te quemaste las pestañas en la Universidad para servir de guía. ¿Y por qué él mandón ese no sale a trotar por la ciudad?

---

41. **yagrumo:** a tall tree with light wood and large leaves on weak stems. The leaves spin in any breeze, showing first the green side, then the white; thus, the yagrumo has become a symbol of inconstancy and infidelity.   42. **días de días:** *días y días*

CLARITA Es uno de mis deberes como investigadora social de la compañía. Me toca atender a los vendedores que envían de Estados Unidos. Los llevo al salón de baile en el Condado lo mismo que a la tiendita del mangle.

MAMÁ TOÑA Me disgustan esos encargos. Tan pronto te canses, aléjate de la compañía de seguros. La gente que hace números con la desgracia de los demás no debe ser muy católica.

CLARITA (*paciente*) Abuela..., he cumplido veinticinco años. Hasta ahora he sabido defenderme entre personas de todas condiciones.

MAMÁ TOÑA Hay remolinos en el mundo, mi hija. Cuando menos lo pensamos, nos encontramos de cabeza hacia el fondo.

CLARITA Por ejemplo...

MAMÁ TOÑA (*dándole rienda suelta a sus pensamientos*) Casarse por casarse, no vale la pena. Es preferible vestir santos[43] hasta descubrir a un hombre decente. Tú puedes esperar. Te pertenecen la casa y algunas perras que dejó (*señalando hacia el cuadro de la derecha*) el oso de tu padre. En cuanto a dotes de mujer, tienes de vicio[44] para casarte con el hijo del rey. No te dejes engatusar por cualquier tuntuneco con campanillas en los cuernos y el demonio en las intenciones.[45]

MARTA (*volviéndose explosivamente*) ¡Mamá! ¡Haz el favor de callarte!

CLARITA (*con un gesto conciliador*) ¡Déjala!

MAMÁ TOÑA (*después de mirar a* MARTA *unos segundos, contumaz*) Repito que más vale vestir santos que caer en la trampa de las apariencias. Tú, más que nadie, lo has sufrido. Recuerda el infierno (*señalando hacia el cuadro de la derecha*) con ese marqués del tocino.

MARTA (*avanzando, histérica*) ¡Sal a tu cuarto en buena hora!

CLARITA (*levantándose*) Mamá, no la trates de ese modo.

MAMÁ TOÑA (*después de una pausa, firme*) Me gritas como si yo fuera un trapo de la calle.

MARTA (*ciega*) ¡Date prisa!

MAMÁ TOÑA (*sacudida por la violencia*) ¿Y si decidiera no retirarme?

---

43. **vestir santos**: It is common for unmarried women to devote themselves to religious activity, including the custom of sewing clothing for religious images. 44. **tienes de vicio**: you have more than enough 45. **No... intenciones**: Don't let yourself be taken in by a nobody with good looks and bad intentions. It is customary in parts of Puerto Rico to adorn a bull's horns with poppies, which are bell-shaped.

CLARITA (*levantándose*)   ¡Abuela! ¡Mamá! ¡Cálmense!

MAMÁ TOÑA (*señalando el centro de la sala*)   Si me plantara ahí como una ceiba...

CLARITA   Se hacen daño.

MAMÁ TOÑA (*marchando al centro de la sala*)   Aquí..., a los cuatro vientos..., raíces en tierra y ramas al sol..., como deben sentirse todos los hijos de esta tierra... Mamá Toña... o Toña, ¡qué más da!..., [46] enterrada en vida para que Marta, la hija de su vientre, sangre de su sangre, aparente ante un mundo que no vale tres pepitas de pana.[47]

MARTA (*arrebatada por la histeria*)   ¿Qué te propones? ¿Hacerle daño a Clarita?

CLARITA   No hables así.

MARTA   ¿O es que te quieres vengar de mí? Contesta.

CLARITA (*meneando la cabeza con lástima*)   Esta clase de vida no puede seguir.

MARTA   Contesta.

CLARITA (*firme*)   Te ruego que no prosigas.

   (MARTA *mira a* CLARITA. *Impera el silencio.*)

MAMÁ TOÑA (*Ha seguido a* CLARITA *con la mirada y ahora contempla a Marta.*)   ¡Qué muchas locuras escucha el mundo! ¡Chillidos y chillidos de mona!... ¡Eso!... Has chillado como una mona con rabia... ¡Hacerle daño a mi nieta!... ¡Vengarme de mi hija!... ¡Chillidos! ¡Chillidos! ¡Pensar semejante estupidez de una pobre vieja con un pie en la tumba y el otro al caer!... El color de esta piel te enloquece... y no puedes agradecer lo mucho que te quiero. A ti... (*hacia* CLARITA) y a la nieta blanca.

MARTA (*vencida por un súbito arrepentimiento*)   ¡Mamá! ¡Mamá! Me empujas a la desesperación. No sentía lo que dije. Me torturan tantas ideas... Pienso que Bill (*señalando hacia el claro de la derecha*) puede abrir esa puerta... Sé paciente y ayúdame. Necesito que me ayudes. No por mí. Esta vida ya no me pertenece. Por Clarita. Por su felicidad.

   (MAMÁ TOÑA *la mira con un asomo de lástima.*)

MARTA (*acercándose a* MAMÁ TOÑA)   Bill no entendería, ¿tú sabes?...

MAMÁ TOÑA   Ya sé...

---

46. **qué más da:** what does it matter   47. **no... pana:** isn't worth a thing (*lit.* isn't worth three breadfruit seeds)

MARTA Le bastaría sospechar para huir de esta casa.

MAMÁ TOÑA Como el diablo se espanta de la cruz.

MARTA (*después de una pausa*) Ya te dije que volveremos a Loíza. Te prometo pasearte por la playa, llevarte a ver los nietos de Ño Peña, visitar contigo las fiestas de Santiago.

MAMÁ TOÑA Ya..., ya... Ahora no chillas como una mona rabiosa... Ahora te pareces mucho más, no del todo, a un cristiano.[48]

MARTA (*suplicante*) Mamá Toña, retírate a tu cuarto. Unas horas solamente.

MAMÁ TOÑA Ya..., ya... Pero no me ordenes más como hace unos minutos. Y puedes dormir tranquila. Te voy a complacer para siempre. Mañana temprano me iré a un asilo.

CLARITA (*extendiendo un brazo*) No...

MAMÁ TOÑA Allí, por lo menos, la desgracia junta a los cristianos. No los tiene, como aquí, a trueno y relámpago.[49] Es verdad que los viejos sueltan más vinagre que los guineos pasados; pero, en fin de cuentas, se hacen amigos, lo que alivia el corazón.

CLARITA Abuela, tú no saldrás de esta casa.

MAMÁ TOÑA Clarita, hija. Es lo mejor para todos. Hay una zarza que hinca mucho entre nosotros. Pues machete con la zarza.

CLARITA No te llames así. Un alma buena como tú...

MAMÁ TOÑA (*después de mirarla y destrozar una lágrima imprudente*) Hay palabras que suenan como el trino del ruiseñor. (*a las dos*) Sí, mis hijas. Como el trino del ruiseñor en el fresco de la mañana. (*Destroza otra lágrima.*) Gracias, Clarita. Dios te ampare, que no se arrepentirá. (*Piensa unos segundos y luego mira al disco de «Joyalito». A Clarita*) Toma. Cuando tengas un ratito, escúchalo. Piensa en el canto de los timbaleros: «*Joyalito, ay, Joyalito, te olvidaron en el puente...*» (*hacia el cuadro de Benedicto*) Tu abuelo vestido de vejigante, lo bailó conmigo una noche de Santiago.

CLARITA (*tomando el disco*) He pensado, abuela, he pensado mucho en esa noche de Santiago.

(MAMÁ TOÑA *se dirige al claro del fondo. Se vuelve.*)

MAMÁ TOÑA (*a* MARTA) Y tú, señorona con turbante, no seas tan día nublado.[50] (*Desaparece por el pasillo.*)

(CLARITA *se dirige lentamente al claro del centro y mira desapare-*

---

48. **cristiano:** *ser humano* 49. **a... relámpago:** like thunder and lightning (i.e., fighting constantly) 50. **día nublado:** cloudy day (i.e., frowning)

cer a MAMÁ TOÑA. *Se vuelve y se dirige a la mesa de la radiola,*
donde pone el disco. Permanece pensativa unos segundos y luego
mira a MARTA.)

CLARITA (*suavemente*) Mamá...

MARTA (*levantando la cabeza*) Dime...

CLARITA No la dejarás irse.

MARTA (*con un movimiento que la aleja de* CLARITA) Claro que no.

CLARITA Abuela ha sufrido mucho...

MARTA He sufrido con ella.

CLARITA (*con una convicción que comienza a echar raíces profundas*)
Merece todas las consideraciones. Comenzó la vida con enormes
desventajas y pudo hacerte maestra.

MARTA ¿A quién le hablas?

CLARITA Con lo cual te ganaste un respeto que ella no tuvo. Te
sentiste más protegida y más fuerte ante el mundo. Si muchas
veces papá no cometió el disparate de abandonarnos, se debió a
tu posición de maestra. Insultaba y atropellaba con su lenguaje
de almacén, pero, en su fondo, respetaba esa dignidad de tu persona.

MARTA He reconocido siempre el sacrificio de mamá.

CLARITA Esta comodidad y el respeto de mucha gente se debe a la
voluntad anónima de mamá Toña.

MARTA Me avergüenzo de estas escenas. No quisiera obligar a
mamá..., pero este mundo, este horrible mundo que mutila
almas con palabras como negro y mulato, me exige protegerte
con decisiones crueles. Tan pronto te cases, me mudaré con ella
al palmar. No se repetirán estos ruegos que me corroen la lengua.

CLARITA (*tranquilamente, sentándose en el sofá*) ¿Y cuándo me caso
yo?

MARTA (*volviéndose lentamente*) Bill se notaba muy enamorado.
Con un poco de voluntad...

CLARITA No estoy tan segura.

MARTA (*impulsada por su idea fija*) ¿Cómo? ¿Qué ha pasado entre
Bill y tú?

CLARITA Todo y nada.

MARTA Dime, ¿por qué se ha retirado?
(CLARITA *guarda silencio.*)

MARTA ¿Por qué?

143

CLARITA   No se retiró él. Me retiré yo...

  (MARTA *intenta hablar*.)

CLARITA   Por unos días solamente.

MARTA   No comprendo.

CLARITA   Muy sencillo. Pedí a Bill que no me viera durante un tiempo.

MARTA   ¿Sin motivos?

CLARITA   Hay rompecabezas que debemos componer a solas con la conciencia. Tropecé con uno en la playa de Luquillo y me propuse resolverlo. Pedí vacaciones a la mañana siguiente.

MARTA   Esa actitud no es normal en una persona de tu edad.

CLARITA (*con aplomo*)   He pensado mucho desde niña. Los choques de esta casa me han hecho cavilar día y noche. Todo ha sido intranquilidad, nervios, violencias: los gritos e insultos de papá, tus arranques y tus lágrimas, las protestas y pesares de mamá Toña... Sí... Una desgraciada falta de convivencia nos impide disfrutar (*señalando los flamboyanes con un movimiento de cabeza*) de la hermosa tierra de Puerto Rico.

MARTA   Ya conocerás un mundo mejor.

CLARITA (*con sus pensamientos*)   Media vida ha ocurrido en la sombra y la otra mitad no ha salido del todo a la luz. He tenido la impresión de que nunca gozaremos unas horas de paz. Tal parece que una fuerza maligna, el duende de las cabritas,[51] se empeña en arrojarnos al fondo del río... con una piedra amarrada a los pies y unos pulmones que se resisten a morir.

MARTA   Lucho esa paz para ti.

CLARITA (*meneando la cabeza*)   Me niego a creer que abuela, tú y yo no podamos convivir... Me niego...

  (*Impera el silencio unos segundos.*)

MARTA (*acercándose a* CLARITA)   Créeme. Te hace falta la compañía de un hombre sano, sin la mente retorcida que suelen tener los puertorriqueños.

  (CLARITA *levanta la cabeza y mira a* MARTA.)

MARTA   Estoy segura que Bill es el hombre que te conviene. Te hará dichosa.

CLARITA   Mamá... Hay americanos y puertorriqueños de muchas clases.

51. **el... cabritas:** the goat-imp (i.e., the devil)

MARTA   Éste me parece muy bueno. No he conocido persona más simpática.

CLARITA   Muchas personas simpáticas, con el transcurso de los días, no lo son tanto. Se pudren.

MARTA   (*después de estudiar las palabras de* CLARITA)   ¿Te... te ha ofendido?

CLARITA   No... Me obligó a pensar.

MARTA   ¿Sobre qué?

CLARITA   Temas de conciencia.

MARTA   ¿Y tu madre no puede saber...?

CLARITA   Oportunamente.

MARTA   (*vehemente*)   No descartarás a Bill por unas palabras más o menos. Posee todas las cualidades para hacer feliz a cualquier muchacha puertorriqueña: bien parecido, ambicioso y blanco.

CLARITA   (*sin poder reprimirse*)   Lo último se considera lo más importante.

MARTA   En nuestro caso lo es. Una vez que te cases y te mudes a Estados Unidos, te librarás de muchas pesadillas.

CLARITA   ¿Y ustedes?

MARTA   Escribes. No serás la primera puertorriqueña que marcha para siempre.

CLARITA   Muchas se han vuelto locas... o han regresado a lágrima viva.[52]

MARTA   Por otras razones.

CLARITA   No... Como diría abuela, por quererse cortar las raíces sin tomar en cuenta el anuncio de huracán.

MARTA   Frases.

CLARITA   ¿Tú crees, mamá?

   (*Impera el silencio unos segundos.*)

MARTA   Te ruego que atiendas a Bill con toda cortesía.

CLARITA   No he roto la amistad.

MARTA   Tal lo parece. Te he visto muy contrariada.

CLARITA   ¡Ah! Pero no ha sido Bill precisamente el único peso en la balanza.

MARTA   ¿Qué más?

CLARITA   (*incorporándose*)   Hay momentos, mamá, en que me doy cuenta que Puerto Rico es un país y Estados Unidos otro.

52. **a lágrima viva:** crying bitterly

MARTA   Tonterías.

CLARITA   (*dando la vuelta alrededor del sofá*)   Hay mucha historia entre uno y otro. Los dos pueblos se han desarrollado de diferente manera.

MARTA   ¡Claro! Pero la gente llega a entenderse.

CLARITA   En algunas circunstancias resulta muy difícil.

MARTA   Por ejemplo...

CLARITA   Cuando una de las partes se ha criado en el sur de Estados Unidos.

MARTA   Bill es muy sano de sentimientos.

CLARITA   Bill es un encanto cuando vende seguros y el por ciento de comisión le ilumina la mente.

MARTA   Es natural que piense en el dinero. Asegura la felicidad. ¿Quién? Dime. ¿Quién no piensa así? Unos cuantos locos que se empeñan en arreglar un mundo disparatado en su origen.

CLARITA   Una cabeza con un signo de dólares es tan desgraciada como una locura estúpida. Pero eso no es todo. Hay otras cosas que me hacen pensar.

MARTA   ¿Cuáles?

CLARITA   Bill tiene muchos pensamientos (*tocándose detrás de la cabeza*) aquí. Creció en un ambiente distinto. Absorbió ideas de sus padres. Ideas que se afirmaron hacia adentro, como raíces.

MARTA   Los estudios te han convertido en una mujer excesivamente razonadora.

CLARITA   Ayudan mucho.

MARTA   A mí me hicieron ver que unas personas nacen en desventaja y otras no. Las que salvan la diferencia y suman las ventajas pueden ser muy felices.

CLARITA   Pues a mí me hicieron ver que solemos ser muy desconsiderados. Arrinconamos, por falta de valor, a muchos seres que sufren.

MARTA   A ver.

CLARITA   (*afirmándose en el espaldar del sofá, con emoción contenida*) Piensa en mamá Toña. Trae a tu memoria su vida de sirvienta y de querida con mi abuelo. Vida en la sombra, vida de humillaciones.

   (MARTA *se contiene*.)

CLARITA   Trae a tu memoria su vida de madre arrinconada por la hija. Visita de blancos en la sala, cuarto de atrás para la abuela. Vida en la sombra, vida de dolor.

MARTA   Soy culpable, lo admito. (*Pausa*) No obstante..., no obstante una razón me amparaba y me ampara.

CLARITA   ¿Cuál?

MARTA   Tú (*señalando hacia el cuadro del esposo*) Antes de casarme con tu padre ya pensaba en ti. En verdad, lo enamoré por ti. Te quería más blanca que yo. He creído que librarte de mi herencia africana, oculta en mi turbante, significaba tu dicha. Lo creo.

CLARITA (*con lágrimas*)   ¡Ah! ¡Tu locura del turbante!... ¡Cuánta amargura innecesaria!...

MARTA (*valiente*)   No puedes imaginarte cuánta felicidad me concede el turbante. Oculta un pelo ensortijado, duro, que grita contra la paz de mi hija... Me permite, para bien de ella, pasar por blanca.

CLARITA   Y llevarla de la mano hasta el reino de los ángeles rubios.

MARTA (*carne de su idea fija*)   Salvarla de insultos que deforman el alma. Salvarla de miedos que desgarran la voluntad. Salvarla de rencores que estrangulan el corazón. Salvarla... Salvarla... Entregársela libre al reino de los blancos.

CLARITA   Bill destella en él como un arcángel de azucenas.

MARTA   Bill te dará hijos más blancos que tú.

CLARITA (*equívoca*)[53]   Bill...

MARTA (*enfática*)   Bill...

CLARITA   Si te quitaras el turbante y salieras a comprarle un seguro, se comportaría angelicalmente. Si te quitaras el turbante y salieras a ofrecerle el alma de Clarita...

MARTA   Hice promesa de no quitármelo.

CLARITA (*después de una pausa*)   Mamá..., hay muchos más demonios que el diablo.

MARTA   No sé lo que ha pasado entre ustedes dos. Frases, imagino, que has interpretado en la forma enojada que acostumbran los puertorriqueños. Somos un pueblo de erizos. Los visitantes se han quejado de las espinas.

CLARITA   Somos un pueblo bueno que choca consigo mismo.[54] ¡Ah, mamá, mamá! ¡Si tuviéramos el valor de afirmar nuestra alma! ¡Si fundiéramos lo mejor de nosotros (*hacia el fondo de flamboyanes*) en la hermosura de esta isla maravillosa!

---

53. **equívoca:** *here*, hesitant   54. **que... mismo:** in conflict with itself

(*Impera el silencio unos segundos.* CLARITA *mantiene la vista fija en el fondo de flamboyanes.*)

MARTA (*después de contemplarla*) Clarita.

CLARITA (*sin mirarla*) Dime.

MARTA Voy al bar. Si Bill llega mientras tanto, dile que preparo unos cocteles. (*Se dirige al claro de la derecha y se detiene poco antes. De espaldas a* CLARITA) Espero que lo recibas amablemente.

CLARITA (*volviendo la cabeza*) Tranquilízate. He resuelto el rompecabezas. Ahora puedo recibirle.

(MARTA *la mira un instante. Desaparece por el claro de la izquierda.*

CLARITA *se dirige lentamente al claro del fondo y contempla la noche de luna a través de la reja; luego, mira hacia el cuarto de* MAMÁ TOÑA. *Se vuelve y se dirige a la mesa del centro. Toma el disco de* MAMÁ TOÑA *y se cerciora de su título. Abre la radiola y coloca el disco en el plato. Pone a funcionar el mecanismo y cierra la tapa. Se escucha el golpear sobre las timbas, luego las voces de los* TIMBALEROS:

Joyalito, ay, Joyalito,
Joyalito, ay, Joyalito,
te olvidaron en el puente.

CLARITA *se sienta en el sofá, mira hacia la radiola y luego hacia el jardín. Se mantiene estática.*

Se desdibuja el escenario. Primero, la sala; luego, la reja y el jardín. Imperan las sombras. Se escucha el disco entre ellas:

Joyalito, ay, Joyalito,
Joyalito, ay, Joyalito,
te olvidaron en el puente.

Las paredes de la sala se convierten lentamente en un esquema translúcido, a través del cual, desaparecida la reja, surge la visión magnífica de la playa de Luquillo: columnata de palmas de la derecha hacia el fondo y franja de mar zafíreo y playa dorada a la izquierda. La luz diamantina de la mañana enciende un delirio de relumbres en nubes gigantescas y centellea sobre el acero verde de las palmas y la risa blanca de las olas.

Al centro del claro rectangular, sobre un altillo, aparece una larga mesa de cemento junto a un banco del mismo material. Sobre

*la mesa y el banco, que corren de izquierda a derecha, un flambo-
yán sangrante riega su sombra rojiza.*

Los cuadros de BENEDICTO *y el esposo de* MARTA *resaltan del aire
con un extraño brillo.*

Entra BILL *en traje de baño por la derecha. Apura un sorbo de
«high-ball» de un vaso sostenido con la mano diestra. Con la izquierda sostiene otro vaso que abandona sobre la mesa. Recorre el
paisaje con la mirada, se llena el pecho de aire yodado y termina
por subirse a la mesa para dominar la vista.* BILL *contará treinta
años. Rubio. De estatura más bien alta que regular. Su figura atlé-
tica crea una fuerte impresión de salud física y mental. Respira
una fácil simpatía. Después de contemplar la playa, apura otro
sorbo y se vuelve a la derecha. Ríe a una persona invisible
aún.)*

BILL   *Out of this world!* (*con acento, pero sintaxis correcta*) El
paraíso, como dicen ustedes.

CLARITA (*entrando por la derecha*)   Te he reservado la sorpresa durante un mes. La playa más bella de Puerto Rico en la mañana
más azul. (CLARITA *viste gorro, traje y sandalias de baño. Se cubre
con una bata cuyas mangas se bambolean desocupadas.*)

BILL   *It is a wonderful beach in the glorious sun of the tropics!...*
(*Comienza a traducir.*) Es una playa... ¿cómo dirías?...

CLARITA   Maravillosa...

BILL   Es una playa maravillosa en el glorioso sol del trópico...
¿Bien?

CLARITA   Muy bien. Los años de vendedor en Cuba y Méjico te han
convertido en un hispanoamericano.

BILL   He jurado aprender español a perfección. A los clientes les
encanta oírme hablar en su idioma. Es el gran truco para convencer rápidamente y ganarme un ascenso en la compañía. (*en
broma*) Ya sabes. No me dirijas una sola palabra en inglés.

CLARITA (*alzando su mano derecha*)   Convenido.

(BILL *ríe y se vuelve hacia el mar.* CLARITA *se sienta en una esquina
del banco y limpia de arena los pies y las sandalias.*)

BILL (*contemplando el paisaje una vez más*)   *Gosh! It's a beauty! A
real beauty!* Ma-ra-vi-llo-sa, como dicen ustedes. Las de Miami
producen millones y millones y no comparan. (*mirando a* CLARITA)
¿Has visto las de Miami?

CLARITA Sí. Ésta me parece más bonita.

BILL ¡Quién lo duda! (*con movimientos alusivos*) ¡Qué sol! ¡Qué colores! ¡Qué aire! Millones en potencia. Millones. Un poco de inteligencia y los americanos invadirán este paraíso. (*Permanece un rato con la cara al sol.*)

(*Se escucha un alegre vocerío a lo lejos.* BILL *vuelve la vista y mira en dirección al vocerío. Menea la cabeza y permanece pensativo.*)

CLARITA (*que lo ha observado*) Bill...

BILL (*volviéndose*) Dime.

CLARITA (*sonriendo*) ¡Un centavo por tus pensamientos!

BILL (*después de mirar a* CLARITA *un instante*) Una sola cosa me disgusta.

CLARITA (*parándose sobre el banco en son de broma*) A ver. ¿Qué le disgusta al dios americano?

BILL (*con la mirada fija en* CLARITA) Veo muchos blancos mezclados con negros.

(CLARITA *deja de sonreír y mira hacia el lugar donde se origina el vocerío.*)

BILL Esa mezcla echa a perder el encanto.

(CLARITA *se sienta en la esquina de la mesa y guarda silencio. Ante el silencio de* CLARITA, BILL *se sienta en la otra esquina de la mesa y ofrece el vaso extra de «high-ball» a la muchacha.* CLARITA *lo toma sin decir palabra.*)

BILL *It's a pity.* Es...

CLARITA (*seria*) ...lástima...

BILL Es lás-ti-ma. (*con los ojos fijos en* CLARITA) Esa mezcla le disgusta a la mayor parte de los turistas americanos.

CLARITA (*mirándolo con vehemencia contenida*) Lo siento, Bill. Si piensan de ese modo, la playa de Luquillo se ha perdido para tales turistas. El pueblo puertorriqueño la disfruta desde hace años y no permitirá que lo excluyan. Contémplalo. Juega y alborota en ella como un niño inocente. Cuando corre por las arenas, o se refresca el cuerpo en el agua, o se renueva los pulmones en este aire, se olvida de las razas.

BILL (*estudiándola*) ¿No te molesta que blancos y negros se mezclen?

CLARITA ¡No!

BILL   Pues yo te confieso..., francamente..., que no lo puedo soportar.

CLARITA (*agitada*)   Entonces..., te será imposible vivir en Puerto Rico.

BILL   En asuntos de negocios, pasa..., pero en mi vida particular no lo resisto. (*después de una pausa*) Claro. El problema tiene solución. Hay círculos en la isla donde puedo alternar con blancos puros.

CLARITA (*levantándose*)   ¿No crees que debemos bañarnos? (*Se baja a la arena y permanece de espaldas a* BILL.)

BILL (*bajándose de la mesa*)   ¿Por qué te has molestado?

CLARITA (*sin volverse*)   Esta conversación afea el día.

(BILL *la mira un segundo.*)

BILL (*apoyando las manos sobre los hombros de* CLARITA)   Siéntate. Tengo que hablar contigo.

CLARITA (*volviéndose*)   Bill, yo prefiero...

BILL (*obligándola por un brazo*)   Si me hace el favor, señorita...

CLARITA (*intentando seguir hacia la playa*)   Te ruego...

BILL   *Will you?*

(*Guardan silencio uno frente al otro.* CLARITA *opta por sentarse.* BILL *la mira, apura un sorbo de «high-ball» y se sienta.*)

BILL (*después de un breve silencio*)   Pues bien, *sweetie...* Me atreví hablar de esa manera, en primer lugar, por los besos de ayer... Me dejaron saber que me aprecias mucho.

(CLARITA *baja la cabeza.*)

BILL   En segundo lugar, porque te creo blanca. (*Le toma el mentón y le alza la cara suavemente.*) *A hundred per cent white, sweetie...* (*La besa suavemente.*)

CLARITA (*separándolo*)   ¿Y si no lo fuera?...

BILL   ¿Y si no lo fueras?... (*forzando una sonrisa*) Lo eres. Confío en tu honradez.

(CLARITA *lo mira fijamente.*)

BILL (*meneando la cabeza*)   Clarita no sería capaz de engañarme.

(CLARITA *desvía la mirada.* BILL *le toma el mentón nuevamente y trata de besarla.* CLARITA *aparta a* BILL *sin mirarlo.*)

BILL (*forzando una sonrisa*)   No tengo la menor duda. He observado tu conducta y sé que eres una muchacha inteligente y buena. Admitirías muchas cosas que la mayor parte de las puertorriqueñas no tienen el valor de confesar.

CLARITA (*en voz baja*)   Por ejemplo...

151

BILL   Por ejemplo..., la sangre africana.

(CLARITA *guarda silencio, la vista en las arenas.*)

BILL   Una mujer inteligente sabe lo que sufriría un blanco del sur si...

CLARITA   Prosigue.

BILL   ...si descubre que ha mezclado su raza con la negra. Un hijo significaría la locura.

CLARITA (*después de una pausa*)   ¿Tanto podría ese prejuicio?

BILL (*irracionalmente*)   No es un prejuicio. Es un sentimiento natural en todo el sur de Estados Unidos.

CLARITA   Te sería... totalmente imposible superarlo.

BILL (*sincero*)   ¡La suerte me proteja! Pienso en mis padres, gente rancia del sur, batalladores por la supremacía blanca. Bastará una revelación, un descubrimiento inesperado, para ganarme su eterno enojo. Hasta la muerte podría provocarles.

(CLARITA *alza la cabeza y lo mira con angustia.*)

BILL   ¡Imagina! Una culpa espantosa...

CLARITA (*con una mezcla de angustia y lástima*)   ¿Por qué esperaste hasta hoy para hablarme de estas cosas?

BILL   Desde ayer me siento más cerca de ti.

CLARITA   No has debido besarme sin aclarar tus dudas. Tu boca podría asquearse para siempre.

BILL (*tomándole una mano*)   No te enojes, *sweetie*. Quiero ser sincero contigo.

(CLARITA *retira la mano suavemente.*)

BILL (*tomándole las dos manos ahora.*)   *Sweetie*... No sabes cuánto me gusta tenerte a mi lado. Eres una verdadera mujer. *Oh, God!* ¡Que si lo eres![55] Cuando te beso el mundo se pone blando como... como una almohada de plumas.

CLARITA   ¡Oh, Bill!...

BILL   Yo te quiero mucho, *sweetie*.

CLARITA (*con amargura*)   Pero una mala nube ha oscurecido el horizonte...

BILL   Intranquilidades que provoca el país. Puerto Rico entero se mezcla y la piel blanca puede esconder a un mulato.

(CLARITA *retira sus manos.*)

BILL   *Sweetie*, no hagas caso de mis palabras. Olvídalas.

55. **¡Que... eres!** You sure are!

CLARITA Bill... Dime toda la verdad.

BILL ¡Oh!...

CLARITA Dime. Imagino que han dejado caer zumo de limón en esas intranquilidades...

BILL Una tontería.

CLARITA A ver.

BILL Si en la oficina no me repitieran la misma pregunta...

CLARITA Adelante.

BILL (*imitando una actitud femenina*) «¿Averiguó lo que oculta el turbante de doña Marta?... ¿Averiguó lo que oculta el turbante de doña Marta?»... *Damn it!*

CLARITA (*incorporándose vivamente*) ¿Esa pregunta te hacen?

BILL (*suplicante, tomándola por un brazo*) ¿Qué sucede con el turbante de tu mamá? Confío absolutamente en tu palabra.

CLARITA (*demudada*) Bill, no debemos encontrarnos en muchos días.

BILL Pero, *sweetie*, explícame...

CLARITA Un rompecabezas, Bill, y la conciencia exige resolverlo.

BILL ¿Cómo?

CLARITA Te ruego que me dejes partir sola.

BILL Una reacción de locura. ¿Por qué se portan así tantos puertorriqueños?

CLARITA (*entrecortadamente*) No es locura... Hay razones... Profundas razones... Heridas sangran bajo la amable superficie de este pueblo... La vida lucha por restañarlas y se encrespa.

BILL *For heaven's sake!* ¡Y creí llegar a una isla del Sur!...

CLARITA Negamos amor, Bill, y hemos perdido el paraíso.

(CLARITA *intenta partir y* BILL *la retiene por el brazo. En el movimiento,* CLARITA *pierde la bata y se inclina a recogerla.*)

BILL (*deslumbrado por el cuerpo de* CLARITA) No.

CLARITA Permíteme.

BILL (*atrayéndola con fuerza*) Una sola cosa entiendo: que eres una mujer encantadora y que deseo besarte.

CLARITA Suéltame.

BILL No, señorita. Usted me gusta mucho.

CLARITA (*firme*) Si eres un caballero del Sur, y has dicho que provienes de una familia rancia, no insistas más. (*Se libra y parte hacia la derecha.*)

BILL (*extendiendo el brazo izquierdo*) Sweetie...

CLARITA (*sin volverse*) Por favor, no me sigas... (*Desparece por la derecha.*)

(BILL *da unos pasos, pero se detiene. Se vuelve y se dirige al banco. Se sienta y apura un sorbo de «high-ball». Piensa unos segundos, oprime el vaso y lo arroja violentamente contra la arena.*

La playa de Luquillo, luego BILL, *se desdibujan y desaparecen. Imperan las sombras unos segundos. Se escucha quedamente el disco de Joyalito:*

Joyalito, ay, Joyalito,

Joyalito, ay, Joyalito,

te olvidaron en el puente.

La sala y el jardín surgen de las sombras. MARTA *entra por el claro de la izquierda con un azafate sobre el cual ha dispuesto copas y una coctelera. Se detiene al ver que* CLARITA *ha desaparecido. Se dirige a la mesa del centro y pone el azafate junto a la radiola. Alza la tapa de la radiola y detiene el mecanismo. Baja la tapa. Se dirige al claro del fondo y mira hacia el pasillo.*)

MARTA (*llamando*) ¡Clarita!... ¡Clarita!...

(*Ante el silencio, se vuelve y marcha pensativamente hacia la radiola. Medita. Saca una polvera dorada de un bolsillo. Abre la polvera y se explora la cara atentamente en el espejo. Se empolva el rostro, la garganta y las manos. Se arregla el turbante cuidadosamente después de forzar dentro de él algunos cabellos rebeldes a la prisión. Se vuelve y apaga el lamparón de la sala, la cual queda iluminada a medias por la lámpara del sofá. Se dirige lentamente a la mesa. Se sirve un coctel. Mira en dirección al claro de la derecha y espera. Mientras, apura pequeños sorbos.*)

EL TELÓN SE CIERRA LENTAMENTE.

TERCER ACTO

Al descorrerse el telón, MARTA *aparece en la misma posición del acto anterior. Suena el timbre de la puerta de entrada.* MARTA *deja la copa sobre la mesa y se dirige al claro de la derecha. Sale.*

MARTA (*fuera*)   Good evening, Bill.

BILL (*fuera*)   Good evening, doña Marta.

MARTA (*fuera*)   How nice about your coming.

BILL (*fuera*)   It's indeed a pleasure.

MARTA (*entrando frente a* BILL)   Make yourself at home.

BILL   Thanks. (*Se detiene al hallar la sala desierta.*)

MARTA (*siguiendo hasta el centro de la sala sin darse cuenta que* BILL *se ha detenido*)   Cross my heart, Bill. We have missed you a lot.

BILL   Doña Marta...

   (MARTA *se vuelve y mira a* BILL.)

BILL (*acercándose*)   ¿Y Clarita?

MARTA   She will be ready...

BILL (*reconviniéndola sonreídamente*)   ¡Ah, ah! Recuerde el pacto. Hoy tengo motivos más poderosos que ayer.

MARTA (*después de mirarlo unos segundos*)   Clarita estuvo en la sala hasta hace unos minutos. No tardará en volver.

BILL   ¡Magnífico!... Quizá le dé una sorpresa esta noche.

MARTA   ¿Quizá?

BILL   Bueno... Es casi seguro.

   (*Ambos sonríen*)

MARTA   ¿Le gustaría quitarse la chaqueta?

BILL   Si no hay inconveniente... (*quitándose la chaqueta sport*) Esta noche hace un calor de los dos mil demonios.

MARTA   Hay un ciclón formándose al este del Mar Caribe.

BILL   ¿De veras? ¿Cuándo dieron la noticia?

MARTA (*tomando la chaqueta*)   ¡Qué cara!... (*riendo*) Es una broma...

Sí, puedo asegurarle que una tromba azotó la playa de Luquillo hace siete días.

BILL ¿Una tromba? ¿Hace siete días? Oh, sí... Ahora comprendo. De eso sabíamos dos personas solamente.

MARTA A la tercera le faltan los detalles. (*Ríe.*)

(BILL *se arregla la corbata, un muestrario de vivos colores.*)

MARTA No se apure, Bill. Ya hablaremos para sosiego de todos. Permítame guardarle la chaqueta.

(MARTA *se dirige al claro de la izquierda.* BILL *la sigue con la vista.*)

BILL Doña Marta...

MARTA (*volviéndose junto al claro de la izquierda*) Dígame, Bill.

BILL Desde hace días le buscaba un parecido.[56]

MARTA ¿Recuerda ahora?

BILL Sí. He conocido sicilianas en Nueva York. El tipo de usted es idéntico. El color de la piel... Las facciones...

MARTA (*imperturbable*) Eso me aseguran muchos amigos que han visitado Italia. (*Le sonríe a* BILL *y desaparece por el claro de la izquierda.*)

(BILL *mira unos segundos en dirección a la izquierda. Medita. Se vuelve hacia el fondo. Fija los ojos en el retrato de* BENEDICTO. *Se le acerca y lo estudia. Pasa a contemplar el cuadro del esposo de* MARTA. *Entra ésta, se detiene y observa a* BILL.)

MARTA Ese ya no sufre los rigores del calor.

(BILL *se vuelve.*)

MARTA (*dirigiéndose a la mesa del centro*) ¡Cuidado que maldecía[57] contra él! Soñaba con el clima de su región natal.

BILL El sol de Puerto Rico bien vale la pena.

MARTA (*después de tomar la coctelera, agitándola*) Una cosa le enfadaba más que el calor. Lo mismo que a mi padre. Procedían de Asturias y Galicia, regiones de gente blanquísima, y ninguno se consolaba con el aspecto de muchos puertorriqueños. (*sirviendo los cocteles*) Eran españoles de rompe y rasga.[58]

BILL ¿Cómo?

MARTA De rompe y rasga. (*tomando ambas copas*) Significa... que se mantenían firmes contra la mezcla con la raza africana.

---

56. **le... parecido:** I was trying to remember whom you remind me of   57. **cuidado que maldecía:** how he cursed   58. **de... rasga:** determined, resolute

BILL (*acercándose*)   Veo. Como nosotros, los blancos del Sur.

MARTA   Más o menos. (*ofreciéndole el coctel*) Bill...

BILL (*impresionado por* MARTA)   Doña Marta, es usted una persona encantadora.

>   (MARTA *inclina la cabeza.* BILL *toma el coctel e inclina la cabeza también.*)

MARTA   Tratándose de Bill, he preparado los cocteles con un ron especial. Barrilito.

BILL   Muy agradecido.

MARTA   Su especialidad consiste en que sabe a brandy añejo.

BILL   ¿Cierto?

MARTA   Cierto.

BILL   ¿Cómo lo consigue el fabricante?

MARTA   Lo cura en pipas españolas con madre de vino.[59]

BILL   Interesante.

MARTA   Resulta un producto puertorriqueño de abolengo español. (*sonriendo*) Como esta servidora y su hija.

BILL   *Wonderful!* Les llevaré unas botellas a mis padres. También exploraré la posibilidad de introducirlo en Estados Unidos. ¿Dónde se consigue?

MARTA   En una antigua hacienda entre Cataño y Bayamón.[60]

BILL   ¿Es una vieja hacienda? ¡Qué palabras más familiares!... Me parece asistir a una recepción en Alabama.

MARTA   ¿Y por qué no, Bill?... (*brindando*) «Estamos» en el sur de Estados Unidos.

BILL (*brindando*)   «Estamos».

MARTA   *For the old South!*

BILL   *Damn the yankees!*

>   (*Apura un sorbo.* BILL *ríe.* MARTA *lo secunda.*)

BILL   Éste es un país de sorpresas. ¡Encontrar puertorriqueños que brindan por el viejo Sur!

MARTA   ¿No se le ha ocurrido que nos parecemos mucho?

>   (BILL *guarda silencio.*)

MARTA   ¿No?

BILL   ¡Oh!... ¡Sí! ¡Sí!... En cierto sentido.

MARTA   ¡Claro! En cierto sentido. En otro..., con la mezcla de

---

59. **Lo... vino:** He ages it in Spanish casks with wine lees.   60. **Cataño y Bayamón:** cities just west of San Juan

razas que invade todos los círculos..., nos dejamos de parecer... (*indicándole el sofá*) Siéntese, Bill.

BILL   Gracias. (*después de mirar hacia el claro del fondo, dirigiéndose al sofá*) Clarita no aparece.

MARTA   Ya vendrá.

BILL (*sentándose*)   ¿No le habrá molestado...?

MARTA   De ningún modo. Se puso muy contenta cuando supo que usted aceptaba mi invitación.

BILL   ¿Está segura?

MARTA (*sentándose en la butaca más próxima al sofá*)   Segurísima, Bill...

(*Guardan silencio unos segundos.*)

BILL (*mirando a* MARTA)   Doña Marta... No me podía imaginar que Clarita..., un carácter tan dulce..., la tórtola de la Biblia...

MARTA   A ver... ¿Qué sucedió?

BILL   Es un poquito complicado. (*Apura un sorbo.*)

MARTA (*después de envolverlo con una mirada exploradora*)   No hay madeja que no se pueda desenredar. De maestra, ayudaba a entender casos mucho más difíciles. En confianza, Bill.

(BILL *agota su copa de un sorbo.*)

MARTA (*levantándose*)   ¿Otro?

BILL (*entregando la copa*)   Lo confieso: me tomé dos o tres *high-balls* en el Hotel Condado. No me atrevía a llegar.

MARTA (*llenándole la copa*)   ¡Bah!...

BILL   Me porté estúpidamente con Clarita...

MARTA (*ofreciéndole la copa*)   La persona más sana y simpática que ha visitado esta casa se llama Bill Hawkings.

BILL (*tomando la copa*)   Usted me hace sentir en mi casa.

MARTA   Créame, Bill. A su lado respiro un aire más agradable que el de este país en los últimos años. Clarita ha expresado el mismo sentimiento.

BILL   Clarita estima mucho a Puerto Rico. Tanto, que ha tenido diferencias conmigo.

(MARTA *ha dado un paso en falso y guarda silencio.*)

BILL   Ha defendido cosas que me son desagradables.

MARTA   ¿Como cuáles?

BILL   La mezcla de blancos y negros en sitios públicos.

MARTA   No le haga caso... (*Se arregla el turbante involuntariamente, movimiento que* BILL *observa hipnótico. Dirigiéndose a la mesa en busca de su copa)* Clarita defiende esas ideas, como decimos aquí, de los dientes para afuera.[61] (*después de tomar la copa, volviéndose*) En su fondo, se siente orgullosa de ser blanca.

BILL   ¿Usted cree?

MARTA   No tengo la menor duda.

(BILL *apura un sorbo.*)

MARTA   ¿Eso es todo?

BILL   ¡No! (*Apura otro sorbo.*) *That was just the beginning!* Por ahí comenzamos.

MARTA   Una discusión inútil de Clarita.

BILL (*meneando la cabeza*)   Todo lo contrario: una discusión muy necesaria.

(MARTA *guarda silencio. Apura un sorbo.*)

BILL (*después de mirarla un segundo*)   Siéntese, doña Marta.

(MARTA *se sienta.* BILL *apura un sorbo.*)

BILL   ¿Me permite unas preguntas?

MARTA   Todas las que desee.

BILL   Le confieso que he tenido dudas...

MARTA   ¿Qué dudas?

BILL   Sus padres, doña Marta, ¿eran españoles los dos?

MARTA (*sin pestañear*)   Los dos... ¿No se lo dije antes?

BILL   Recuerdo que no me habló de su madre.

MARTA   Me parecía... Bueno, ¡qué importa!... Pues sí... Mamá era española también... Nació en Andalucía... De ella heredé... el tipo siciliano. (*Se arregla el turbante con la mano libre.*) Andaluces y sicilianos se parecen mucho... (*Se arregla el turbante nuevamente.*)

BILL (*después de una pausa en la que observa el arreglo del turbante*)   Otra pregunta estúpida... Más estúpida que la primera.

MARTA (*encogiéndose de hombros*)   ¿Estúpidas? ¿Por qué? Las considero muy naturales.

BILL   ¿Tiene...?

MARTA   ¿Qué?

BILL   ¿Tiene algún retrato de su mamá?

MARTA (*aplastando un estremecimiento*)   Nunca quiso retratarse.

BILL   ¿Por qué?

61. **defiende... afuera:** pays those ideas lip service

MARTA   ¡Rarezas de carácter!... Decía que conserváramos su imagen en la memoria.

BILL   ¡Es lástima que no dejara un retrato!

MARTA   Lo siento muchísimo, Bill. Por mi cara, más o menos...

BILL (*inconforme en el fondo*)   Bueno; me basta con saber que era española. Eso despeja la duda en gran parte.

MARTA   ¿Y por qué no del todo?

BILL   ¿Qué dije?

MARTA   «Eso despeja la duda en gran parte.»

BILL   Perdóneme, doña Marta. Quise decir..., eso despeja la duda del todo. (*Se levanta y llena la copa.*)

MARTA (*después de apurar un sorbo*)   ¿Ha temido usted que Clarita tenga sangre africana?

    (BILL *se vuelve y mira a* MARTA.)

MARTA   ¿Eso es?

    (BILL *apura un sorbo*.)

MARTA   Tranquilícese, Bill. Sencillamente, no es posible.

BILL (*después de apurar otro sorbo, mirando la copa*)   No he conocido una muchacha tan femenina e inteligente a la vez. Es un verdadero placer estar junto a ella.

MARTA   Clarita es una joya, Bill.

BILL   La idea... (*golpeándose la frente*) esta idea..., se apoderó de mí poco después de intimar... (*mirando a* MARTA) Tengo que confesarle, doña Marta... Hemos sido un poco más que amigos: casi novios.

MARTA   ¿Y qué tiene de particular?... Ambos son jóvenes, guapos, tienen intereses en común...

BILL   Todo marchaba felizmente...

MARTA   Marchará. Un rizado en el río, como diría...

BILL   ¿Quién?

MARTA (*rápida*)   Un rizado en el río no puede tronchar ilusiones tan hermosas. Clarita ha sufrido mucho por el desgraciado enojo.

BILL   Con decirme: «No haga caso a los comentarios», hubiera bastado.

MARTA (*irguiéndose de tronco*)   ¿Qué comentarios?

BILL   *Oh, Gosh!* He caído otra vez en una conversación ridícula. Esto parece una pesadilla.

MARTA (*jugándose una carta*)   Sea franco, Bill.

BILL   Mis palabras resultan ofensivas, lo sé, pero tengo que decirlas, o la idea no se apartará de mi mente.

MARTA   ¿Por qué ofensivas?

BILL   (*después de apurar el resto del coctel*)   Doña Marta..., alguien de la oficina, *damn it*, me hace la misma pregunta todos los días...

MARTA   ¿Qué pregunta?

(CLARITA *entra en la penumbra del pasillo.*)

BILL   «¿Averiguó lo que esconde doña Marta debajo del turbante? ¿Averiguó lo que esconde doña Marta debajo del turbante?»

MARTA   (*después de una pausa*)   «¿Averiguó lo que esconde doña Marta debajo del turbante?» (*Rompe a reír.*)

(BILL *la mira perplejo.* CLARITA *desaparece.*)

MARTA   (*riendo*)   ¿Y usted se ha desvelado por esa pregunta? (*Ríe con más fuerza.*) ¡Haberlo confesado [62] desde el primer momento! Se hubiera ahorrado la tortura. (*maternal, imponiéndose una sonrisa de gran franqueza*) Bill, hijo...

BILL   (*después de una pausa, avergonzado*)   Perdone, doña Marta... No ha sido fácil para mí... Si Clarita me hubiera contestado la pregunta... Pero no me contestó... Por el contrario..., me pidió que no la viera en muchos días. Usted comprenderá...

MARTA   (*meneando la cabeza compasivamente*)   Al pobrecito Bill se le ha formado una tormenta sin motivo alguno... Vamos. Destierre esa idea para siempre. Se halla usted en una casa de blancos puros. (*con una palmada para despertarlo*) ¡Bill!... (*Ríe.*)

BILL   (*comenzando a tomar confianza*)   Todo se combinó para hacerme pensar. Había sabido días antes que algunas mulatas de piel clara...

MARTA   (*con la cara sonreída*)   ¿Algunas mulatas qué?...

BILL   ...disfrazan su pelo encrespado con turbantes.

MARTA   (*categórica*)   Cierto. Abundan los casos en la isla. Las domina la locura de pasar por blancas. Sobre todo cuando quieren salvar de humillaciones a sus hijas de pelo lacio y facciones españolas.

BILL   Un peligro.

MARTA   Muchas logran penetrar en los círculos exclusivos y codearse con gente blanca. Algunas terminan por casar a las hijas.

BILL   Un engaño horrible.

MARTA   (*asintiendo*)   Trepadoras sin escrúpulos.

BILL   No comprendo cómo se atreven.

---

62. **haberlo confesado:** you should have admitted it

MARTA   A ningún ser humano le gusta sentirse inferior.

BILL   «Son» inferiores.

MARTA   Indudable. Lo son, pero se niegan a serlo.

BILL   Un aspecto de Puerto Rico muy desgraciado.

MARTA   Con cuidado, no es difícil evadirlo. Yo puedo orientarlo en ese sentido. Me conozco el país de arriba abajo.

BILL *(mirando con entera confianza)*   *Oh God!* ¡Si hubiera hablado con usted anteriormente!

MARTA *(sonreída)*   Una falta de franqueza...

BILL *(después de una pausa, sonreído)*   Ahora no hace tanto calor.

MARTA   *(la última jugada)*   ¿Me quiere ver sin turbante?

BILL *(avergonzado)*   Olvídese, doña Marta.

MARTA *(llevándose la mano libre ·al turbante)*   Si lo desea, con desprender un broche...

BILL   No insista. Me avergüenza.

MARTA   Por mi parte, no hay ningún inconveniente.

BILL   Vamos. En su lugar, voy a darle una noticia... Mi conocimiento del idioma español me ha conquistado un ascenso.

MARTA   ¡No me diga!... ¿En Puerto Rico o fuera?

BILL   En Estados Unidos... La compañía me encarga las relaciones públicas con los países hispanos.

MARTA *(que se ha levantado a medida que* BILL *habla)*   Se le felicita.

BILL   Muchas gracias... Recibí el cable poco después de su llamada. Debo partir mañana por la tarde.

MARTA   Clarita se alegrará del ascenso y sentirá la partida.

BILL *(después de una pausa)*   Clarita vendrá a trabajar conmigo en un puesto de mayor importancia, digo, si ella lo desea y usted no se opone.

MARTA   ¿Oponerme?... De ninguna manera. No puede imaginarse cuánto me alegra su ofrecimiento. Desde ahora puede contar con mi apoyo. A la muchacha le hace falta salirse de este ambiente viciado por gente de color. Terminarán mis angustias.

BILL *(tomando la coctelera)*   Brindemos por Clarita. *(a medida que completa la copa de* MARTA*)* Lo confieso, sentía mucho perder la compañía de la muchacha.

MARTA   No se preocupe. Clarita trabajará para usted en la nueva oficina.

BILL *(después de llenar su copa, brindando)*   ¡Por Clarita!

MARTA   ¡Por el éxito de los dos en Estados Unidos!

(*Apuran un sorbo, se miran y rompen a reír.*)

MARTA   Permítame buscar a Clarita. (*Se dirige al fondo.*)

(CLARITA *se enmarca en el claro del fondo.* MARTA *se detiene antes del mismo.*)

BILL (*con alegría*)   ¡Clarita!

CLARITA (*con una inclinación de cabeza, entrando a la sala*)   ¡Bill!

BILL (*mostrando la coctelera*)   ¿Nos acompañas?

CLARITA   Luego.

BILL (*a doña* MARTA)   Parece que el tiempo sigue con amagos de tormenta.

MARTA   Nada. Se siente cohibida.

CLARITA (*sin mirarla*)   Serena, mamá.

(*Guardan silencio unos segundos.*)

MARTA (*acercándose a las butacas de la derecha*)   Clarita...

CLARITA   Dime...

MARTA   Bill ya no tiene dudas.

BILL   *I feel wonderful.*   En la gloria, como dicen ustedes.

MARTA (*de frente a* CLARITA)   No se justifica ningún enojo.

CLARITA (*enigmática*)   Ninguno.

BILL (*brindando*)   ¡Bravo! (*Apura el coctel de un sorbo. Mientras se sirve otro*) Tengo una buena noticia para ti.

MARTA (*que estudia a* CLARITA)   ¡Excelente!

BILL   He ascendido a jefe de relaciones públicas para los países hispanos...

(CLARITA *inclina la cabeza a manera de felicitación.*)

BILL   ...y necesito tus servicios en Estados Unidos.

(CLARITA *guarda silencio.*)

MARTA (*rápida*)   Bill te aprecia de corazón.

(BILL *se lleva la mano libre al corazón en tono de broma.*)

MARTA   Te ofrece la oportunidad de tu vida. Con un pequeño esfuerzo..., pequeñísimo..., cerrar los ojos y dejarte llevar un instante..., te encontrarás más arriba de las nubes.

BILL (*con gestos melodramáticos adrede*)   Las mías se disiparon. El desierto de Sahara no contempla un cielo más claro.

CLARITA (*a* MARTA)   ¿Nos permites hablar a solas?

MARTA (*con énfasis, después de una pausa breve*)   Tú sabes cómo he deseado esta ocasión. Con todas las fuerzas de mi alma.

BILL (*con otro gesto melodramático*) Y yo también.

MARTA Piensa cada una de tus palabras.

BILL (*descartando la broma*) Doña Marta, usted ha interpretado mal a Clarita. Ella se ha contentado y desea hablar conmigo sobre el nuevo trabajo. (*a* CLARITA) ¿Es o no cierto?

CLARITA Bill tiene razón. Deseo aclarar el asunto del enojo. Una vez que lo aclare..., discutiré la posibilidad de trabajar en Estados Unidos.

BILL (*con un gesto cómico*) Ya ve. (*Apura un sorbo y se tambalea levemente.*) ¡Ah! Los cocteles me bambolean... ¡Qué agradable!... (*cantando*) Oh, Susanah!... Oh, Susanah!... (*Ríe.*)

MARTA (*después de mirar a* CLARITA, *quien permanece inmóvil*) Voy a prepararles unos entremeses. Mientras tanto, gocen la noche de luna (*señalando hacia el fondo*) en el jardín. Hagan planes para el viaje y olvídense de Puerto Rico y sus problemas.

BILL Excelente idea. Antes, permítame acompañarla. (*Pone la coctelera y el vaso sobre la mesa y le ofrece el brazo a doña* MARTA.) Doña Marta...

(MARTA *inclina la cabeza y se sostiene de* BILL.)

BILL (*marchando hacia el claro de la izquierda*) Mi madre se alegrará mucho de conocerla. Se comporta usted como una verdadera dama del Sur. (*Desaparecen por el claro de la izquierda.*)

(MAMÁ TOÑA *asoma su cabeza por el claro del fondo.*)

MAMÁ TOÑA (*en voz baja*) Clarita.

(CLARITA *se vuelve.*)

MAMÁ TOÑA Tengo que preparar la maleta.

(CLARITA *menea la cabeza negativamente.*)

MAMÁ TOÑA No me convences. Salgo temprano para el asilo.

(CLARITA *le indica paciencia con un movimiento de la mano.*)

MAMÁ TOÑA Ya dije la última palabra.

CLARITA (*suplicante*) Mamá Toña...

MAMÁ TOÑA Está bien. (*Oculta la cabeza.*)

(*Segundos después entra* BILL. *Canturrea* «Oh, Susanah» *con el nombre de* CLARITA. *Se encuentra a ésta de espaldas.*)

BILL (*acercándose a* CLARITA) ¡Oh, Clarita!... ¡Oh, Clarita!... (*Se detiene detrás de ella, la toma por los hombros y la vuelve hacia sí.*) ¿No me das un beso?

(CLARITA *guarda silencio.* BILL *la besa suavemente.*)

BILL (*contemplándola*) Oh, sweetie... ¡Me hiciste tanta falta!... Apenas he podido dormir. (*después de mirarla unos segundos*) ¿Paseamos por el jardín?

CLARITA (*desprendiéndose de Bill*) No.

BILL ¿Por qué?

CLARITA Entrarías en él con Puerto Rico.

BILL Ya... Olvida lo que dije en la playa de Luquillo.

(CLARITA *lo mira fijamente.*)

BILL Vamos. Los flamboyanes lucen preciosos en la luz de la luna.

CLARITA Debemos pasear entre ellos con la conciencia clara. De lo contrario, los veremos empañados.

BILL Clarita..., ya no tengo temores...

CLARITA Sentémonos, Bill.

BILL ¿Por qué no pruebas un coctel?

CLARITA No.

BILL Te animará. El alcohol le enciende brillos a la vida. Verás un paraíso por jardín.

CLARITA Dije que no. (*alejándose de* BILL *lentamente*) Quiero contemplar el jardín con su luz natural, pisar la dureza de su suelo, respirar su aire como es, escuchar el sonido real de las palabras.

BILL (*con un movimiento de hombros*) No entiendo. Creí que te había pasado el enojo.

(*Apura un sorbo largo y fija los ojos en* CLARITA, *quien se mantiene de pie, abstraída unos instantes en sus pensamientos.*)

CLARITA (*volviéndose lentamente*) Bill...

BILL (*sin moverse*) Go on, sweetie...

CLARITA Te han fabricado un reino sobre nubes,

BILL ¿Cómo?

CLARITA No es justo que pasees en el jardín sin saber toda la verdad.

BILL (*dando un paso*) ¿Qué te sucede? Háblame con sentido.

CLARITA Esos besos... han sido los últimos.

BILL ¿Por qué razón?

CLARITA Tú lo decidirás...

(BILL *hace un gesto de impotencia mental.*)

CLARITA (*después de mirarlo fijamente*) Bill..., mamá tiene sangre africana.

BILL (*con un estallido del subconsciente*) ¡No!

CLARITA   Te ha mentido.

BILL (*dando un paso atrás*)   ¡No!

CLARITA   Se describió a sí misma.

BILL (*intentando rehacerse*)   Tú bromeas, Clarita. Tú bromeas.

CLARITA   Déjame abonar unas palabras a su favor.

(BILL *guarda un silencio tenso.*)

CLARITA   Mamá es hija de un español y una mulata de Loíza.

(BILL *trata de dominar un temblor que le invade las manos y le sacude la copa.*)

CLARITA   Mi abuelo nunca tuvo el valor de casarse con mi abuela. La hizo pasar por sirvienta.

(BILL *apura el resto del coctel temblusconamente.*)

CLARITA   Mamá creció con la doble vergüenza, en lucha consigo misma. El temor de ser humillada le torció temprano su fondo de bien. Con los días, agrios rencores, sordas angustias, se apoderaron de su ánimo. Llegó a sentir que había perdido el derecho a la felicidad, pero decidió rescatarlo para su hija. Lo anhela ciegamente.

(BILL, *impotente para expresar sus pensamientos, menea las manos.*)

CLARITA   Esas raíces, Bill, han provocado grandes amarguras en Puerto Rico.

BILL (*con desprecio*)   ¡Puerto Rico!

CLARITA (*después de mirarlo unos segundos*)   Desde un principio he luchado conmigo misma para confesarte esa verdad. Tu actitud en la playa de Luquillo me empujó a tomar la decisión.

BILL   Te burlas.

CLARITA   No, Bill. Por doloroso, el caso no admite burlas. Eres testigo del primer paso para vencer las malas raíces. Torturan y deforman a muchas personas como mamá.

BILL   ¡He sido víctima de un engaño sin nombre!

CLARITA (*sin mirarlo*)   Ahora me siento libre para entrar en el jardín... Te invito.

BILL   Un descaro.

CLARITA (*sin mirar a* BILL, *después de una pausa*)   ¿Fueron o no... los últimos besos?

BILL (*después de limpiarse la boca con el dorso de la mano*)   *Oh, devil!* ¿En qué maldito país me encuentro? (*Mira hacia el claro de la izquierda y se dirige a él. Gritando*) Doña Marta...

166

MARTA (*afuera*)   Diga, Bill...

BILL   La necesito en la sala.

MARTA (*afuera*)   Voy en seguida.

CLARITA   Bill... Mírala cómo es..., una madre ciega... Te ruego que la perdones.

BILL (*acercándose a* CLARITA)   ¡Es un ser repugnante, vil!... Ha jugado con la pureza de mi sangre. Un juego criminal que ha podido arrojarme al matrimonio.

CLARITA   Haz un esfuerzo contigo mismo. Piensa un momento.

BILL   ¿Por qué te dejaste besar? (*Se limpia la boca*) ¡Oh!... Siento un asco horrible.

CLARITA   Eres mejor que ese odio irracional.

BILL (*iracundo*)   ¡Puerca!

(*Entra* MARTA *con los entremeses dispuestos en una bandeja de plata. Se detiene al ver la actitud de* BILL *y* CLARITA.)

BILL (*después de una pausa, brutalmente*)   ¿Es verdad que usted tiene sangre negra?

MARTA (*sacudida*)   Bill... (*Hace un esfuerzo por conservar la serenidad y vuelve los ojos hacia* CLARITA, *quien se mantiene decidida.*)

BILL   ¡Conteste!

MARTA (*a* CLARITA, *tratando de velar una súplica*)   No puedo comprender... Te ofrezco un mundo sin las viejas llagas, anhelado para ti año tras año, desde que eras un sueño, y lo desprecias sin razón.

CLARITA   Mamá..., ese mundo tiene llagas más hondas que el nuestro.

MARTA (*la voz temblándole en un ruego*)   Anda, contesta la pregunta de Bill... Como debes contestarla.

(CLARITA *guarda silencio.*)

BILL (*después de mirar a una y otra*)   ¿Qué dicen?

CLARITA (*con pena, pero decidida*)   Ya lo sabes: mamá y yo tenemos raza negra. La heredamos de abuela.

(MARTA *mira a* CLARITA *durante unos segundos.* CLARITA *sostiene la mirada.* MARTA *baja la cabeza lentamente y contiene los deseos de llorar.*)

CLARITA (*firme*)   Mamá, vivamos de frente a esa realidad puertorriqueña. Sin los disfraces que convierten al país en una pesadilla de máscaras. Nos sobrarán fuerzas para vencer este embrujo de vejigantes y buscar una dicha real.

167

MARTA (*con la cabeza baja, aplastada por un derrumbe interior*)
Clarita, hija... Te opones a lo que más deseo.

CLARITA   Pero te quiero más. Inmensamente más. Con toda la claridad que me invade. Comprendo tu mentira y no me avergüenzo.
Adivino tras ella un limpio manantial.

   (MARTA *menea la cabeza sacudida por un llanto que no puede
brotar.*)

CLARITA   Arranca de una vez esas malas raíces que envenenan tu
vida. Tú misma. De un golpe. Tómalas en tu voluntad y hún-
delas en el olvido. Con la verdad más honda de la conciencia.
Con ese amor que palpita detrás de los rencores y las angustias.

   (MARTA *deja de menear la cabeza.*)

BILL (*acercándose a* MARTA)   Oiga, usted. Quítese el turbante.

CLARITA   Bill.

   (BILL *vuelve la cara.*)

CLARITA   No la humilles.

BILL   *Shut up!* (*frente a* MARTA) ¡Quítese el turbante!

   (MARTA *levanta la cabeza lentamente y lo mira con fijeza.*)

BILL   ¿No me oyó?

MARTA (*Toma un entremés de la bandeja y se lo ofrece a* BILL *con gran
dignidad.*)   Para un caballero del Sur.

BILL (*azotándole la mano*)   *Crooked lizard!*

   (MAMÁ TOÑA *se enmarca en el fondo.*)

BILL (*después de agarrar a* MARTA *por el brazo, zarandeándola*)   ¡He
dicho que se quite el turbante!

MARTA   ¡Suélteme!

   (*La bandeja cae al suelo con estrépito.*)

CLARITA (*acercándose*)   Bill, no la maltrates.

BILL (*empujando a Clarita, quien queda atrás*)   *You stay away! You
bitch!*

MAMÁ TOÑA (*encendiendo el lamparón*)   ¡Caballero!...

   (BILL *mira hacia el fondo y suelta a* MARTA, *quien permanece de
pie, agitada por una tormenta de emociones.*)

MAMÁ TOÑA (*avanzando a medida que* BILL *retrocede hacia la izquierda*)
Se comporta usted como una bestia del monte.

BILL (*irancundo y sorprendido*)   ¿Quién es usted?

MAMÁ TOÑA   Una ovejita negra del Señor.

BILL (*a* CLARITA *y* MARTA)   ¿Quién es?...

MAMÁ TOÑA   No le confiesen pecados al diablo.[63]

BILL   *Damn you!*

MAMÁ TOÑA (*enfrentándosele*)   ¿Qué dice?... Hable en cristiano.[64]

BILL   *You bastard witch!*

MAMÁ TOÑA   No entiendo lo que dice. Como usted huele a coco rancio, supongo que no será nada bueno.

BILL   *I hate every inch of this damn country!*

MAMÁ TOÑA (*a* MARTA *y a* CLARITA)   Parece que el diablo se le ha metido en el cuerpo. (*a* BILL) Por si le ayuda, permítame hacerle la señal de la cruz. (*Cruza sus dedos índices frente a* BILL *y avanza en dirección a él.*)

BILL (*retrocediendo hasta el claro de la izquierda*)   *You dirty nigger! Don't dare touch me! Stay away or...!*

MAMÁ TOÑA (*deteniéndose*)   ¡Huye, Satanás! Deja tranquila el ánima del tomate pintón.

(BILL *se mantiene firme.*)

MAMÁ TOÑA (*después de una pausa*)   ¡Oh! Veremos quién puede más, si tu mala voluntad, que conozco desde hace años, o la mulata del palmar, que no ha cesado de luchar contigo. Espera, que yo tengo un remedio contra ti. (*Se dirige a la radiola y alza la tapa.*)

(BILL *se acerca uno o dos pasos.* MAMÁ TOÑA *pone a funcionar el mecanismo. Se escucha el golpear sobre la Consentida y la Malcriada.*)

MAMÁ TOÑA (*enfrentándose a* BILL)   ¡Aparta!

BILL (*con un movimiento a la redonda del brazo*[65])   *To hell all of you!* (*Desaparece por el claro de la derecha.*)

MAMÁ TOÑA (*desde el claro de la derecha*)   ¡Que te salcoches en tus propias pailas!

(*Suena un violento portazo.*)

MAMÁ TOÑA (*a* MARTA *y* CLARITA)   Permítanme cerrar con llave por si revira... (*Desaparece por el claro de la derecha.*)

(*Se escuchan los versos de «Joyalito»*

Joyalito, ay, Joyalito,

Joyalito, ay, Joyalito,

te olvidaron en el puente.

MAMÁ TOÑA *entra por la derecha y se detiene poco después del claro.*)

---

63. **No... diablo:** Don't confess sins to the Devil (i.e., Don't waste your breath.).
64. **cristiano:** i.e., *español*   65. **con... brazo:** with a sweeping movement of his arm

MAMÁ TOÑA (*después de mirar a* MARTA *y a* CLARITA) En buena hora nos libramos. Era el mismo vejigante del palmar. Con pelo rubio esta vez. (*señalando a* MARTA *mientras mira hacia el cuadro de* BENEDICTO) ¡Ah!... ¡Si yo no hubiera temido que ésta viniera al mundo! (*señalando hacia el cuadro*) Te hubieras llevado un susto también, so tutenaco.[66] Pero tuve que pensar en ésta y aguantar en la cocina... como los perros satos.

(MARTA *rompe a llorar convulsivamente.* CLARITA *se le acerca y le echa los brazos por los hombros. La lleva hasta el sofá, donde la ayuda a sentarse. Permanece junto a ella y le acaricia el cuello. Los versos de «Joyalito» se mezclan con el llanto de* MARTA)

Joyalito, ay, Joyalito,
Joyalito, ay, Joyalito,
te olvidaron en el puente.

(MAMÁ TOÑA *contempla un segundo a* MARTA. *Se dirige a la radiola y detiene el mecanismo.*)

MAMÁ TOÑA (*después de mirar a* MARTA) ¿Por qué lloras? Lo que ha pasado es motivo de alegría, no de llanto. Clarita ha tenido el valor que nos faltó a las dos... Le sobró razón en lo que dijo. La felicidad se busca con los ojos bien abiertos, como el múcaro a la lombriz, no como el perro, menea que te menea la cola,[67] porque teme la patada.

(MARTA *solloza violentamente.*)

MAMÁ TOÑA Marta, Martita... Te has empeñado en mirarte el pellejo, no el alma, y vives fuera de ti, como los peces varados en la marea baja.

CLARITA (*suavemente*) Por su hija...

MAMÁ TOÑA A su hija por poco la enreda con el diablo... Te digo que si no lo era, lo parecía... Esa mirada, esos gestos, esa rabia de animal salvaje... Todo porque supo que, unos más y otros menos, tienen su canela. Ningún cristiano se convierte en fiera por motivos tan flacos. Se retira, se excusa, ignora, pero no revuelca el fango que lleva por dentro para arrojarlo a la cara de los demás.

CLARITA Mamá desconocía ese odio de Bill.

---

66. **so tutenaco:** The Spanish of Loíza Aldea includes many words without specific meanings but with decidedly insulting connotations. They may be of African origin, or simply onomatopoeic inventions. 67. **menea... cola:** wagging his tail as hard as he can

MAMÁ TOÑA   ¡Y qué bonito papel hizo!... Nunca había escuchado tantas alcahueterías juntas. Casi, casi, le armó el catre en la sala. De uso rebascosa y malcriada, parecía un agua de melao. Bill por aquí..., Bill por allá... (*imitándola*) Estamos en el sur de Estados Unidos... ¡Y el alma de la hija en juego!... Suerte que un buen espíritu te iluminó y acabaste de un golpe con tanta brujería.

CLARITA   Mamá Toña, el peligro ha pasado.

MAMÁ TOÑA   Perdóname unas palabritas más, que poco tiempo me queda en este laberinto... Marta, hija..., si quieres casar a Clarita con un americano, comienza por probar su decencia, que algunos, como pasa con muchos puertorriqueños no la tienen. No te importe que el novio venga de las sínsolas,[68] pero, eso sí, que trate a Clarita, haga sol o se nuble, con el respeto que merecen las personas. Si los colores de la piel le sofocan el alma, hazle la cruz, porque alguien se ocupará de venderle el secreto del turbante. Amén. (*Las contempla un instante y luego mira hacia los cuadros.*) Ésos dos también despedían azufre.[69] ¡Caro hemos pagado el rosa de sus cachetes! (*Inicia un movimiento hacia el claro del fondo.*)

CLARITA (*extendiendo el brazo con ademán de detenerla*)   Abuela, escúchame unos segundos...

   (MAMÁ TOÑA *se detiene.*)

MAMÁ TOÑA (*después de una pausa breve, volviéndose*)   Ya hablamos en el cuarto, Clarita. Valga la decisión.[70] Cuando venga el próximo pretendiente, Marta no tendrá que esconder espantapájaros.

   (MARTA *levanta la cabeza y mira a un lado.* MAMÁ TOÑA *se mueve un paso a observar el movimiento.* CLARITA *se vuelve y las contempla a las dos.*)

CLARITA (*después de una pausa*)   Mamá...

MARTA   Dime.

CLARITA   Mamá Toña insiste en salir de la casa.

   (MARTA *menea la cabeza negativamente.*)

CLARITA   Tiene el propósito de recluirse en el asilo.

MARTA (*volviendo la cabeza hacia ellas*)   No.

CLARITA   Le he rogado inútilmente.

---

68. **sínsolas:** a word used to indicate the most remote place conceivable   69. **Ésos... azufre:** Those two smelled of sulphur, too.   70. **Valga la decisión:** The decision stands.

MARTA   Mamá Toña..., tú no sales de esta casa.

MAMÁ TOÑA   ¿Y quién se atreverá a impedirlo?

MARTA   Te ruego que permanezcas aquí.

MAMÁ TOÑA   ¿Y si son mis deseos vivir en otro sitio?

MARTA   Esta casa es más tuya que mía.

MAMÁ TOÑA   El cuarto de atrás, lo admito.

MARTA   He pedido que te retires a él, pero nunca que abandones la casa.

MAMÁ TOÑA   Ya me cansé de estorbar.

MARTA   Te he dado razones...

MAMÁ TOÑA   Descansarás, Marta.

MARTA   No me hagas infeliz... Tengo bastante con el mal rato de esta noche.

(*Impera el silencio unos segundos.*)

MAMÁ TOÑA (*disponiéndose a partir*)   Bueno... Clarita tiene que casarse... Abandono la casa para evitar pesadumbres.

CLARITA (*con un movimiento enfático de ambas manos*)   Calma..., mucha calma... Hablemos tranquilamente..., sin caretas..., con el fondo de nosotras mismas.

(MAMÁ TOÑA *da un paso hacia* CLARITA *y la mira con curiosidad.*)

CLARITA (*a* MAMÁ TOÑA)   Hazme el favor de sentarte unos minutos...

(MAMÁ TOÑA *hace un gesto académico de inconformidad.* CLARITA *se le acerca y le pone una mano sobre el hombro.*)

CLARITA   Compláceme.

MAMÁ TOÑA (*blanda*)   Un abrir y cerrar de ojos.[71] Ni un segundo más. (*Se deja llevar a la butaca. Sentándose*) A ver. Date prisa. La sangre se me llena de hormiguillas.[72]

CLARITA (*a* MAMÁ TOÑA)   Calma, he dicho.

(MAMÁ TOÑA *guarda un silencio gustoso.*)

CLARITA (*a las dos, después de pensar unos segundos*)   Tenemos que pensar en nosotras con absoluta serenidad. (*marchando a un punto equidistante entre* MAMÁ TOÑA *y* MARTA) Disponemos de una sola vida y la convertimos en un garabato. (*deteniéndose entre* MAMÁ TOÑA *y* MARTA) Yo soy quien debería llorar, y no he soltado una sola lágrima. (*Se toca los ojos con las manos y las muestra a* MARTA *y* MAMÁ TOÑA.) No brotan... Créanme.

---

71. **Un... ojos:** A blink of an eye (i.e., just for a moment).   72. **La... hormiguillas:** My blood is getting full of ants (i.e., I'm getting itchy [to go].).

Nunca me he sentido tan limpia y tan feliz como esta noche. (MARTA *y* MAMÁ TOÑA *miran fijamente a* CLARITA, *dominadas instintivamente por el aplomo de la muchacha.*)

CLARITA Pues si yo me siento así, yo, que he visto a Bill convertirse en nada cuando más dulcemente lo quería, no me parece injusto pedirles un rato de sosiego... (CLARITA *mira a una y otra en silencio.*) Escúchenlo claramente: me siento dichosa.

MARTA No es verdad.

CLARITA Un solo pesar no me permite la completa felicidad.

MARTA ¿Cuál?

CLARITA Verlas infelices.

MARTA Te engañas a ti misma.

CLARITA No. No. He actuado con toda la verdad de mi conciencia. Quiero librar mi corazón del disfraz de vejigante y amar a mi gente como es.

MAMÁ TOÑA ¡Válgame el cielo![73] Ha llegado un ángel de pomarrosas...

(CLARITA *mira a* MAMÁ TOÑA *y sonríe; luego, vuelve los ojos hacia* MARTA, *quien desvía la vista y permanece pensativa.*)

CLARITA (*después de una pausa larga*) Vamos a estudiar esta situación desde un principio.

MAMÁ TOÑA Pues la historia comienza con esta pecadora en combinación (*señalando a* BENEDICTO) con aquel oso de Galicia.

CLARITA Todo empezó en la noche de Santiago.

MAMÁ TOÑA (*irónicamente, en voz baja*) ¡Santiago y cierra España!..

CLARITA Ño Peña había encendido un baile de bomba.

MAMÁ TOÑA Que los blancos desprecian como baile de negros. Hasta algunos prietos le tienen su asquillo.

CLARITA Abuelo, un español disfrazado de vejigante...

MAMÁ TOÑA ...hizo la gracia.[74] Los españoles la han hecho desde antaño. Primero con las indias, según contaban mis abuelos. Parece que de tanto bregar con moras, se acostumbraron.

CLARITA Ha sido una realidad.

MAMÁ TOÑA Y a lo hecho, pecho.[75]

CLARITA De esos amores, nació mamá. (*mirando a* MARTA) Creciste inconforme con tu suerte.

73. **¡Válgame el cielo!** Good Heavens! 74. **hizo la gracia:** did the trick 75. **a... pecho:** no crying over spilled milk

MAMÁ TOÑA (*entristeciéndose*)   Por lo cual, sabe Dios que he pedido perdón muchas veces.

(CLARITA *da un paso hacia* MARTA.)

MAMÁ TOÑA (*rehaciéndose*)   Claro. Marta tuvo la dicha de estudiar y casarse, y vivir en la sala. Le aguantó muchas malcrianzas (*señalando al cuadro de la derecha*) al oso de Asturias; pero nunca fue arrinconada en la cocina.

CLARITA (*junto a* MARTA)   De esos males nací yo, más blanca que todas. Pronto sufrí la angustia de una vida rota por secretas fugas. Luego descubrí torturas parecidas en mucha gente puertorriqueña. Mucha, mucha... Una reprimida marea de almas lastimadas... (*Guarda silencio unos segundos, como si abarcara en sí la doliente conciencia del país. Después de mover la cabeza lentamente de derecha a izquierda*) Un día..., un día me encariñé con un blanco del sur de Estados Unidos. Alimenté una esperanza a medias, como todas las esperanzas de los seres mutilados por el miedo al desamor... Apenas palpé el encanto lo vi convertirse en furia contra nosotros, en la monstruosa fealdad del odio irracional contra la piel... Me convencí entonces cuánto se me hacía imposible vivir contra ustedes... (*a una y a otra*) Es que nos pertenecemos... Somos tierra, tronco, rama que anhela florecer. Una savia común pasa de conciencia a conciencia. A miedos, gritos, temblores, lágrimas, ahogos, pero con fuerza inevitable... (*después de mirarlas en silencio*) aquí estamos para siempre.

MAMÁ TOÑA (*después de una pausa, meneando la cabeza de arriba abajo*)   Sí, señoras... Las tres Marías...[76] En diferentes mezclas de café con leche... Lo que trae en enredo de puntas y ribetes[77] que Dios Nuestro Señor se encargará de arreglar. (*levantándose*) No perdamos tiempo. Yo me puedo echar a un lado y sanseacabó. (*señalando el turbante*) La brujería del turbante puede trabajar. (*a* CLARITA) Si no le haces caso al ángel que llevas dentro, el rubio andaría como un palomo por el jardín. Mañana las campanas llamarían a boda.

CLARITA   Las máscaras hubieran engañado a Bill hasta un día... Y en justicia, ¿qué valemos si dejamos crecer las culpas?

(*Impera el silencio unos segundos.* MARTA *vuelve los ojos hacia* CLARITA, *quien sostiene la mirada.*)

76. **las tres Marías:** the three (Biblical) Marys   77. **en... ribetes:** a terrible mess

MARTA (*con suavidad*) Clarita...

CLARITA Sí...

MARTA Dime la verdad. ¿Eres o no feliz?

CLARITA Me siento liviana como el aire. Podría dormir con la suavidad de un rayo de luna. En días anteriores, me hubiera sido imposible.

MARTA ¿Por qué?

CLARITA Supe en Luquillo que la idea del turbante obsesionaba a Bill. Presentí las humillaciones de esta noche y me alejé para evitarlas, a mí y a ti.

(MARTA *desvía la mirada y la fija en el vacío.*)

CLARITA Pero faltaba confesar la verdad. Me asqueaba la absurda y estúpida debilidad de pasar por blanca. Una suciedad mortificante me invadía el cuerpo y no me dejaba ser como soy... Sentía borrosamente. Pensaba empañadamente... Decidí enterrar la triste mendicidad de la piel. (*Se acerca a* MARTA *y le pone una mano sobre su turbante.*) Tú también la debes enterrar...

MARTA ¿Y tu cariño a Bill?...

CLARITA Olvidemos a Bill. Repito que no lamento su partida. Debe estar ahogándose en alcohol para borrarnos de su conciencia enferma. Un odio, ponzoñoso como un ciempiés, le envenena el alma desde niño. Se lo inculcaron cuando empezaba a crecer y le será difícil librarse de su saña. No puede querernos como somos. Le provocamos un terror de pesadilla. Queda por desearle que su conciencia le sea benigna y que un día pueda librarse de sus prejuicios... Mientras tanto, pensemos en nuestra casa, donde tres seres humanos viven como bolas de billar, chocando duramente contra ellos mismos... Pensemos...

(CLARITA *piensa unos segundos.*)

CLARITA Bien... Hay lazos profundos entre las tres personas, abuela, hija, nieta, y se hace necesario que éstas convivan. Tenemos que empezar de algún modo. (*a* MAMÁ TOÑA) ¿Qué opinas?

MAMÁ TOÑA ¡Hum!

(*Transcurren unos segundos en silencio.*)

CLARITA Ya. Una idea... En primer lugar, escuchamos a «Joyalito».

MAMÁ TOÑA ¡El fin del mundo!

CLARITA ¿Alguien se opone?

(MAMÁ TOÑA *fija la mirada en* MARTA, *quien se ha ensimismado.*)

175

CLARITA   ¿Nadie?... ¡Pues pasemos a escucharlo!... (CLARITA *pone a funcionar el mecanismo de la radiola. Se escucha a «Joyalito»*)
Joyalito, ay, Joyalito,
Joyalito, ay, Joyalito,
te olvidaron en el puente.

MAMÁ TOÑA   Clarita..., si la música le molesta a Marta, suspéndela.
(MARTA *levanta la cabeza y mira a* MAMÁ TOÑA.)

MAMÁ TOÑA   No quiero más discusiones. Me basta con la buena intención. (*ahogando una lágrima*) Me devuelve medio siglo de vida.

CLARITA (*sin hacer caso*)   En segundo lugar, Mamá Toña nos enseña los pasos.

MAMÁ TOÑA   ¿Yo?... Aparta.

CLARITA (*tomándola por las manos*)   Ven.

MAMÁ TOÑA (*a* MARTA)   Tu hija se empeña, Marta.

CLARITA (*llevándola a un lugar despejado de la sala*)   Aquí...

MAMÁ TOÑA (*señalando a* MARTA)   Ésta no dice ni ji...[78]

CLARITA   Enséñame...
(MAMÁ TOÑA *se mantiene con la vista fija en* MARTA.)

CLARITA   ¿Qué esperas?

MAMÁ TOÑA   Permiso del pitirre.

CLARITA (*a* MARTA)   ¿Qué opinas?

MARTA (*a* MAMÁ TOÑA, *consintiendo*)   ¡Mamá Toña!...
(MAMÁ TOÑA *se hace la señal de la cruz.*)

CLARITA   Adelante, Mamá Toña.

MAMÁ TOÑA (*después de una pausa, mirando a* MARTA)   Te tomas dos puntas de la falda...

CLARITA (*repitiendo los movimientos de* MAMÁ TOÑA)   Me tomo dos puntas de la falda...

MAMÁ TOÑA   ... Y saludas a los timbaleros. (*con dos reverencias frente a la radiola*) La Consentida... y la Malcriada...

CLARITA   La Consentida... y la Malcriada...

MAMÁ TOÑA   Luego saludas a los curiosos, que siempre abundan...
(*Le hace una reverencia a* MARTA.) Hija...

CLARITA (*con una reverencia a* MARTA)   Mamá...

MAMÁ TOÑA   De ahí en adelante comienzas a reventar varillas.
(*Comienza a ejecutar graciosas figuras de bomba.*)
(CLARITA *se detiene y mira sonreída.*)

---

78. **no... ji:** doesn't say anything at all

MAMÁ TOÑA (*bailando*) Una por aquí... y otra por allá...

CLARITA ¡Olé!...

MAMÁ TOÑA Se dice: Baila la bomba, negrola.

CLARITA (*con una palmada*) Baila la bomba, negrola.

MAMÁ TOÑA (*a sí misma, con picardía*) Baila...

CLARITA (*riendo*) Baila la bomba, negrola.

MAMÁ TOÑA Baila. (*con un movimiento indicativo de las manos*)
Tan pronto suba el «santo», te olvidarás del mundo. Es un gran
remedio, te lo aseguro. (*en voz baja*)
Joyalito, ay, Joyalito,
Joyalito, ay, Joyalito,
te olvidaron en el puente.

CLARITA Eres una gran bailarina de bomba.

MAMÁ TOÑA (*deteniéndose, fatigada*) Pero me canso, mi nieta. Aque-
llas fuerzas volaron y los huesos comienzan a dolerme. El cuerpo
se me quiere acostar para no levantarse.

CLARITA No te apures. Yo la aprenderé y me verás bailarla. Un día
daremos la gran fiesta con timbaleros y todo.

MAMÁ TOÑA (*mirando a* MARTA) ¿Tú crees que el río suba tanto?
(CLARITA *se vuelve y mira a* MARTA.)

CLARITA Mamá...

MARTA Dime.

CLARITA En tercer lugar..., nos iremos a pasear por el jardín.

MAMÁ TOÑA (*asustada*) ¿Todas?

CLARITA Pues claro. Las tres... Ese jardín pertenece a todas. Tenemos el mismo derecho a disfrutar de los flamboyanes.

MAMÁ TOÑA Yo no asomo la cabeza.

CLARITA ¿Por qué?

MAMÁ TOÑA Los vecinos... Recuerda que vivimos en el Condado.
Gente encopetada con repelillos.

CLARITA (*natural*) Que nos vean los vecinos. Y si quieren pasear
con nosotras, haremos lado. (*Toma una mano a* MAMÁ TOÑA *y la
arrastra hacia el jardín.*)
(MAMÁ TOÑA *la sigue, indecisa entre oponer o no resistencia.* CLA-
RITA *abre la puerta de la reja y contempla el jardín. Respira su
belleza.* MAMÁ TOÑA *vuelve unos pasos atrás.*)

MAMÁ TOÑA Marta, hija... Si te causa dolor...
(CLARITA *se vuelve y mira a* MARTA.)

177

CLARITA (*desde el fondo*)   Voluntad, mamá, y descubrirás un mundo más hermoso.

(MARTA *se incorpora lentamente.*)

CLARITA (*señalando hacia los flamboyanes*)   Aquí se junta la sangre de todos los hombres en la flor de los flamboyanes.

MAMÁ TOÑA (*con un paso hacia* MARTA)   No la hagamos sufrir más.

MARTA (*con un movimiento de la mano hacia el jardín*)   Acompaña a Clarita.

MAMÁ TOÑA   Yo me puedo privar.

MARTA   Acompáñala...

(MAMÁ TOÑA *permanece inmóvil.* MARTA *la mira unos segundos y se dirige lentamente a la radiola. Sube el volumen a un punto de gran sonoridad*)

Joyalito, ay, Joyalito,
Joyalito, ay, Joyalito,
te olvidaron en el puente.

(*Se lleva las manos a la cabeza y se desabrocha el turbante. Se lo quita y lo arroja junto a la radiola. Sacude se pelo crespo de mulata, recortado a la moderna, y se lo arregla con las manos. Saca un pañuelo del bolsillo y comienza a limpiarse el blanquete de la cara. Clarita entra en el jardín y comienza a pasear.*)

EL TELÓN SE CIERRA LENTAMENTE.

Enrique Solari Swayne

b. 1915

Enrique Solari Swayne was born in Miraflores, Peru, in 1915. He has lived in Spain and Germany, where he studied medicine and psychology. At the present time, he is a member of the faculty of the National University of San Marcos in Lima and practices as a psychologist. Although he has long been a supporter of dramatic and cultural movements, *Collacocha* is his only published play and, as far as can be determined, the only one that has been produced. He has also written two other plays and an unpublished novel.

Solari was almost unknown as a dramatist until *Collacocha* was produced in Mexico City in 1958 as part of the First Panamerican Theater Festival. It had been written in 1955 and staged a year later in Lima, but its reception had been rather cold. However, its tumultuous reception in Mexico led to another production in Lima, where it was received enthusiastically.

Collacocha represents a movement toward a Peruvian theater oriented around contemporary problems. Peruvian theater in the twentieth century has tended either to be extremely cosmopolitan in technique or to concentrate on historical dramas about the Inca empire, relying heavily on a stagy language and a stylized approach which are intended to reproduce the atmosphere drama. Other playwrights have attempted to deal with current problems, but their work has been received with mixed reactions at best. *Collacocha*'s success, however, has forced critics to recognize its dramatic value and the validity of its criticism.

The technique and structure of *Collacocha* are realistic and straightforward. Its great appeal lies in the figure of Echecopar who, from the moment of his first flamboyant entrance, is one of the outstanding individual figures in modern Latin-American drama.

Collacocha

drama en tres actos

Personajes

DÍAZ

FERNÁNDEZ

ECHECOPAR

ROBERTO

SANTIAGO

SÁNCHEZ

SOTO

BENTÍN

TAIRA

UNA MUCHACHA

AYUDANTE

OBREROS

UN MUCHACHO

EL ESCENARIO   *El escenario, que es igual para los tres actos, está constituído en la siguiente forma (desde la perspectiva de los actores): A la izquierda, una tosca cabaña de troncos, con techo de calamina. La pared izquierda es de roca y presenta una gran abertura (es la ventana del abismo). A la derecha, una puerta que da hacia el socavón. A la derecha del escenario, un socavón que termina en uno o dos grandes arcos de roca. Se sobrentiende que este socavón se comunica con el túnel.*

En la cabaña se encuentran dos escritorios y aparatos de ingeniería (mesa de dibujo, reglas T, teodolitos, etc.). En la pared del fondo de la cabaña se ve un gran plano de la región.

En las otras paredes debe haber dos clavos, para colgar un manojo de llaves y un rollo de mecha. El mapa debe estar colgado de tal forma que caiga al suelo al producirse el último temblor de tierra. Al lado derecho de la puerta de la cabaña, llave de luz.

VESTUARIO   *Ropa de campo para ingenieros:* slacks, *botas de media pierna, cascos. El vestuario debe corresponder a una región muy fría (bufandas, guantes). La ropa de Fernández debe ser elegante (casco y botas nuevas, casaca de piel).*

LOS TEMBLORES *Los temblores deben ser de distinta intensidad. Los primeros son relativamente débiles y el último muy fuerte. Los temblores tienen todos su ritmo creciente. La mejor manera de lograrlos es golpeando rápidamente con los puños las puertas de ingreso al escenario; a falta de ellas, grandes cajones vacíos, que produzcan un ruido sordo y lejano. En el momento culminante del temblor debe remecerse también la cabaña. Al producirse los dos últimos temblores debe titilar la luz de la cabaña. Igualmente, en ambos, pero más en el último, debe arrojarse pequeñas piedras sobre el techo de calamina de cabaña.*

INTERMEDIO *Entre los actos I y II debe concederse al público una pausa de cinco minutos; entre los actos II y III, una pausa de quince minutos.*

LOS PERSONAJES ECHECOPAR *es un hombre sumamente varonil, casi rudo, desaliñado. Su habla es pausada y enérgica. Cuando se encoleriza es cortante y casi desmedido. También debe ser unas veces tierno, otras socarrón. En el acto III, todo su ser está tocado por un halo profético. En la última escena, su voz es absolutamente serena, íntima y transfiguradamente feliz.* FERNÁNDEZ *es un muchacho muy bien educado, tranquilo, varonil, bondadoso y aristocrático.* BENTÍN *es inteligente y nervioso, posee cierta tendencia declamatoria y no es muy atinado en sus expresiones.* SOTO *es serio y natural.* DÍAZ, *frívolo, inconsistente. Conviene, aunque no es indispensable, que* ECHECOPAR *y* BENTÍN *sean mestizos;* DÍAZ *y* FERNÁNDEZ, *blancos. Edad:* ECHECOPAR *y* SOTO, *entre cuarenta y cinco y cincuenta;* FERNÁNDEZ *y* BENTÍN, *entre veinticinco y treinta;* DÍAZ *y* SÁNCHEZ, *entre veintidós y veinticinco.*

NOTA *En la entrada al teatro, conviene poner un cartel dando a conocer al público que durante la pieza se simulan temblores de tierra. Puede también avisarse que si, por extraña casualidad, se produjera durante la representación un verdadero movimiento sísmico, el público será avisado expresamente.*[1]

DEDICATORIA *Donde se impriman programas, debe anotarse, en la carátula de éste, la dedicatoria que aparece en la primera página.*

---

1. Such a notice would avoid a panic caused by the audience's mistaking the simulated tremors for a real earthquake, tragically frequent along the great mountain chain that extends from Alaska through the western United States and Mexico and along the western edge of South America.

ACTO PRIMERO

El ingeniero DÍAZ *trabaja en el escritorio de la izquierda. Se interrumpe para consultar el reloj. Da muestras de aburrimiento. Vuelve a trabajar. Se oye acercarse el ruido de un autocarril que, un momento después, se detiene muy cerca de la barraca. Llaman a la puerta.* DÍAZ *se levanta y se dispone a abrir. Pero antes que lo haya hecho, la puerta se abre e ingresa el ingeniero* FERNÁNDEZ. *Este lleva botas y casco nuevos y elegante «slack» con casaca de piel. Pendiente del cuello, lleva un estuche de binoculares.*

DÍAZ ¡Adelante, adelante! Me imagino que es usted el ingeniero Fernández.

FERNÁNDEZ Exactamente. ¿Con quién tengo el gusto...?

DÍAZ Díaz, encantado. (*Se estrechan las manos.*)

FERNÁNDEZ Creo que es a usted a quien vengo a reemplazar...

DÍAZ Sí, ¡a Dios gracias! Dentro de pocos meses también usted soñará todas las noches con el reemplazo.

FERNÁNDEZ Quizá no sea así...

DÍAZ No se haga usted ilusiones. ¡Esto es el infierno!

FERNÁNDEZ En Lima me lo han explicado con toda claridad.

DÍAZ ¿Y a pesar de eso se vino? ¡Si yo lo hubiera sabido! (*riendo*) Para mí que viene usted huyendo de la Policía...[2] o de alguna mujer.

FERNÁNDEZ No vengo huyendo de nadie. Más bien vengo buscándome a mí mismo.

DÍAZ Pues aquí se va a encontrar a sí mismo hora a hora, minuto a minuto, de día y de noche, hasta que se harte y se largue, como yo. ¡Abandonar la ciudad para meterse en un túnel húmedo y helado!

FERNÁNDEZ (*encogiéndose de hombros*) Me interesa hacerme hombre. Pero ¡qué frío de los demonios hace aquí! (*Cierra la puerta.*)

2. **Para... Policía:** I suspect you're running away from the police

DÍAZ Como que estamos sepultados en el centro mismo de los Andes. Y eso que[3] hoy es un día de calor. ¿Se toma un trago? (*Saca del bolsillo una licorera.*) Es «whisky» puro.

FERNÁNDEZ (*Bebe y devuelve la botella.*) Gracias.

DÍAZ (*Bebe.*) Sin esto no se puede vivir a cinco mil metros de altura. Pero sentémonos. No debe tardar en venir Echecopar. (*Se sientan.*)

FERNÁNDEZ En el campamento me dijeron que lo encontraría aquí.

DÍAZ Debe de haber ido a la central tres, o donde Soto, a la laguna.

FERNÁNDEZ ¿Qué es eso de las centrales? No entiendo nada.

DÍAZ Es bastante fácil. Nosotros estamos aquí, en la central dos, que queda exactamente en el centro de este túnel, que es el túnel uno.

FERNÁNDEZ Eso lo sabía ya.

DÍAZ Bien. Si sale usted de aquí, hacia la derecha, por donde ha venido, pasa primero por la central uno, que está casi a la salida del túnel. Después sale usted del túnel y pasa por el campamento, ¿no? Luego viene el valle, los pueblos...

FERNÁNDEZ Sí, todo eso lo recuerdo.

DÍAZ Bueno; si usted sale de aquí, de donde estamos, y va hacia la izquierda, más o menos a un kilómetro y poco antes que acabe el túnel, llega a la central tres.

FERNÁNDEZ Y saliendo del túnel, ¿adónde se llega?

DÍAZ El túnel acaba en una pequeña quebrada. El camino sigue unos trescientos metros por la falda del cerro y entra en otro túnel. Después viene una serie interminable de túneles y puentes, y más túneles y quebradas y puentes. El túnel dos es el más largo: tiene cosa de cuatro kilómetros.

FERNÁNDEZ ¡Es una obra formidable!

DÍAZ ¡Extraordinaria! Pero quiero acabar de explicarle. El túnel uno y el túnel dos están, pues, separados por una pequeña quebrada, completamente cerrada y bastante alta. Arriba de esa quebrada, y un tanto lejos del camino, hay una laguna: es la laguna Collacocha. Y en la quebrada, pero al otro lado de la laguna y encima de un pequeño cerro, está la central cuatro, o central de Collacocha. Naturalmente, los otros túneles y el campamento tienen también sus centrales.

3. **y eso que:** just think that

FERNÁNDEZ   Ahora entiendo perfectamente.

DÍAZ   Orientarse aquí es muy sencillo. De todos modos, dentro de poco tiempo estará usted tan harto de todo esto como lo estoy yo ahora.

FERNÁNDEZ   Quién sabe si eso dependa del carácter de cada uno. Por ejemplo, el ingeniero Echecopar creo que está ya hace mucho tiempo aquí...

DÍAZ   Algo así como ocho años. Siete, mejor dicho, porque un año estuvo afuera. Vino una Comisión de Lima y tuvieron un pleito, espantoso. (*confidencial*) Imagínese que Echecopar, en una asamblea delante de todos los obreros, llamó a los de la Comisión «una banda de ociosos y desalmados». Un año después, los trabajos iban tan mal que tuvieron que llamarlo de nuevo. Y aquí lo tiene usted tan campante y feliz como siempre. Cuanto más pasa el tiempo, tanto menos lo comprendo: ¡imagínese, ser feliz en este infierno!

FERNÁNDEZ   Quizá no sea tan difícil...

DÍAZ   Mire usted. (*Se levanta y apaga la luz. La barraca queda en la penumbra. Tan sólo una luz pálida penetra por la ventana del abismo.*) ¿Ve usted? Una penumbra húmeda, un silencio helado y sucio, eso es todo. Pues bien: estamos en la hora más alegre del más radiante día primaveral. Aquí, éste es un clima de golondrinas, de brisas perfumadas. ¡Es el climax del embrujo bucólico!

FERNÁNDEZ   ¡Caramba!...

DÍAZ   ¡Asómese usted a la ventana!

FERNÁNDEZ   (*después de haberse asomado*)   ¡Qué horror! Da vértigos...

DÍAZ   Aguarde. ¿Ve esas florecitas rojas que crecen en la ventana? Son exactamente seis. Cuéntelas, si quiere. Es el vergel bíblico del ingeniero Echecopar. Para él, ésa es la eclosión botánica más jubilosa de la Naturaleza.

FERNÁNDEZ   (*arrancando una flor*)   ¡Qué hombre extraño!...

VOZ DE ECHECOPAR   (*De lejos y con eco, grita.*)   ¡Echecopaaaa- aaaaaar...!

FERNÁNDEZ   ¿Qué ha sido eso?

DÍAZ   Es Echecopar mismo, que está viniendo. El no usa autocarriles. Va a pie por el túnel, jugando con el eco. Se llama a sí mismo y se ríe a carcajadas. Llegará dentro de cinco minutos.

VOZ DE ECHECOPAR (*Ríe.*) ¡Ja, ja, ja, ja, jaaaaaaaaaaaa...!

DÍAZ ¿Lo oye? Todos los días es igual: sus gritos, sus risas, sus saludos. En este mismo momento está ocurriendo a medio kilómetro de aquí: el túnel, la oscuridad, los pasos que retumban, los obreros con sus linternas.

(*La escena se oscurece. Lo que sigue ocurre en la boca del escenario. Por ambos lados, silbando o hablando en voz baja, circulan obreros aislados o en grupos, todos con linterna de mano, lamparinas, etcétera.*)

VOZ DE ECHECOPAR (*muy cerca*) ¡Echecopaaaaaaaar...! (*Un grupo de* OBREROS *aparece por la derecha y se detiene.*)

OBRERO 1.º (*a los demás*) ¡El ingeniero Echecopar!

ECHECOPAR (*Aparece por la izquierda y se detiene. Teatralmente*) ¡Salud, hijos de la noche y el silencio, primos del frío y del abismo, hermanos del cóndor y del viejo Echecopar!

TODOS Buenos días, patrón, buenos días...

ECHECOPAR Pero ¿es de día?

OBRERO 1.º (*desconcertado, a los otros* OBREROS) ¿Es de día...?

ECHECOPAR ¿O es de noche...?

OBRERO 2.º (*a los otros* OBREROS) ¿Es de noche?

OBRERO 3.º No es de día ni de noche.

(*Todos ríen.*)

ECHECOPAR No es de día ni de noche: ¡es de túnel!

(*Risas.*)

OBRERO 4.º ¡El patrón, siempre de broma!

OBRERO 1.º Hoy hace mucho frío en el túnel, patroncito...

ECHECOPAR ¿Mucho frío?

TODOS Mucho frío, mucho frío...

OBRERO 1.º Pero no importa, patrón. Cuando le oímos a usted entrar gritando en el túnel, nos olvidamos del frío y nos ponemos alegres.

ECHECOPAR ¡Ajá! He hecho preparar en el tambo un espléndido café para los que han trabajado de noche.

TODOS (*alegres*) ¿Hay café?

ECHECOPAR Y lo habrá siempre para los formidables trabajadores de Collacocha.

OBRERO 2.º Vamos, entonces.

TODOS Vamos, vamos...

(*Avanzan hacia el extremo de la izquierda, mientras* ECHECOPAR *cruza hacia la derecha.*)

ECHECOPAR (*deteniéndose y avanzando hacia ellos*) ¡Ruperto! (*Los* OBREROS *se detienen.*) ¿Cuánto se ha avanzado esta noche en el asfalto del túnel dos?

OBRERO 1.º Serán unos treinta metros, pues, patrón...

ECHECOPAR ¡Formidable! ¡Treinta metros más cerca de todos los que nos aguardan! ¡Hasta más tarde, entonces!

TODOS Adiós, patrón, adiós... (*Salen por la izquierda.*)

ECHECOPAR ¡Adiós, hijos del abismo y la tiniebla, hermanos del silencio y del viejo Echecopar! (*Dos sombras de obreros cruzan de izquierda a derecha.*)

LOS DOS ¡Buenos días, patrón!

ECHECOPAR ¡Ah! Roque y Mateo, buenos días.

(*Las dos sombras desaparecen por la derecha. Otra sombra cruza de derecha a izquierda.*)

SOMBRA Buenas noches, patrón...

ECHECOPAR Buenas noches, Pedro... ¿Y cómo va la mujer?

SOMBRA ¿La mujer? ¡Ya parió ayer en la tarde! ¿Serás padrino, pues, patrón?

ECHECOPAR El bautismo, para el sábado al mediodía. Yo llevo el pisco.

SOMBRA Muchas gracias, patrón. Buenas noches. (*Sale por la izquierda.*)

ECHECOPAR ¡Buenos días! ¡Buenas noches! ¡Buenos túneles! Coman bien, duerman bien, tengan hijos, trabajen duro: métanle el hombro al Ande.[4] ¡Millones de hectáreas de tierra nueva nos aguardan! ¡Buenos días, mas Pacífico! ¡Buenos días, selva virgen! ¡Buenas noches, Roque y Mateo, Pedro y tu hijo! (*alejándose por la derecha*) ¡Buenos días, túnel! Puna, ¡buenas noches! ¡Buenos túneles, hombres del futuro!

(*Desaparece por la derecha. La escena se ilumina y aparece la barraca tal como estaba antes.*)

DÍAZ (*encendiendo la luz*) Vaya usted preparándose. ¿Sabe lo que hizo conmigo el día de mi llegada?

FERNÁNDEZ ¿Qué hizo?

---

4. **métanle... Ande:** get your shoulder into the mountain (Ande is the singular of Andes.)

DÍAZ   Me dijo: «Oye, monigote: toma una silla y anda a sentarte al túnel.» Le pregunté qué debería hacer allí, y me respondió: «Nada. Absolutamente nada. Pones la silla en el suelo, te sientas y te quedas sentado. Así comenzarás a conocer tres cosas fundamentales: el silencio, el frío y la oscuridad. Son los tres elementos que te rodearán constantemente. Conócelos, aprende a dialogar con ellos, arráncales sus secretos, porque para individuos como tú en el país hay sólo dos caminos: o te enfrentas a los elementos, que en nuestro país son hijos de la cólera de Dios, o te vas a Lima, a adular a los potentados, a ver si les caes en gracia y te hacen rico.»

FERNÁNDEZ   Curioso personaje... Pero no le falta algo de razón.

DÍAZ   Y también me dijo: «Si quieres enfrentarte a los elementos, aprende antes a estar solo. En nuestro maldito país sólo llega a ser fuerte el que sabe estar solo y puede prescindir de los demás.»

FERNÁNDEZ   Yo no le negaría toda la razón...

DÍAZ   Echecopar tiene la manía de los hombres fuertes que necesita el país; se ríe de todo lo demás. Hablando del Perú y de.los peruanos, es implacable. Aunque sospecho que, en el fondo, es un gran patriota. A veces se emborracha con los indios y se queda a dormir en sus chozas. ¡No comprendo cómo puede soportar la pestilencia! Pero él dice que el único hedor que no resiste es el de la adulación y la maledicencia. (*Se oye acercarse los pasos de* ECHECOPAR.) Y no se vaya a molestar cuando le diga que usted es también uno de la «pandilla de tirifilos» o del «rebaño de monigotes» o de la «banda de ladrones». Pero aquí está ya. (*Se sienta rápidamente en su escritorio y hace como si trabajara.* ECHECOPAR *entra y, sin reparar en nadie, va a sentarse a su escritorio. Retira unos papeles, enciende un cigarrillo y se dispone a trabajar.*) Ingeniero: le presento al ingeniero Fernández, que viene a reemplazarme.

ECHECOPAR (*sin levantar la vista*)   ¡Ajá!

FERNÁNDEZ (*acercándosele y de mala gana, en vista del frío recibimiento*)   Buenos días. (ECHECOPAR *se levanta y va a ponerse delante de* FERNÁNDEZ, *ríe, cada vez más fuerte, hasta estallar en una carcajada.*) Oiga: ¿me puede usted decir de qué se ríe?

   (ECHECOPAR *trata de coger los prismáticos, pero* FERNÁNDEZ *le aparta la mano con energía.*)

ECHECOPAR (*súbitamente colérico*)   Pero ¿se han creído en Lima que aquí vamos a filmar películas para Hollywood? ¿Para qué demonios me mandan a mí monigotes disfrazados de ingenieros?

FERNÁNDEZ (*cortante*)   Yo no soy monigote, ¿entendido?

ECHECOPAR (*a quien ha gustado la dureza de* FERNÁNDEZ, *entre burlón y conciliador*)   ¡No se indigne, hombre, no se indigne! Pronto reconocerá usted mismo que es una de las figuras más ridículas que han entrado en este túnel, con excepción, naturalmente, de Díaz y de don Alberto Quiñones, nuestro presidente del Directorio.

DÍAZ (*tratando de ser gracioso*)   El ingeniero Echecopar es un hombre original, ¿no se lo dije? Hay que ser tolerante con él...

ECHECOPAR   ¡Tú cállate! (*a* FERNÁNDEZ) ¿Qué pensaría usted de mí, ingeniero Fernández, si me viera en un baile, en Lima, con la indumentaria que llevo ahora? Lo mismo... (*Se interrumpe, reparando en la flor que* FERNÁNDEZ *tiene en la mano. Va hacia la ventana, cuenta las flores y se vuelve colérico.*) Señor Fernández: aquí, como en cualquier parte, uno puede ser todo lo imbécil que quiera, siempre que eso no le haga mal a nadie. Mi imbecilidad consiste en querer a las flores que crecen en mi ventana...

FERNÁNDEZ (*cortado*)   Yo no podía saber que hacía mal arrancando una...

ECHECOPAR   Pues ahora lo sabe. Y le prohibo terminantemente que las toque. (*pausa incómoda*) Mire, Fernández: aunque usted no lo crea, me es simpático. Por lo menos más simpático que Díaz. Voy a preocuparme por hacer de usted un ingeniero de verdad, un hombre fuerte. ¿Por qué se ha disfrazado de ingeniero para venir aquí? ¿A qué vienen esos prismáticos en medio de las tinieblas? Démelos. (FERNÁNDEZ *se los entrega y* ECHECOPAR *los coloca sobre su escritorio.*) ¿Cree que va a ver mujeres desnudas al otro lado del precipicio? Aquí usted me ve a mí y a Díaz, y yo y Díaz le vemos a usted. También están Soto, Bentín, Sánchez, Roberto y los cuatrocientos indios trabajadores. Usted los ve a ellos y ellos le ven a usted. Nada más. Nada nuevo. Nunca otra cara. ¿Se afeita usted con espejo? (FERNÁNDEZ *asiente con la cabeza.*) Entonces, se verá de vez en cuando a sí mismo. ¿Le parece terrible? Pues no lo es, se lo aseguro; un hombre puede soportar todo.

FERNÁNDEZ   ¿Me he quejado, acaso?

ECHECOPAR No. (*Pausa.*) Bueno, Fernández, desde hoy reemplaza usted a Díaz. ¿Quiere iniciarse con una tarea un tanto curiosa?

FERNÁNDEZ Inmediatamente.

DÍAZ Pero creo que ya es la hora del desayuno.

ECHECOPAR Aquí no hay hora del desayuno. Fernández, saliendo de aquí, a la derecha, a unos quinientos metros, hay una puerta blanca con una cruz negra pintada encima. Es nuestro almacén de explosivos. Quiero que me traiga en un autocarril diez cajas de cartuchos. Esta es la llave. (*Coge la llave de la pared y se la entrega.*)

DÍAZ (*asustado*) ¡Qué! ¿Piensa usted volar el túnel?

ECHECOPAR ¡Cállate! (*a* FERNÁNDEZ) ¿De acuerdo, entonces?

FERNÁNDEZ Claro que sí.

ECHECOPAR Así me gusta, muchacho. (FERNÁNDEZ *va a salir.*) Haga todo con cuidado. Encienda también las luces posteriores del autocarril, porque el tren con el relevo está por llegar.

FERNÁNDEZ Perfectamente. (*Desaparece hacia el túnel.*)

ECHECOPAR (*desde la puerta*) Al regresar ponga su autocarril en el desvío de la derecha con las luces rojas encendidas...

FERNÁNDEZ (*desde afuera*) Así lo haré. (*Se oye el encendido del motor de un autocarril.* FERNÁNDEZ *aparece nuevamente en la puerta.*) Si lo hace para probarme, sepa que usted no es aquí el único valiente. (*Sale. Se oye alejarse el autocarril.*)

DÍAZ No teme usted que...

ECHECOPAR Tú cállate y aprende de Fernández a no tener miedo. (*llamando por el dictáfono*) ¡Aló, aló, central del campamento!

ROBERTO (*por el dictáfono*) Central del campamento...

ECHECOPAR Roberto: que parta el tren con los relevos.

ROBERTO Muy bien, ingeniero.

ECHECOPAR (*al dictáfono*) ¡Aló, aló, central uno...!

SANTIAGO (*por el dictáfono*) Central uno.

ECHECOPAR Santiago, dentro de unos minutos va a pasar el tren con los relevos. Avisa al maquinista que hay un autocarril cargando explosivos.

SANTIAGO Muy bien, ingeniero.

ECHECOPAR (*al dictáfono*) ¡Aló, aló, central tres! (*Aguarda.*) ¡Central tres, aló! (*Aguarda.*) ¡Aló!... No hay nadie. Sánchez podría ser un magnífico ministro. ¡Jamás se le encuentra! ¡Aló, central tres!...

DÍAZ ¿Nadie?

ECHECOPAR   Nadie. No trabajan para rendir, para ser útiles. Trabajan para tragar.

DÍAZ   Quizá tengan razón. Confieso que a mí me pasa algo semejante. ¿A usted no?

ECHECOPAR   No. Yo trabajo para no morirme de hambre, y también para ser útil. Tengo algunas ideas al respecto, pero de nada serviría exponértelas a ti. ¡Aló, aló, central tres! ¡Central tres! ¡Nada! Y también trabajo para que mi mujer eduque a sus hijitas en el mismo colegio que las de las señoronas. Si no, se muere... ¡Aló, central tres!

SÁNCHEZ (*por el dictáfono*)   Sí, central tres...

ECHECOPAR   ¿Sánchez?

SÁNCHEZ   Diga, ingeniero...

ECHECOPAR   Que se alisten las patrullas. El tren con el relevo llega en diez minutos.

SÁNCHEZ   Muy bien, ingeniero.

ECHECOPAR   Sánchez, si la próxima vez no contestas inmediatamente, te largo.

SÁNCHEZ   Ingeniero, es que estaba viendo una perforadora que...

ECHECOPAR (*interrumpiéndolo*)   ¡Nada! Te pago para que atiendas al teléfono. (DÍAZ *se asoma a la ventana.*) ¡Aló, aló, central de Collacocha!

AYUDANTE (*por el dictáfono*)   Central de Collacocha.

ECHECOPAR   Llámame al ingeniero Soto.

AYUDANTE   Ha salido, ingeniero.

ECHECOPAR   ¿Sabes adónde ha ido?

AYUDANTE   A la laguna no ha subido, ingeniero, porque estuvo allí hace un rato. Debe de estar en camino al campamento.

ECHECOPAR   Ya.

DÍAZ (*desde la ventana*)   Arriba, una tirita de cinta azul: el cielo. Abajo, una tenue serpentina blanca: el río. Y en medio, dos paredes de piedra de mil quinientos metros de altura, separadas por unos palmos... (*a* ECHECOPAR) ¿Puede usted vivir así?

ECHECOPAR (*trabajando*)   Sí.

DÍAZ   ¿Puede usted ser feliz metido en una barraca que, por un lado, da a un túnel y por el otro a un precipicio?

ECHECOPAR (*sin levantar la vista*)   ¿Por qué no? ¿No lo son otros metidos en una oficina o en un club?

DÍAZ ¿Pero no extraña usted nunca la ciudad, la gente bien vestida, las mujeres, las flores?

ECHECOPAR (*riendo*) ¡Oh, no, no, no! Hace tres años que fuí por última vez y aún no siento los menores deseos de regresar.

DÍAZ Yo me vuelvo loco de alegría al pensar que dentro de tres días estaré allá.

ECHECOPAR Mira, yo no lo oculto: mi mujer y mis hijas son envidiosas y necias, como muchas. Creen que la situación del mundo se va a arreglar organizando fiestas para dar a los pobres por caridad lo que merecen por derecho. Mi hermano es un adulón que no pierde un besamanos en Palacio. Además, es uno de esos tipos que se sonríen distinto, según la persona a que saludan. Es débil con los fuertes y fuerte con los débiles, al revés de lo que debe ser. Y mi hijo, que es periodista y poeta, cree que en el Perú vale más participar poéticamente en el dolor universal que taladrar montañas y salvar abismos. Naturalmente, me cree un animal. No sabe que si nuestro país estuviera un año en manos de cretinos como él, nos olvidaríamos hasta de cómo se enciende el fuego. ¿Para qué, pues..., para qué? (*ruido de autocarril que se acerca*) ¡Ah, ese debe de ser Soto!

DÍAZ Es usted un hombre original.

ECHECOPAR Si crees que es originalidad preferir el olor de los indios a la pestilencia de la molicie y la indignidad... (*ruido y pito de tren*) Ya llegan los relevos.

DÍAZ Bentín llega ahora con las patrullas de relevo. ¿Piensa usted hablar con él sobre la reunión sindical de esta tarde?

ECHECOPAR (*cortante*) Yo no trato con Bentín. Si quieren entenderse conmigo, que me manden a Rojas.[5] Rojas es revolucionario porque ama a los de abajo; Bentín, porque odia a los de arriba. El también incurre en el pecado nacional de no amar a nadie. Porque tú sabes que aquí nos odiamos y nos despreciamos entre blancos, indios, cholos, negros, zambos, ricos, pobres, cultos y analfabetos. No es un mal muchacho, pero me hartan sus discursos.

DÍAZ ¿Puedo irme a desayunar?

ECHECOPAR Anda. Y di que al mediodía manden en un autocarril almuerzo para mí y para Fernández.

(*El autocarril se detiene. Entra* SOTO.)

5. que... Rojas: let them send Rojas to me

SOTO   ¿Se van ustedes?

ECHECOPAR   No. Yo voy a quedarme aquí todo el día.

DÍAZ   Yo tengo un hambre canina. (*a* ECHECOPAR) ¿Puedo irme, ingeniero?

ECHECOPAR   Vete.

DÍAZ   Hasta la tarde, señores.

SOTO   Hasta luego, Díaz. (DÍAZ *sale. Se oye alejarse su autocarril. Vehemente*) Echecopar: ¡algo importantísimo!

ECHECOPAR   ¿Qué pasa, Soto?

SOTO   Echecopar: ¡la muerte está rondando en Collacocha!

ECHECOPAR   ¿Y por qué no me la trajiste? Hace tiempo que tengo curiosidad de conocerla.

SOTO   No es para bromear. Hace media hora que he bajado de la laguna. Echecopar: ¡en seis horas, el nivel del agua ha bajado sesenta centímetros!

ECHECOPAR (*alarmadísimo*)   ¿Qué?

SOTO   Sesenta centímetros, ¿comprendes? Son miles de metros cúbicos...

ECHECOPAR (*interrumpiendo*)   ¿Sesenta centímetros?

SOTO   Son miles de metros cúbicos de agua que han desaparecido, Echecopar...

ECHECOPAR (*reponiéndose*)   Bueno, viejo, ¿no sabes que esas cosas suelen ocurrir? ¿No es así, acaso, nuestro país? Hay una laguna: un cerro la aplasta. Luego, un río se lleva al cerro y, finalmente, vuelve a salir la laguna un par de kilómetros más allá.

SOTO   Echecopar, te suplico...

ECHECOPAR   Y el hombre que quiere dominar esta Naturaleza tiene que ser fuerte, como ella.

SOTO   Echecopar, por Dios, ¿no te das cuenta?

ECHECOPAR   Nada, hombre, tú te asustas de todo. Los últimos días han estado cayendo grandes bloques de hielo de los nevados; ha aumentado enormemente la presión del agua, se han abierto grietas en el fondo y ha habido grandes filtraciones. Eso es todo. ¿No es natural?

SOTO   Comprendo..., comprendo... Pero, Echecopar, por Dios, ¿adónde irán a salir esas grietas?

ECHECOPAR   ¿Pero te crees que yo soy Papalindo [6] para saber lo todo?

6. **Papalindo:** know-it-all

SOTO   ¿Y si las grietas van a salir a la quebrada, o al túnel?

ECHECOPAR (*levantándose*)   ¡Imposible, Soto! Olvidas lo que nos han dicho los geólogos: trabajamos en un gigantesco macizo de millones y millones de toneladas. Los mares de todos los planetas no podrían moverlo.

SOTO   Echecopar, te ruego que me respondas con la mayor seriedad: ¿sabes exactamente lo que estás diciendo?

ECHECOPAR   ¿Y cuándo digo yo lo que no sé? ¡Niñerías, Soto, niñerías! Estás solo allí arriba y tienes miedo, eso es todo. Ahora que, tratándose de este país, yo nunca respondo de nada. (*Ríe.*) Tú sabes que toda la fuerza y la pujanza que le faltan aquí al hombre las tiene, con creces, la Naturaleza salvaje, contra la que tú y yo luchamos.

SOTO   Entonces, ¿no crees que sea necesario tomar precauciones?

ECHECOPAR   ¿Y qué precauciones quieres que tome?

SOTO   Que no se trabaje hasta que se normalice el nivel de la laguna.

ECHECOPAR   ¡De ningún modo! El año pasado, en las tres ocasiones en que ocurrió algo parecido, me hiciste paralizar el trabajo para nada. No se puede hacer esperar a la civilización tan sólo porque un hombre tiene miedo.

SOTO   Es que algún día puede ocurrir una catástrofe. ¿Te imaginas si la laguna se viene por el túnel? ¿Puedes imaginarte lo que pasaría?

ECHECOPAR   En alguna forma hay que reventar, Soto. No podemos contar con algo que lo mismo puede ocurrir hoy como dentro de cien o de mil años, o nunca. Además, ¿qué quieres que haga? ¿Pretendes domar una cordillera con cintitas celestes? Yo, por mi parte, estoy dispuesto a asfaltar esta carretera con mis huesos y con los de ustedes.

SOTO   Es que no todo está en nuestras manos...

ECHECOPAR   No; todo, no. Pero portarnos como hombres de verdad, eso siempre está en nuestras manos. Lo que pasa es que, como todos, tú ves en nuestra obra tan sólo una inversión, un negocio, que ni siquiera es tuyo. Pero nuestra obra es más que eso. Estamos combatiendo la miseria humana y estamos construyendo la felicidad de los hombres del futuro.

SOTO   Echecopar, ¡son sesenta centímetros!

ECHECOPAR   Somos un país demasiado salvaje como para darnos el lujo de hacer esperar al progreso y a la civilización. ¿No han comenzado, acaso, las lluvias? ¿No sabes que si no defendemos algunos puntos, un par de huaycos destruye en media hora lo que hemos hecho en dos años?

SOTO Como quieras, viejo; pero la muerte ronda en Collacocha.

ECHECOPAR ¡Pues acuéstate con ella!

SOTO ¡Eres intolerable!

ECHECOPAR Nada. Si tienes miedo, lárgate, que ya conseguiré otro. (*amistoso*) ¿Sabes tú cuántos miles mueren al año porque no hay medicinas ni alimentos? ¿Sabes tú que cada hora que se trabaja aquí significa rescatar a muchos de la muerte y la miseria? Todo esto no puede detenerse porque un señor Soto tiene miedo...

SOTO ¡Yo no tengo miedo!

(*Se oye el ruido del tren que se detiene y rumor de voces.*)

ECHECOPAR ¡Lárgate, entonces, a tu laguna! ¿A qué demonios has venido?

SOTO Adiós, Echecopar. Ojalá tengas razón. (SOTO *sale.*)

ECHECOPAR (*desde la puerta*) Aquí no se trata de quién tiene razón. El que está llevando la felicidad a otros, no puede tenderse a roncar en el camino.

(*Regresa a su escritorio. Mira unos momentos el mapa que está detrás de él. Hace un gesto de despreocupación y se dispone a trabajar. Entra* BENTÍN.)

BENTÍN Buenos días, ingeniero.

ECHECOPAR Buenos días, Lenin.

BENTÍN (*sonriendo*) Gracias por la comparación. Lenin fué un gran hombre.

ECHECOPAR ¿Y yo no soy un gran hombre? Y Pedro Mamani, el brequero, ¿no es un gran hombre? Pedro Mamani come, trabaja, procrea, duerme, anda en harapos, come hambre,[7] duerme en el suelo y goza de la vida. Yo encuentro eso sencillamente formidable.

BENTÍN Pero Lenin, ingeniero... Piense usted en la situación europea de principios de siglo...

ECHECOPAR La situación europea... La situación europea... ¡Qué demonios me importa a mí eso, hombre!

BENTÍN Es que no se puede pensar como usted, ingeniero. Hay causas universales. ¡Todos somos hermanos!

---

7. **come hambre:** eats hunger (i.e., goes hungry)

ECHECOPAR   Lo serás tú, anarquista de carnaval. Yo no, ¿entiendes? Yo soy hermano de Soto y de Sánchez y de Fernández y de los cuatrocientos indios que trabajan aquí y de los Quiñones. De nadie más.

BENTÍN   ¿Y los millones de hombres que sufren en el mundo?

ECHECOPAR   No faltará otro que se preocupe por ellos. Yo soy hermano de los que puedo tocar, de los que puedo reventar o enaltecer. De nadie más. Tú no haces nada por los indios de aquí. ¿De qué les sirve a ellos que seas hermano de los pobres de la India, o del Turquestán?

BENTÍN   Es que, además, ingeniero...

ECHECOPAR   (*cortando*)   Además no hay sino dos cosas, hombre: los grandes apóstoles, que ni tú ni yo lo somos, y las grandes mentiras y la conversación, y el negocio y el arribismo. ¡Me indignas! Pero ¿piensas tú en la situación del país? ¡Nadie trabaja! ¡Todos conversan! Los directores conversan de mujeres. Los indios conversan de su hambre. Tú conversas de tus hermanos del Turquestán. Y, entre tanto, los puentes se tienden solos, los túneles se abren solos. No sé. Debe de ser un milagro de fray Martín...[8]

BENTÍN   Es que yo insisto en que la democracia...

ECHECOPAR   (*cortante*)   ¡Qué democracia ni qué veinte mil demonios! Tú no insistes sino en tus mentiras y en tus estupideces. ¿Acaso te he dicho yo que vengas a hablarme de la situación europea? Yo rompo montañas y salvo abismos. ¡Qué cuernos, si tú lo comprendes y lo agradeces...[9] o tus hermanitos de Siberia... o tus primitos de Beluchistán...!

BENTÍN   Bueno... bueno. (*cambiando de tema*) Ingeniero, he venido...

ECHECOPAR   ¡No!

BENTÍN   ¿Cómo?

ECHECOPAR   Que no.

BENTÍN   Si todavía no he preguntado nada...

ECHECOPAR   Pero ibas a hacerlo.

BENTÍN   En efecto. He venido, ingeniero, a pedirle algo a lo que usted no puede negarse.

ECHECOPAR   Pues bien: me niego.

BENTÍN   Habla usted como si supiera lo que le voy a preguntar.

8. **fray Martín:** probably Saint Martín de Porres (1569–1639), a Peruvian friar martyred in Japan   9. **¡Qué... agradeces!** what do you know or appreciate about it?

ECHECOPAR   ¿Te vas a callar? Tú has venido a preguntar si asistiré a la reunión sindical. Pues no, no voy a ir. Contigo, nada, ¿oyes? Tú no amas a nadie. Tú odias a los ricos, y lo que quieres es reventarlos, para hincharte tú mismo. Te mueres de envidia, eso es todo; te asfixias de resentimiento y de vanidad.

BENTÍN (*colérico*)   Haré como si no lo hubiera oído, ingeniero. Pero antes de irme quiero decirle que en esa reunión se va a tratar de la cancelación de los contratos y del pago de las indemnizaciones.

ECHECOPAR   Me importa un bledo.[10]

BENTÍN   Yo lamento sinceramente que un hombre de su situación sea sordo a las justas reclamaciones de los obreros...

ECHECOPAR   ¡Sordo! ¡Sordo! ¡Bellaco! ¿Pretendes tú que yo haga túneles, y que consuele a los obreros, y que diga misa, y que sea diputado? Que tus obreros hagan sin mí túneles como éstos, que unan ellos sin mí la costa con la selva. O hazlo tú, monigote sin pantalones, y reconoceré que soy sordo.

BENTÍN   Nadie niega, y yo menos que nadie, los méritos indiscutibles de su labor personal. Pero esos méritos no deben ser obstáculo para que usted colabore en la solución de los problemas nacionales.

ECHECOPAR   ¡Ajá! ¿De modo que construir caminos no es contribuir en la solución de los problemas nacionales?

BENTÍN   Me refiero al problema social de los obreros...

ECHECOPAR   Me importa un bledo. Yo quiero y aprecio a Pedro Mamani, a Jacinto Valdivia, a Huamán Quispe y a todos. Converso con ellos, nos tomamos unos tragos. Si necesito algo, se lo pido. Si quieren algo, se lo doy. Cada uno de ellos es para mí exactamente como cualquiera de los Quiñones. Sus compañeras y sus hijos son para mí exactamente como las esposas y los hijos de los señorones. Eso es todo. Si todos fuesen como yo, no existirían los problemas de que hablas y tú te irías al demonio.

BENTÍN   Está usted verdaderamente obcecado.

ECHECOPAR   Totalmente obcecado. Mi misión en la tierra es habilitar nuestro maldito país como morada del hombre, hacer su suelo transitable, abrir caminos para que los hombres se acerquen a ellos. Eso y nada más haré.

BENTÍN   No es eso lo que dije...

10. **Me... bledo:** It doesn't matter to me at all.

ECHECOPAR Y créeme que mi obstinación no conoce límites. Estoy obcecado; además, soy gruñón, majadero, terco, sucio y retrógrado. Bueno; sal y verás un túnel. Sigue a la izquierda y verás otro túnel..., sigue y verás un puente, sigue y verás otro túnel y otro puente..., y otro..., y otro..., y otro. Soy un ingeniero de Caminos; bueno, ahí están mis caminos. Hoy o mañana pasará por aquí el primer camión de la selva. De la selva al mar..., ¡se dice en dos palabras! Tú eres un revolucionario. Bueno, ¿dónde está tu revolución? ¡Contesta! ¿Dónde está?

BENTÍN Una revolución es algo que los acontecimientos...

ECHECOPAR ¡Qué acontecimientos ni qué niño muerto, hombre![11] ¿Dónde está tu patíbulo? ¿Dónde está tu osadía? ¿Dónde está tu amor? ¿Dónde está tu sacrificio? Sólo hay mentiras, y resentimiento, y envidia. Haz tu revolución como yo hago mis túneles y después hablaremos...

BENTÍN (*exasperado*) ¡Esto es el colmo! ¡Usted niega los más elementales derechos del hombre!

ECHECOPAR No los niego, imbécil. Lo que niego es que tú y mis diez mil paisanos que se parecen a ti sean auténticos defensores de ellos. Me revientan los apóstoles de su propia conveniencia. Y otra cosa, que puedes creerme: jamás, mientras pueda evitarlo, moveré un dedo por los derechos del hombre en nuestro país. ¿Nueve millones de hombres oprimidos, extorsionados, sangrados por cuatro o cinco millonarios? ¿Un rebaño de elefantes acosado por un paralítico? ¡No me hagas reír, hombre..., no me hagas reír!...

BENTÍN Es que los plutócratas y los aristócratas, amparados...

ECHECOPAR (*cortando*) ¡No me hagas reír, hombre! Sal y verás mis túneles y mis puentes. ¡Que vengan tus plutócratas y tus aristócratas a destruirlos! Por este camino que me ha quemado las pestañas[12] ocho años mientras tú roncabas o discurseabas, pasarán alimentos y maderas para la costa, máquinas y medicinas para la selva. Este camino, que lo he hecho a pesar de tus huelgas y de la miopía de los directores, incorpora a la Humanidad millones de hectáreas de tierra feraz. ¡Ven tú a hablarme, ahora, de la situación europea de principios de siglo!

---

11. ¡Que... muerto! The devil with your happenings! 12. me... pestañas: has kept me awake

BENTÍN   Pero usted mismo tiene que reconocer que la plutocracia ha participado en la construcción de su camino...

ECHECOPAR (*furioso*)   ¿Quién? ¿Qué has dicho? La Compañía Quiñones y Quiñones puso el dinero..., ¿entiendes?, el dinero, que es los más anónimo e impersonal que existe. Un millón de soles, venga de un santo o de un bribón, es siempre, fatal y únicamente, un millón de soles. Que se ponga cualquiera de los directores en la puna, cargado de millones y amanecerá en la panza de un buitre.

BENTÍN   Y si los desprecia tanto, ¿por qué trabaja usted para ellos?

ECHECOPAR   ¿Para ellos? Yo trabajo para mi país..., ¿entiendes?..., ¡para mi pueblo! (*cogiéndolo de las solapas y zamaqueándolo*) ¡Niégalo! ¡Anda, atrévete! ¡Niégalo y te aplasto como a una cucaracha! ¡Te aplasto el hocico! (*Llaman al dictáfono.* ECHECOPAR, *arrastrando consigo a* BENTÍN, *que lucha por deshacerse*) ¡Hable!

SOTO (*por el dictáfono*)   ¿Echecopar?

ECHECOPAR   Sí, ¿Soto? ¿Adónde estás?

SOTO   ¡Qué importa ahora adónde estoy! ¿Sabes lo que acabo de ver en este momento?

ECHECOPAR   No sé nada; ¡habla!

SOTO   ¡Por Dios, qué bruto eres! ¿No se te ocurre?

ECHECOPAR (*colérico*)   ¿Es algo de la laguna o no?

SOTO   No, Echecopar; ¡en Collacocha no pasa nada! ¿Sabes lo que acabo de ver en este momento? ¡El camión, Echecopar!

ECHECOPAR   ¿El camión?...

SOTO   El primer camión que une por nuestro camino la costa con la selva...

ECHECOPAR   ¿El camión, Soto? ¿El camión está llegando?

BENTÍN (*forcejeando por deshacerse*)   ¿El camión?...

SOTO   ¡Acaba de entrar al túnel!

BENTÍN (*Logra soltarse, va hasta la entrada del túnel y grita.*)   ¡Kammionmi chekamunam![13] (*afuera, murmullos de la gente que llegó con el tren*) ¡Kammionmi chekamunam!

UNA VOZ (*afuera*)   ¡Kammionmi chekamunam...! (*Crece el murmullo.*)

---

13. **¡Kammionmi chekamunam!** The trucks are coming! (Quechua, the language spoken by most of the inhabitants of the highlands of Peru, Bolivia, and Ecuador)

UNA VOZ (*más lejos*) ¡Kammionmi chekamunam...!

VOCES (*afuera, acercándose cada vez más*) ¡Kammionmi chekamunam! ¡Kammionmi chekamunam! ¡Kammionmi chekamunam! (*Las voces crecen y se acercan, ellas deben continuar mientras ocurre la siguiente escena.*)

ECHECOPAR(*asomándose a la entrada del túnel*) ¡Kammionmi chekamunam!

(*Algunos indios ingresan del túnel y se reparten por la pared derecha del escenario gritando.*)

INDIOS ¡Kammionmi chekamunam! (*etc.*)

ECHECOPAR (*tomando consigo a* BENTÍN *y acercándose a la boca del escenario*) ¡Máquinas y medicinas para la selva!

BENTÍN ¡Alimentos y maderas para la costa!

ECHECOPAR ¿Te das cuenta, monigote de mi alma?

BENTÍN Me doy cuenta..., me doy cuenta; ¡no hay distancias en el mundo! Y donde las hay, los valientes las salvan. (*Los gritos decrecen.*)

ECHECOPAR ¡Eso me gusta, Bentincito! ¿Quién construyó el camino? ¿Los derechos del hombre? ¿Tus sanguinarios plutócratas, desgraciado?

BENTÍN Un ingeniero, ¡usted salvó las distancias!

ECHECOPAR ¿Yo? ¡No, hombre, no! (*señalando a los indios*) ¡Ellos! Ellos hicieron el camino... (*avanzando hasta los indios y palmoteándolos*) ¡Estos pestíferos amados de mi corazón! Sin comer, sin dormir, sin quejarse, noche y día, día y noche, mientras tú y yo roncábamos, ellos hicieron el camino, ellos horadaron los túneles y tendieron los puentes!

BENTÍN (*declamatorio*) ¡Caminos de amor y confraternidad!

ECHECOPAR ¡Calla, imbécil, que me recuerdas al cretino de mi hijo!

FERNÁNDEZ (*apareciendo*) ¿Qué pasa aquí? ¿Se han vuelto todos locos?

BENTÍN Locos, locos de remate...

ECHECOPAR El camión está llegando, ¿entiendes? ¡El primer camión que viene de la selva!

FERNÁNDEZ (*entusiasmado*) ¡Es formidable! (*Se abrazan.*)

ECHECOPAR (*Va hacia el fondo y habla hacia el túnel.*) Pero ¿qué pasa aquí? ¡Todo el día se lo pasan amarrando el macho y

tocando quena![14] ¿Y ahora nada? (*Una quena comienza a sonar.*)
¡Al viento las quenas de Collacocha! (*Más quenas se unen a la primera en un aire festivo y recio.*) ¡Tokaychik kenakunata![15]
(*Aumenta el coro de las quenas. También tocan los indios de la escena y comienzan a bailar. Se escucha el taconeo de la gente que baila en el túnel.* ECHECOPAR *quita la quena a uno de los indios e ingresa, tocando él mismo, a la barraca,* FERNÁNDEZ *y* BENTÍN *lo siguen.*)

BENTÍN (*al dictáfono*) ¡Aló, central uno!

SANTIAGO (*por el dictáfono*) Central uno.

BENTÍN ¿Santiago? Habla Bentín.

SANTIAGO ¿Dónde está usted, que hay tanto estrépito?

BENTÍN Santiago, ¡el camión está llegando!

SANTIAGO ¿El camión de la selva?

BENTÍN El camión de la selva. ¡Avisa a todo el campamento! (*Corta.*)

ECHECOPAR (*dejando de tocar y palmoteando la pared de roca de la ventana del abismo*) ¡Ande, Ande! ¿A qué te estará sabiendo esto?

UNA VOZ (*afuera*) ¡Kammionmi chekamunam! (*Las quenas dejan de tocar.*) ¡Kammionmi chekamunam!

(*Se hace un gran silencio. A través del silencio aparece el ronquido del motor del camión. Gran expectativa en todos los rostros. El ruido crece y crece, hasta que se oye al camión detenerse en el túnel. Se apaga el motor. Golpe de cierre de la portezuela. Todos gritan unánimemente.*)

TODOS (*jubilosamente*) ¡Ahhhhhhhhh...!

(*Seguido de muchos indios, ingresa al escenario* JACINTO TAIRA, *quien entra a la barraca y se detiene en la puerta.*)

TAIRA (*a* ECHECOPAR, *llevándose la mano a la gorra*) ¡...días, patrón!

(*Los tres le devuelven el saludo con la mano.*)

ECHECOPAR ¿Cómo te llamas?

TAIRA Jacinto Taira.

ECHECOPAR Jacinto Taira... ¿De dónde eres?

---

14. ¡**Todo... quena!** You spend the whole day taking it easy and playing the quena! (The quena is an Indian wind instrument similar to a flute.) 15. ¡**Tokaychik kenakunata!** *¡Toquen las quenas!*

TAIRA   De San Pedro de Lloc.

ECHECOPAR   De San Pedro de Lloc... ¿A qué hora comenzaste a subir?

TAIRA   En la madrugada.

ECHECOPAR   ¿Y a qué hora piensas estar abajo?

TAIRA   P'al[16] anochecer.

ECHECOPAR   ¿Oyes, Fernández? ¿Oyen todos? ¿No es acaso formidable? Jacinto Taira, de San Pedro de Lloc, comenzó a subir a la madrugada y al anochecer estará ya abajo.

TAIRA   Así es, patrón.

ECHECOPAR (*parándose delante de* TAIRA)   Así es, Jacinto Taira, de San Pedro de Lloc. ¡Todo un cholo[17] con sus patas cortas, su bufanda y su pucho. ¡Un trago para Jacinto Taira! (*Busca con la mirada.*) ¡Ah, ya se fué el desgraciado de Díaz! ¡Un premio para Jacinto Taira! Fernández, ¡jajajá, tus binoculares para Jacinto Taira, de San Pedro de Lloc! (*Cuelga del cuello del chófer los binoculares de* FERNÁNDEZ, *que estaban sobre su escritorio. Quitándose su reloj de pulsera*) ¡Y mi reloj, para Jacinto Taira!

FERNÁNDEZ   Taira, es usted el primer hombre que cruza este camino...

TAIRA   Se hace lo que se puede, señor...

ECHECOPAR   ¡Se hace lo que se puede! ¡Eso es! ¿No es cierto, Fernández? Se hace lo que se puede... y allí están los túneles, allí están los puentes, allí están los camiones, doblando las abras. ¿Y cómo está ese camino, Jacinto Taira?

TAIRA   Cómo va a estar, pues, patrón: como un espejo. Cuando arregle usted el arroyo a la entrada de este túnel...

ECHECOPAR (*interrumpiéndolo, a todos*)   ¿Han oído? ¡Como un espe...! (*Se interrumpe, gira violentamente hacia el chófer y le pregunta, extrañado.*) ¿Un arroyo, dices? ¿De qué arroyo estás hablando?

TAIRA   Ese que hay aquí no más, patrón, en la quebradita entre este túnel y el otro...

BENTÍN (*a* TAIRA)   Te aseguro que la próxima vez que pases por aquí no habrá arroyo que te fastidie...

ECHECOPAR (*que está demudado, al chófer y a los indios*)   Salgan... (*Estos obedecen sólo lentamente.*) ¡Que salgan, digo! ¡Fuera! ¡Afuera todos!

16. **p'al:** *para el*   17. **cholo:** a common term for the Indian of the Peruvian mountains

(*Todos salen extrañados.* ECHECOPAR *cierra la puerta y queda detenido junto a ella, de cara al público, ensimismado y muy angustiado.* FERNÁNDEZ *y* BENTÍN *se miran desconcertados.*)

FERNÁNDEZ (*acercándose a* ECHECOPAR) ¿Se siente usted mal, ingeniero?

BENTÍN (*también acercándose*) Tiene usted mala cara... ¿No se siente bien?

ECHECOPAR (*después de una pausa, como para sí mismo*) El arroyo..., las grietas..., la laguna... ¡La laguna!... (*De pronto grita, mirando en torno suyo.*) ¡Sotoooo! (*Abre la puerta y grita afuera.*) ¡Sotoooo! (*Avanza hacia la entrada del túnel y vuelve a gritar.*) ¡Sotoooo!

(*Entra al túnel y se le oye llamar una vez más.* BENTÍN *y* FERNÁNDEZ *se miran, encogiéndose de hombros.*)

TELÓN

ACTO SEGUNDO

El escenario, como en el acto anterior. FERNÁNDEZ *y* BENTÍN *están sentados.*

BENTÍN (*casi en son de mofa*) «El arroyo, las grietas, la laguna...» Verdaderamente, no sé qué demonios pueda significar eso.

FERNÁNDEZ   Algo debe de significar para él, porque cuando lo dijo estaba demudado.

BENTÍN   ¿Qué cree usted que sea?

FERNÁNDEZ   ¡Cómo lo voy a saber yo!...

BENTÍN   Usted comprende que, por más grande que sea un arroyo, jamás puede llegar a formar una laguna que amenace el camino. Después de todo, cualquier indio de acá sabe cómo se hace un drenaje.

FERNÁNDEZ   El ingeniero Echecopar no me parece un hombre que se deje impresionar así no más por cualquier cosa.

BENTÍN   Quizá. Pero en el fondo creo que así son estos hombres que se pasan la vida vociferando. Un arroyito, y salen volando como alma que lleva al diablo.

FERNÁNDEZ   Esa no es mi impresión. Pero, en fin, usted lo conoce mejor que yo...

BENTÍN   ¿Cree usted que es muy cuerdo ponerse a gritar: «¡Soto, Soto!», y largarse hacia el campamento, cuando aquí todo el mundo sabe que Soto trabaja en la central de Collacocha?

FERNÁNDEZ   Puede haberse ofuscado. Se dará cuenta de su error y volverá.

BENTÍN   Hace ya diez minutos que se fué y aún no hay indicios de que vuelva. Más bien creo que, por si acaso, nos podríamos ir largando también. ¿Le parece?

FERNÁNDEZ   No. Mejor no. Esperemos.

BENTÍN   Pero ¿por qué? ¿No se ha ido él mismo?

FERNÁNDEZ   Estoy seguro de que volverá. Por lo menos, esperemos un rato más.

BENTÍN (*indicando el ambiente*)   Esto no me gusta. Hay un ambiente especial. No me gusta.

FERNÁNDEZ (*cambiando de conversación*)   ¿Cuánta gente trabaja aquí?

BENTÍN   En este campamento son cerca de cuatrocientos. Entre los dos campamentos, más de mil.

FERNÁNDEZ   Y, por lo general, ¿cuánto gana un obrero?

BENTÍN   De catorce a veintiocho soles.

FERNÁNDEZ   Es poco. Muy poco. Cuando pienso en la cantidad de veces que he gastado vientiocho soles sin necesidad...

BENTÍN˙ Mire: yo también soy un hombre de ideas avanzadas. Pero no hay que ser sentimental. Doblarles el sueldo sería duplicar las borracheras. Viven como bestias.

FERNÁNDEZ   No les hemos enseñado a vivir en otra forma.

BENTÍN   ¡Oh, son muy malos alumnos!

FERNÁNDEZ   O tienen muy malos profesores.

(*Entra precipitadamente* ECHECOPAR, *que queda parado en la puerta. Está sumamente agitado.*)

BENTÍN   Ingeniero...

ECHECOPAR (*interrumpiéndolo y para sí mismo*)   ¡Sánchez, eso es! ¡Sánchez! (*al dictáfono*) ¡Central tres! ¡Central tres! ¡Sánchez, responde o te mato!

SÁNCHEZ   (*por el dictáfono*)   Sí. ¿Ingeniero? Diga.

ECHECOPAR   Sánchez, di a toda persona que esté trabajando en el túnel dos que deje lo que esté haciendo; que todos abandonen lampas, picos, ropa, todo, ¿entiendes?..., todo y que vuelen al campamento. Pero que vuelen, ¿entiendes? ¡Que vuelen!

SÁNCHEZ   ¿Ocurre algo grave, ingeniero?

ECHECOPAR   ¡Gravísimo! Sánchez, por Dios, ¡que vuelen!

SÁNCHEZ   En el acto. (ECHECOPAR *corta.*)

BENTÍN   ¿Qué ha dicho usted?

FERNÁNDEZ   ¿Qué es lo que ocurre?

ECHECOPAR (*como distraído*)   ¡Qué es lo que ocurre? No... Aún no ocurre nada. Pero puede ser que...

BENTÍN   ¿Qué...?

ECHECOPAR   Puede ser que, dentro de unos minutos, no quede nada de todo esto.

FERNÁNDEZ (*entre asustado y colérico*) Echecopar, explíquese. Está usted hablando con personas mayores y juiciosas.

ECHECOPAR Bien, escuchen: ¿No han oído al chófer hablar de un arroyo a la salida de este túnel?

BENTÍN Si, habló de un arroyo...

ECHECOPAR Pues ese arroyo no existía esta mañana.

(*Pausa, durante la cual* FERNÁNDEZ *estudia el mapa de la pared.*)

FERNÁNDEZ (*volteando violentamente hacia* ECHECOPAR) ¿Quiere usted decir que el agua de la laguna está saliendo a la quebrada en la que termina este túnel?

ECHECOPAR Exactamente.

BENTÍN (*comprendiendo, atemorizado*) Entonces, ¿estamos perdidos...?

ECHECOPAR (*encogiéndose de hombros*) Nosotros no podríamos evitarlo. Ante un aluvión, el hombre es un grano de polvo en la tormenta. (*sobreponiéndose*) Pero muy bien puede no ocurrir nada. O todo puede ocurrir dentro de cien o dentro de mil años, o nunca. Nuestro país es así. Pero, en todo caso, yo debo actuar como si el peligro fuese inminente y pónganse a salvo en los cerros. Eso sí,[18] tienen que ir a pie; el tren debe esperar a los obreros que vienen del túnel dos, que han trabajado toda la noche y estarán agotados.

FERNÁNDEZ (*asombrado*) Pero ¿piensa usted quedarse aquí?

ECHECOPAR ¡Naturalmente!

BENTÍN ¡Eso es una locura, ingeniero!

FERNÁNDEZ (*enérgico*) ¡No se lo permitiremos!

ECHECOPAR (*tranquilo y decidido*) Tengo que vigilar la salida de la gente. Tengo que estar en comunicación con Soto...

BENTÍN (*interrumpiendo*) ¡Pero si usted no sabe dónde está!

ECHECOPAR Me acaban de decir que ha ido a su central. Tengo que estar en comunicación con Soto para que me avise lo que ocurre en la quebrada. Porque, si fuese necesario, volaría el túnel, para entretener un rato al aluvión, mientras la gente que huye y la del campamento se pone a salvo.

BENTÍN Pero ¡usted puede volar el túnel a la salida del campamento!

ECHECOPAR ¡Nunca! Eso sería alargar el camino de huída de los que vienen del túnel dos.

18. **eso sí:** but one thing is sure

BENTÍN (*como buscando una escapada*) ¡Piense en su familia, ingeniero!

ECHECOPAR Mi familia son estas piedras, estos indios, esta oscuridad.

FERNÁNDEZ Además, usted no puede hacer solo todo lo que se propone.

ECHECOPAR Tendré que hacerlo. Lo intentaré.

FERNÁNDEZ (*decidido, acercándosele*) ¿Puede usted necesitarme aquí?

ECHECOPAR (*sorprendido y casi con ternura*) Sí, podría necesitarte. Un hombre como tú es siempre útil. Pero ponte a salvo. Eres joven y no le debes lealtad a esta obra ni a esta gente.

FERNÁNDEZ El valor no tiene edad, Echecopar.

(ECHECOPAR *le palmea el hombro.*)

BENTÍN (*tímido*) También me quedaré yo, ingeniero, si usted quiere...

ECHECOPAR (*admirado*) Sí, quiero. Ya es tiempo de que expongas el pellejo por tus trabajadores. (*entusiasmándose*) Después de todo, los aluviones no son las peores cosas del Pacífico... Bentín, da orden a los trabajadores de que se retiren, que huyan. Explícales el peligro. Pero el tren se queda aquí. (BENTÍN *se dispone a salir.*) ¡No, aguarda! Antes de ello, tú, Fernández, avanza el autocarril con la dinamita hasta unos doscientos metros antes de la quebrada. (*entregándole un rollo que toma de la pared*) Lleva mecha. Al salir, te vienes desenrollándola, ¿entendido?

FERNÁNDEZ Entendido. (*Toma el rollo y sale apresuradamente.*)

ECHECOPAR (*a* BENTÍN, *que está decaído*) ¿De dónde sacaste valor?

BENTÍN No sé. A su lado me siento tranquilo. Además, con su actitud me ha hecho usted reflexionar sobre mí mismo.

ECHECOPAR ¿No prefieres irte? (BENTÍN *niega con la cabeza. Se oye encenderse y alejarse el autocarril de* FERNÁNDEZ.) Ya pasó Fernández. Háblales ahora.

BENTÍN (*Sale de la barraca y habla hacia el túnel.*) ¡Oigan todos! (*murmullo de gente que se acerca*) ¡Oigan todos! Hay un derrumbe en la quebrada. Deben salir del túnel inmediatamente, pero en orden. (*murmullo de voces alarmadas*) Cuando lleguen al campamento pónganse a salvo, con sus cosas, sobre los cerros. (*afuera, agitación tumultuosa*) ¡No, no! ¡Deben ir a pie! (*a* ECHECOPAR) ¡Ingeniero, se están subiendo al tren! (*hacia afuera*) ¡Baje todo el mundo del tren!

ECHECOPAR (*desde la puerta de la barraca*) ¡El tren no parte de ninguna manera! ¡Llámame al maquinista!

BENTÍN ¡Quispe! ¡Quispe! (*a* ECHECOPAR) ¡Lo están subiendo a la fuerza a la locomotora! Es inútil: ¡están como locos!...

TAIRA (*Entra tropezándose, como perseguido.*) ¡No, no! ¡Patrón, yo me quedo con usted!... (*Entran algunos* OBREROS, *que lo cogen y arrastran afuera.*) ¡No!... ¡Patrón!... ¡Patrón!...

(*Ruido del tren, que parte. Pausa.*)

BENTÍN Y nosotros..., ¿cómo vamos a salir de aquí?

ECHECOPAR Pero si estás tan aterrado, ¿por qué no te largas con ellos?

BENTÍN No puedo..., no puedo...

(*Ruido del camión que se aleja.*)

ECHECOPAR (*imitándolo*) ¡No puedo!

BENTÍN Tengo una ideología, ingeniero...

ECHECOPAR ¿Y qué me importan a mí las ideas? ¡Me importan los hombres! ¡Solamente los hombres! Sé generoso, honrado y valiente, y piensa como te dé la gana. ¡Ideologías!... Ahora, por ejemplo, eres una ideología que tiembla aterrada. ¿De qué me sirve a mí eso? ¡Lárgate, que el camión estará aún cerca! (*Llaman al dictáfono.*) Aló, central dos.

SOTO (*por el dictáfono*) Habla Soto. ¿Echecopar?

ECHECOPAR Sí, en este momento te iba a llamar. ¿Qué ocurre?

SOTO ¿Piensas estar en la oficina a las cuatro de la tarde?

ECHECOPAR Sí..., nadando...

SOTO ¿Cómo?

ECHECOPAR Nadando..., n-a-d-a-n-d-o...

SOTO No entiendo qué quieres decir con eso.

ECHECOPAR Dime, Soto: ¿te has vuelto ciego?

SOTO ¿Ciego? ¿Por qué?

ECHECOPAR Toma tus prismáticos y mira hacia el camino que bordea la quebrada.

SOTO Un instante.

ECHECOPAR (*a* BENTÍN) ¡Ideologías, bah! Se nos está viniendo un aluvión encima; a ver, ¡detenlo con tus ideas! ¿No puedes? Pues yo sí lo voy a detener y, con todo, no tengo partido político. ¿Por qué no vas a la laguna y le cuentas lo que me estabas diciendo de los derechos del hombre?

SOTO ¡Echecopar, el camino se ha inundado en un tramo de casi veinte metros! El fondo de la quebrada está cubierto de agua.

ECHECOPAR ¡Ajá!

SOTO Dos indios están tratando de cruzar; van con el agua a la cintura. ¿Puedes mandarme un caterpillar?

ECHECOPAR (*furioso*) ¿Un caterpillar? ¿No quieres que te mande mejor una caja de cintitas celestes? (*cambiando de tono*) Oye, Soto: ¿recuerdas lo que me dijiste hace un rato de la laguna?

SOTO ¿Crees que...?

ECHECOPAR Exactamente; eso creo.

SOTO Entonces, ¡estamos perdidos!

ECHECOPAR ¿También tú te vas a poner a llorar como Bentín? Escucha: naturalmente, puede sobrevenir una catástrofe de un momento a otro. Pero ni tú ni yo podemos movernos de aquí hasta haber puesto en seguridad a los indios que están trabajando en el túnel dos.

SOTO Temo que, dentro de unos momentos, no será posible vadear la quebrada...

ECHECOPAR Les he hecho avisar con Sánchez. Antes que hayan pasado, no nos podemos mover ni tú ni yo, ¿entendido?

SOTO Bueno, bueno... Pero, si ocurre algo, ¿cómo salgo yo de aquí?

ECHECOPAR Te lo voy a decir, Soto: cuando la quebrada se haya puesto absolutamente intransitable, cuando sea del todo imposible que una persona más pueda salvarse, me lo dices, y yo vuelo el túnel, para entretener un rato al aluvión, mientras la gente del campamento y de los pueblos del valle se pone a salvo sobre los cerros. Cuando oigas la explosión, huyes por las punas a Huarmaca o a cualquier otro caserío, ¿entendido?

SOTO Que sea como Dios quiera...

ECHECOPAR Tenme al tanto de todo lo que ocurra.

SOTO Pierde cuidado.

ECHECOPAR Espera hasta lo último para darme la voz de volar.

SOTO Sí, sí...

ECHECOPAR Y cuando oigas la explosión, huyes por las punas.

SOTO Muy bien.

ECHECOPAR Otra cosa: nunca he dudado de tu valor. Acuérdate, ahora, de que el verdadero valiente es el que defiende a los demás.

SOTO Puedes confiar en mí.

213

ECHECOPAR   Adiós, entonces.

SOTO   Adiós.

ECHECOPAR   (*siempre al dictáfono*)   ¡Aló, aló: central del campamento!

ROBERTO (*por el dictáfono*)   Central del campamento.

ECHECOPAR   Habla Echecopar.

ROBERTO   ¿Qué tal, ingeniero? Habla Roberto.

ECHECOPAR   Roberto, ocurre algo sumamente grave.

ROBERTO   ¿Algo grave, dice?

ECHECOPAR   Sí. Es muy probable que estemos ante un aluvión.

ROBERTO   ¿Un aluvión? ¡Aquí no notamos absolutamente nada!

ECHECOPAR   No, es un aluvión que viene de la laguna. Roberto, da orden a toda la gente del campamento que se ponga a salvo en los cerros.

SÁNCHEZ (*Desde muy lejos, grita con desesperación.*)   ¡Echecopaaaar!...

ECHECOPAR (*que un momento ha quedado, extrañado, escuchando el grito de* SÁNCHEZ)   Algo más, Roberto: te suplico, te ruego por tu madre, o por lo que más quieras en el mundo, que tomes un autocarril y des la noticia a todos los pueblos del valle.

ROBERTO   Sí, sí, así lo haré.

ECHECOPAR   ¿Me lo juras?

ROBERTO   Se lo juro, ingeniero.

ECHECOPAR   Eres un gran cholo, Roberto. ¡Buena suerte!

SÁNCHEZ (*Más cerca, grita.*)   ¡Echecopaaaaar!... ¡Echecopaaaaar!

ROBERTO   Buena suerte. Pero... ¿usted se queda?

ECHECOPAR   Sí.

SÁNCHEZ (*más cerca, mientras ya se oyen sus pasos acercarse a la carrera*)   ¡Echecopaaar!

ROBERTO   Muy bien. Hasta la vista, ingeniero.

ECHECOPAR   Ojalá.

FERNÁNDEZ (*entrando y señalando hacia afuera*)   Por allí viene un loco...

SÁNCHEZ (*más cerca*)   ¡Echecopar!

ECHECOPAR (*a* FERNÁNDEZ)   ¿Está la mecha perfectamente colocada?

FERNÁNDEZ   Puede usted encenderla delante de la puerta.

SÁNCHEZ (*Irrumpe, gritando aterrado.*)   ¡Echecopaaar! ¡Echecopar!

ECHECOPAR   Sánchez, ¡repórtate! ¿Qué es lo que ocurre?

SÁNCHEZ (*hablando con voz apagada y temblorosa*)   ¿No han oído?
(*Se lleva un dedo a la boca, como pidiendo silencio.*) ¿No han oído?

FERNÁNDEZ   No, no hemos oído nada.

BENTÍN   ¿Qué es lo que ha oído usted?

SÁNCHEZ (*gritando, presa del espanto*)   ¡Fué como si la tierra se
rajara! ¡Como si las montañas estuvieran estrujando lentamente
el túnel! ¡Es horrible, horrible, horrible!

ECHECOPAR (*removiendo a* SÁNCHEZ *por los hombros*)   ¡Es el miedo!
¡Aquí no hemos oído nada!

SÁNCHEZ   ¡Sí, sí! ¡Como si un río subterráneo arrastrara grandes
piedras!

SANTIAGO (*por el dictáfono*)   Aló, aló: ingeniero Echecopar...

ECHECOPAR   ¡Hable!

SÁNCHEZ (*Grita.*)   ¡La tierra se está hundiendo! ¡Las montañas
nos aplastan!

ECHECOPAR (*tratando de hacerse entender*)   ¡Aló!..., ¿cómo?... ¡aló!...

SÁNCHEZ   ¡Nos aplastará como a gusanos..., como a gusanos!

ECHECOPAR (*a* BENTÍN *y* FERNÁNDEZ, *señalando a* SÁNCHEZ)   ¡Tá-
penle la boca a ése! (FERNÁNDEZ *y* BENTÍN *obedecen.*) ¡Aló!

SANTIAGO   Ingeniero, habla Santiago, de la central uno. La gente
que ha pasado en el tren hacia el campamento se ha vuelto loca...

ECHECOPAR   No, Santiago; el túnel está gravísimamente amenazado.

SANTIAGO   Iban colgados del tren y de la locomotora. Dos de ellos
han caído delante de mi puerta y el tren los ha deshecho. ¡El
túnel está lleno de gritos de heridos y de alaridos de locos!...

ECHECOPAR   Vete, Santiago, vete immediatamente y ponte a salvo
en los cerros. (*a* FERNÁNDEZ *y* BENTÍN) ¡Suéltenlo! (*a* SÁNCHEZ)
¡Lárgate!

SANTIAGO (*angustiado, por el dictáfono*)   ¡Ingeniero! ¡Ingeniero
Echec...

ECHECOPAR (*cortándolo*)   ¡Santiago! ¿No te has ido?

SANTIAGO   ¡El túnel se está anegando! ¡A dos metros de mi puerta
se ha abierto un gran chorro en el techo! ¡Salgan inmediatamente! ¡No pierdan un segundo!

ECHECOPAR   Ya..., ya... ¡Vete, Santiago, vete...!

SÁNCHEZ   ¿Lo oyen? ¿Lo han oído? ¡Estamos atrapados en el
centro de la tierra! (*Sale, se le oye alejarse por el túnel, gritando.*)

¡Estamos atrapados!... ¡Estamos atrapados!... ¡Estamos atrapados...!

(BENTÍN *se ha sentado tapándose los oídos. Pausa larga.*)

FERNÁNDEZ   ¿Qué vamos a hacer ahora?

ECHECOPAR   Aguardar.

FERNÁNDEZ   ¿No cree usted que ya sea el momento de irnos? Aguardar es temeridad, es locura, Echecopar.

ECHECOPAR   Vete tú, si quieres. Pero puedes saber que irse ahora es traicionar, es asesinar. Yo me quedo hasta que pasen los obreros, o reviento con el túnel.

BENTÍN   Pero... y si no pueden pasar, ¿a qué aguardarlos?

ECHECOPAR   Eso nos lo dirá Soto. (*al dictáfono*) ¡Aló, Soto!

SOTO (*por el dictáfono*)   Sí, ¿Echecopar?

ECHECOPAR   ¿Algo nuevo?

SOTO   Los obreros están pasando en este momento.

ECHECOPAR   ¿Cuántos son?

SOTO   Unos sesenta o setenta.

ECHECOPAR   ¡Faltan muchos!

SOTO   Sí. Hay una cuadrilla casi al final del túnel dos. Esos van a demorar todavía.

ECHECOPAR   ¿Y la inundación?

SOTO   Sigue igual. Ni sube ni baja.

ECHECOPAR   Cualquier cosa que pase, me avisas, ¿eh?

SOTO   Ya. (ECHECOPAR *corta.*)

BENTÍN (*tras una pausa*)   Pero algo tiene que haber visto Sánchez para haberse puesto así...

ECHECOPAR   ¡Aquí no pasa nada! ¿Has oído lo que ha dicho Soto, o estás sordo?

FERNÁNDEZ   ¿Qué quiere usted que hagamos?

ECHECOPAR   Aguardar, como si no pasase nada. Siéntense. (FERNÁNDEZ *y* BENTÍN *se sientan.*) Fúmense un cigarro. Eso tranquiliza. (*Ofrece un cigarro a* BENTÍN.)

BENTÍN   No fumo.

ECHECOPAR   ¡Fuma! (BENTÍN *coge un cigarrillo.*) ¿Tiemblas?

BENTÍN   Sí.

ECHECOPAR (*Encendiendo a* BENTÍN *el cigarrillo*)   Yo también. Mira mi mano. (*Ofrece y enciende un cigarrillo a* FERNÁNDEZ *y le dice*) Y tú, ¿por qué no tiemblas?

FERNÁNDEZ   No tiemblo, pero tengo miedo.

ECHECOPAR   Es natural.

BENTÍN (*a* FERNÁNDEZ)   ¿No le dije hace un rato que no me gustaba el ambiente?

ECHECOPAR (*a* BENTÍN)   Bueno, no se puede decir que el ambiente sea encantador, ¿no? (*animándose*) Pero, a ver, ¿qué es lo que ocurre? Bentín, ¿qué es lo que pasa? En realidad, no pasa nada. Casi nada...

FERNÁNDEZ   ¿Nada? ¿Y el arroyo que se ha formado en la quebrada?

ECHECOPAR   No podemos volvernos locos por cada arroyito que nos manda Dios, hombre.

BENTÍN (*esperanzado*)   ¿Cree usted de verdad...?

FERNÁNDEZ   ¿Y el chorro de agua?...

BENTÍN (*Cortando a* FERNÁNDEZ. *Asustado, a* ECHECOPAR) ¡Sí! ¿Y el chorro de agua que se ha formado en la central uno? ¿No lo acaba de decir Santiago?

ECHECOPAR (*a* BENTÍN)   ¿Y las veinte mil filtraciones que has visto ya acá? ¡Ah! Una filtración puede desaparecer más rápido de lo que aparece. ¿O no?

FERNÁNDEZ   Bueno. Si es así..., entonces..., ¿qué es lo que ocurre? En realidad, nada grave.

BENTÍN (*a* FERNÁNDEZ, *agresivo*)   ¿Nada grave? ¿Nada grave, no?... (*confuso*) Pero... sí. En verdad... no ha ocurrido nada grave... (*a* ECHECOPAR, *como buscando apoyo*) ¿No es verdad, ingeniero? Usted, que es un hombre experimentado, puede decirlo...

ECHECOPAR   Unas gotitas de agua, Bentín; ¿o has visto más tú?

BENTÍN   Unas... (*Ríe nerviosamente.*) Pero eso ha sido todo, en efecto. ¡Unas gotitas de agua! (*Ríe fuerte y largamente, con nerviosas carcajadas.* ECHECOPAR *ríe con él. Callan.* BENTÍN, *que ha quedado un momento abatido, se pone en pie violentamente y dice, tomando a* ECHECOPAR *por los hombros*) Pero ¿y Sánchez? ¿Y lo que dijo Sánchez? (*con súbito pavor*) ¡Fué como si la tierra se rajara, gritó Sánchez! ¡Fué como si la tierra se rajara!

FERNÁNDEZ   Pero nosotros no hemos oído nada. Puede haber sido el miedo...

ECHECOPAR   El miedo o un temblor, maldita sea... (*a* BENTÍN) ¿No has oído un temblor en tu vida? ¿Qué clase de peruano eres, que nunca oíste un temblor?

BENTÍN   Un temblor, sí..., un temblor... O el miedo, quizá...

ECHECOPAR   Además, ¿quién te agarra aquí? Lárgate y se acabó el asunto.

BENTÍN   Perdónenme... Estoy muy nervioso, eso es todo. Perdónenme.

FERNÁNDEZ   No hay nada que perdonar, ¿no, ingeniero? Yo también casi pierdo los papeles.[19] Lo confieso. Debe de ser el ambiente. Estar encerrado entre estas montañas. Es asfixiante.

ECHECOPAR   Es cuestión de acostumbrarse. Y cuestión de pantalones[20] también.

BENTÍN (a ECHECOPAR)   Pero, entonces, ¿por qué dió usted la alarma? ¿Por qué les dijo a los obreros que se fueran? ¡Usted sabía algo!

ECHECOPAR   Yo no tengo que darte explicaciones a ti.

BENTÍN   Dos personas han muerto en el pánico. Santiago lo dijo.

ECHECOPAR   Eso es asunto mío. ¡Y tú te callas!

BENTÍN   Además hay heridos. Si no pasa...

FERNÁNDEZ (impaciente, interrumpiéndole)   ¡Por Dios! ¿No entiende que debe callarse?

ECHECOPAR (a BENTÍN)   Mira: o te callas o te largas. Una de dos. No soy tu institutriz, ¿entiendes?

BENTÍN   Es el ambiente, sí, Fernández. Tiene usted razón. Ojalá... Es el estar sepultado entre estas montañas, en medio de esta oscuridad...

ECHECOPAR   Si lo sabes, piensa en algo más alegre y déjanos en paz.

BENTÍN (sentándose)   En algo más alegre... (Se tapa los ojos con las manos.) No es tan fácil... Pero no es difícil tampoco... Ahora, con los ojos cerrados, veo la campiña de Tarma..., los altos eucaliptos perfilándose contra los cerros rosados..., la retama al viento... Y esto, ¿qué es? (destapándose los ojos) ¿Dónde lo he visto? ¡Claro, claro! En Canchaque. ¡Los naranjales de Canchaque, los campos de café a la luz de la tarde! ¡Cuánta luz tiene el Perú! ¿Verdad, ingeniero?

ECHECOPAR   ¡Oh, la tierra es buena y hermosa en todas partes! Depende de los ojos.

19. **Yo... papeles:** I almost lost my head, too.   20. **cuestión de pantalones:** it's a matter of having guts

FERNÁNDEZ   Es verdad. ¡Ah, oigan! Hace poco hice un viaje por la costa. El crepúsculo nos sorprendió poco antes de llegar a Chala...

BENTÍN (*con entusiasmo*)   Yo también he visto eso.

ECHECOPAR   También yo. Es inolvidable.

FERNÁNDEZ   Era un universo fugaz de colores increíbles. El mar se pone rosado...

BENTÍN   Las dunas, violeta...

ECHECOPAR   El horizonte, rojo. Y hay rocas negras. Toda la playa blanca de espuma...

FERNÁNDEZ   No había formas. Todo era color... Parecía un jardín de colores suspendido en el aire. No, no hay como los crepúsculos de la costa...

BENTÍN   Usted habla así porque es costeño. Pero ¿ha visto usted en la sierra, cuando pasa la tormenta y sale el sol? Todo se pone dorado. Y la tierra humea y cruje de vigor. (*a* ECHECOPAR) Usted tiene que haber visto eso, don Claudio.

ECHECOPAR   Sí, es verdad. Pero también es verdad lo que dice Fernández. ¡Hum! En cuanto a mí, será porque hace años que vivo metido en túneles y en quebradas sin luz, áridas; pero ¿saben cuál es el paisaje que añoro? ¿Conocen esas abras de los Andes, desde donde se divisa toda la selva? ¡Toda la selva, con su exuberancia tibia, infinita! Y uno presiente la marcha quieta de los grandes ríos, la vida apacible de los pueblos ribereños...

BENTÍN   Una vez navegué por el Ucayali...

FERNÁNDEZ   ¿Y los pueblecitos de la costa? La plaza desierta en la tarde... La iglesia cerrada... Un burro amarrado a un árbol..., el raspadillero. Y, en una banca, un cachaco dormido.

(*Todos ríen.*)

ECHECOPAR   No, no; país no nos falta. ¡Nos faltan hombres!

(*Los tres quedan callados, pensativos.*)

FERNÁNDEZ   Verdaderamente, nuestro país es, a veces, un paraíso y, a veces, un infierno.

BENTÍN (*nervioso*)   Un infierno, sí. Como ahora... Un infierno de silencio, frío y oscuridad.

ECHECOPAR   Eso que tú llamas silencio, frío y oscuridad son también flores del jardín de Dios.

BENTÍN   ¡Con tal que Dios no quiera regarlo ahora con un cataclismo!... Esas gotitas...

219

ECHECOPAR   ¿Vas a comenzar de nuevo?

(BENTÍN *niega con la cabeza.*)

SOTO   (*por el dictáfono*)   ¿Echecopar?

ECHECOPAR   Sí. ¿Soto?

SOTO   ¿No crees que el resto de los obreros se está demorando mucho?

ECHECOPAR   ¿No pasan todavía?

SOTO   Todavía.[21] ¿Qué hacemos?

ECHECOPAR   ¿Qué hacemos? Pues esperar.

SOTO   Ya.

(ECHECOPAR *corta.*)

BENTÍN   ¡Esperar! ¡Esperar...!

ECHECOPAR (*tras una pausa*)   Fernández, ¿en qué colegio estuviste?

FERNÁNDEZ   En la Recoleta. ¿Y usted, ingeniero?

ECHECOPAR   En Guadalupe. ¿Y tú, Bentín?

BENTÍN (*que estaba ensimismado*)   ¿Yo? ¿Qué?

ECHECOPAR   ¿En qué colegio estuviste?

BENTÍN   Yo estuve en... (*Se oye un ruido terráqueo sordo y lejano.*) En..., en...

ECHECOPAR   ¿Dónde? ¡Dilo inmediatamente o... (*De nuevo el ruido. Al dictáfono*) ¡Soto!

SOTO (*por el dictáfono*)   ¿Echecopar?

ECHECOPAR   ¿Has oído?

SOTO   Sí.

ECHECOPAR   ¿Algo nuevo?

SOTO   No, pero la quebrada se sigue llenando...

ECHECOPAR   Tú me avisas, ¿eh?

SOTO   Sí, yo te avisaré.

(*Pausa. Silencio. A* BENTÍN *se le ve tembloroso y agitado.* FERNÁNDEZ *da cuerda a su reloj de bolsillo.*)

ECHECOPAR   ¿En qué colegio dijiste, Bentín?

BENTÍN (*volviendo en sí*)   En Tarma... Recuerdo...

ECHECOPAR   ¿Qué?

BENTÍN (*evocando*)   El patio..., los árboles..., el aula..., la campana...

ECHECOPAR   Eso es: ¡la campana! También yo recuerdo ahora la campana de mi colegio. Era algo fundamental... Llena toda la

21. **Todavía:** *Todavía no.*

infancia la campana del colegio..., ¿no? (*como esperando una respuesta*) Y otra cosa: ¡qué país descomunal! ¡También por él se puede reventar! ¿Sí o no? ¡Respondan! (*pausa*)

BENTÍN (*Grita, angustiado.*) Pero si en este momento..., si precisamente en este momento estuviera...

FERNÁNDEZ (*estallando*) ¡Cállese! ¡Cállese o lo mato!

ECHECOPAR (*acercándose a* BENTÍN, *casi paternalmente*) Escucha, Bentín, oye bien: había algunos indios que huían con el fango a la cintura. Eran indios pobres, miserables, harapientos, borrachos..., ¿me oyes? Y había tres hombres, tres hombres, Bentín, ¿no es extraordinario? Hubieran podido irse, huir, y nadie les habría dicho nada, porque los otros eran tan sólo unos indios miserables y harapientos, iguales a los que mueren por centenares todos los días, sin que nadie sepa por qué ni por quién... ¿Y qué hicieron, Bentín? ¿Qué hicieron? Escucha: ¡se quedaron! ¡Se quedaron, Bentín! ¿No es como para llorar?

BENTÍN ¡Sí..., se quedaron..., se quedaron! Pero ¿qué hacer? ¿Qué hacer? Que venga el aluvión, ¡no importa! Pero esperar..., ¡esperar!...

FERNÁNDEZ (*a* ECHECOPAR) Es usted un gigante, Echecopar... ¡Bendita sea la hora en que nació!

ECHECOPAR (*Después de una pausa, va hacia la ventana y se dispone a regar las flores.*) Nunca te perdonaré, Fernández, que arrancaras una flor de mi jardín. Te imaginas... (*Se oye de nuevo el ruido anterior, algo más fuerte. Algunas piedrecillas caen sobre el techo de calamina de la barraca. Durante el ruido se ve que la barraca toda tiembla un momento. Mientras dura el ruido,* ECHECOPAR, *como para opacarlo, habla cada vez más fuerte.*) ¿Te imaginas el esfuerzo que les costaría crecer entre estas piedras, en medio de esta oscuridad? Es muy interesante, Bentín, todo lo que nos contabas de los árboles, los patios, el aula, la campana... Pero, sobre todo, ¡los patios!..., ¡los patios, al mediodía, abandonados al sol..., callados!...

(*El ruido cesa.*)

FERNÁNDEZ (*tras una pausa*) Ha reventado la cuerda de mi reloj...

BENTÍN (*Se pone en pie, pálido, aterrado, y grita*) ¡Nooooooo!

(*Afuera se oyen pasos de gente que se acerca a la carrera. Algunos indios entran al socavón y quedan allí jadeantes.*)

ECHECOPAR (*Desde la puerta les grita*) ¡Corran, corran! (*Los indios desaparecen y se oyen sus pasos a la carrera.* ECHECOPAR *desaparece casi hacia el túnel, gritando*) ¡Corran! ¡No se detengan! ¡No se detengan!

SOTO (*En el dictáfono, grita, angustiado*) ¡Echecopar! ¡Echecopar!

ECHECOPAR (*Al escuchar la llamada de* SOTO, *corre hacia la barraca. Casi al entrar en ésta, una gran cantidad de tierra cae, desde lo alto, a su lado. Al dictáfono*) ¡Sí, Soto! ¿Qué hay?

SOTO ¡Echecopar, por todas las grietas de la quebrada está saliendo agua y lodo! ¡Esto se hunde dentro de pocos minutos!... ¡Yo me voy, Echecopar!

ECHECOPAR (*apaciguador y convincente*) ¡No, Soto, no!

(BENTÍN *se desliza hacia la puerta.*)

SOTO (*casi claudicante*) Sí, Echecopar..., sí...

ECHECOPAR ¿Ha entrado alguien más en el túnel?

SOTO Sí, una muchacha, hace un momento. Pero es imposible que llegue.

ECHECOPAR Tenemos que esperarla, Soto. ¿Cómo la vamos a encerrar?

SOTO ¡Vuela el túnel, Echecopar! ¡Vuela el túnel! ¿Qué es una vida, comparada con miles de vidas?

ECHECOPAR ¿Quién lo sabrá, Soto, quién lo sabrá? Unos momentos más, Soto, a ver si llega la última patrulla. ¡Sólo tú puedes decirme lo que ocurre en la quebrada! ¡Sólo tú puedes decirme si alguien más se puede salvar, ¿no te das cuenta?

SOTO Bueno, Echecopar. Pero sólo unos instantes.

(ECHECOPAR *corta. Levanta la cara y sorprende a* FERNÁNDEZ, *que está mirando a* BENTÍN, *que ya está en la puerta. Se vuelve violentamente hacia éste.*)

BENTÍN (*con voz apenas perceptible*) Yo..., yo... (*Abre la puerta y sale de prisa. Se le oye alejarse a la carrera.*)

ECHECOPAR (*después de haberse mirado un momento con* FERNÁNDEZ, *como sondeándose*) Fernández, eres todo un hombrecito. Pero si quieres... (*La señala la puerta.*)

FERNÁNDEZ (*terminante*) No. ¿Y usted?...

ECHECOPAR No.

FERNÁNDEZ ¡Pero usted tiene hijos...!

ECHECOPAR Mis hijos son estos indios, esta india que está llegando, a la que no conozco. (*Pausa, en que pasea la habitación. Deteniéndose ante* FERNÁNDEZ) ¿Qué tiene tu reloj, dijiste?[22]

FERNÁNDEZ   Con los nervios, le he reventado la cuerda...

ECHECOPAR   No entiendo nada de relojería... (*Pausa.*) ¿Tienes novia?

FERNÁNDEZ   Sí.

ECHECOPAR   ¿Y no crees que ella...?

FERNÁNDEZ   Ella siempre estuvo de acuerdo con todo lo que yo hacía...

ECHECOPAR   ¿Te das cuenta, Fernández? ¡Si en el Perú hubiese mil hombres como tú!

FERNÁNDEZ   O como usted.

ECHECOPAR (*sonriente, pero con un acento de tristeza*)   No, como yo; mejor, no. He sido demasiado solitario. Ahora comprendo que no se puede vivir solitario en medio de los hombres. Tú me lo has enseñado.

   (*Se oyen pasos menudos que se acercan a la carrera.*)

MUCHACHA (*desde afuera, cada vez más cerca*)   ¡Taita!... ¡Taitaaa!... ¡Taitaaa!...

ECHECOPAR (*Corre hacia la puerta y grita.*)   ¡Súbete al autocarril! ¡Sube! ¡Sube!

SOTO (*por el dictáfono*)   ¡Echecopar!

ECHECOPAR   Sí, Soto.

SOTO   ¡Toda la pared del lado de la laguna se está inclinando! ¡Todo se hunde! ¡Todo se hunde!

ECHECOPAR   ¿Y los demás?

SOTO   ¡No han llegado!

ECHECOPAR   ¡Deben de haberse ido por otro lado! ¡Huye, Soto, huye! (*Corta. A* FERNÁNDEZ) Fernández, ahora escucha bien: tú te sientas en el autocarril, al comando. Yo enciendo la mecha. Cuando te grite: «¡Ya!», ¡arrancas! Ya veré yo la manera de treparme. (*Salen rápidamente. Se oye encenderse el motor del autocarril. Luego, la voz de* ECHECOPAR) ¡¡Yaaa!!

   (*El autocarril arranca. Pasa a la carrera. Se escucha un ruido sordo, las luces titilan, la barraca tiembla.*)

SOTO (*por el dictáfono*)   ¡Todo se hunde, Echecopar! ¡Todo se hunde! ¡¡Estoy perdido, Echecopar!! (*El ruido se hace mucho más fuerte. De lo alto caen grandes cantidades de tierra por todas*

22. **¿Qué... dijiste?** What did you say was wrong with your watch?

partes. El plano de la pared se desprende. Piedras sobre el techo de calamina) ¡¡¡Echecopaaaar!!!

(*Cae tierra sobre el techo de la barraca y ésta se hunde.*)

TELÓN

ACTO TERCERO

Escenario igual a los actos anteriores. El dictáfono ha sido retirado y los muebles son distintos, aunque su distribución es la misma. Al levantarse el telón está el MUCHACHO *indio colocando vasos y una botella encima de un escritorio. Se oye el ruido de un autocarril que se acerca y se detiene a la puerta de la barraca. Entran* FERNÁNDEZ *y* BENTÍN. *Aunque jóvenes aún, en su aspecto se nota que han pasado algunos años.* FERNÁNDEZ *está vestido de campo,* BENTÍN *lleva ropa de viaje. El* MUCHACHO *sale, cerrando la puerta tras de sí.*

BENTÍN (*deteniéndose, sorprendido y después de haber observado todo lo que le rodea*) Pero..., Fernández..., ¡esto es idéntico a como era antes!...

FERNÁNDEZ Parece. Si miras bien, te darás cuenta de que todo es distinto. Nuestra barraca debe de haberse podrido ya en algún lugar del Océano Pacífico.

BENTÍN ¡Es increíble! ¿Te acuerdas de lo que pasamos aquí hace cinco años?

FERNÁNDEZ Eso nunca lo podremos olvidar.

BENTÍN Ese día conocí el terror...

FERNÁNDEZ También yo. Pero no pensemos más en eso. Estamos aquí para festejar.

BENTÍN (*mirando detenidamente la silla del escritorio de* ECHECOPAR) Sí..., esta silla no es la misma. (*reparando en que falta el dictáfono*) Y falta el dictáfono. Fuera de eso, todo parece exacto.

FERNÁNDEZ Ese fué el deseo de Echecopar, o el «Viejo de las Montañas», como se le llama ahora en la región. Lo primero que hizo al llegar fué pedirme que aquí mismo hiciera una barraca igual a la que había antes. En realidad nunca me he atrevido a decirle que va a obstaculizar el tránsito de los vehículos en el túnel. Pero ¡qué quieres! Las obras de Collacocha están ahora a mi cargo.

225

Él no ha aceptado ningún trabajo. Pero, en el fondo, es y seguirá siendo siempre mi jefe.

BENTÍN   Has hecho muy bien, Fernández. Es necesario que Echecopar tenga aquí todo lo que necesite para ser feliz.

FERNÁNDEZ   Es lo que trato siempre. ¿Te tomas un trago?

BENTÍN   Esperemos mejor a que llegue él. Además, no me siento muy bien. Con los cinco años en Lima me he desacostumbrado un poco a la altura.

FERNÁNDEZ   ¿No quieres sentarte?

BENTÍN   (*sentándose*)   Antes que llegue Echecopar, háblame de él. Tus cartas han sido siempre muy lacónicas. ¿Cómo llegó aquí? ¿Qué piensa de la catástrofe, de los muertos? ¿Qué hace? ¿Cómo ha cambiado en los cinco años que no lo he visto?

FERNÁNDEZ   Bueno..., bueno; vamos por partes...

BENTÍN   Antes de verlo, quiero saber algo de él. Es el hombre que más aprecio en el mundo.

FERNÁNDEZ   Pues bien: llegó aquí..., sí, el mes entrante hará dos años.

BENTÍN   ¿Y de dónde venía? ¿Dónde estuvo metido esos tres años?

FERNÁNDEZ   Yo mismo no lo sé muy bien. Tú sabes que él nunca cuenta nada de sí mismo.

BENTÍN   Sí, eso es verdad.

FERNÁNDEZ   Creo que venía de la selva. A veces, refiriéndose a Collacocha y a los Andes en general, me dice: «Fernandito—así me llama ahora—, éste sí es un paisaje de hombres verdaderos. A mí no me vengan con cafetales perfumados ni bosquecitos de naranjos.»

BENTÍN   ¡Me parece oírselo decir! Por lo que veo, no ha cambiado mucho.

FERNÁNDEZ   Sí, sí ha cambiado mucho. Físicamente es casi un anciano. Pero es muy fuerte todavía.

BENTÍN   Alguna vez me escribiste algo de eso. Pero también me decías que te preocupaba..., no sé..., algo de su carácter.

FERNÁNDEZ   (*tras una breve pausa*)   Mira, Bentín: tú y yo somos amigos, ¿no es verdad?

BENTÍN   ¡Hombre! Así lo creo. (*pensativo*)   A veces bastan unos minutos para conocer y llegar a querer a una persona, Fernández.

FERNÁNDEZ   Así es. Y, además, uno no puede callar algo toda la vida, ¿no?

BENTÍN   Claro que no. Pero ¿qué es lo que quieres decir?

FERNÁNDEZ (*casi angustiosamente*)   Bentín: Echecopar es, en el fondo, un hombre absoluta y totalmente desesperado. El corazón me lo dice.

BENTÍN   ¿Cómo? ¿Él?

FERNÁNDEZ   Sí, él. Desde el día del aluvión, Echecopar está roto por dentro, ¿entiendes?, partido, liquidado. (*con rabia*) Y eso no se puede tolerar. Porque las ciudades están llenas de canallas y de sinvergüenzas que son felices y tienen todo.

BENTÍN   Nadie puede remediar eso. Los que vimos lo que ocurrió aquí, jamás podremos librarnos del recuerdo. Pueden pasar muchos años, diez, veinte. Es igual.

FERNÁNDEZ   No, no. No es eso. Él no es el hombre al que un aluvión pueda destruir. Todavía hay en él la fuerza para agarrarse a patadas con[23] los Andes durante mucho tiempo.

BENTÍN   Ya sé qué es lo que debe de tenerlo desesperado. Una vez que lo vi en Lima, me dijo: «Estoy harto de todo esto. Harto de vagar por los ministerios y los directorios. Harto de que tanto rufián ignorante me hable de patriotismo y de moral.»

FERNÁNDEZ   No, no es eso tampoco. Son los muertos. Sobre todo, Soto. Echecopar se siente responsable de la muerte de Soto.

BENTÍN   ¿Él? ¿Y por qué demonios precisamente él?

FERNÁNDEZ (*recordando*)   ¡Ah, no! Es que tú no puedes saberlo. Tú ya te habías ido... (*Se detiene, sabiendo que el recuerdo debe de ser penoso para* BENTÍN, *quien, en efecto, se ha tapado la cara con las manos.*) No he querido herirte...

BENTÍN   ¡Qué cobarde fuí! ¡Qué cobarde!

FERNÁNDEZ (*convencido*)   ¿Cobarde? Pero ¿qué disparate estás hablando? Tuviste los riñones de quedarte casi hasta el final.

BENTÍN   Pero ustedes dos, hasta el final mismo.

FERNÁNDEZ   Esas son otras quinientas.[24] Echecopar y yo sabíamos por qué nos quedábamos. Tú, no. Reconócelo. Uno no se puede engañar a sí mismo toda la vida.

BENTÍN   Quizá... (*entusiasmándose*) Pero una cosa te aseguro, Fernández: mis ideas no han cambiado, pero vivo y siento en otra

---

23. **agarrarse... con:** to take on   24. **Esas... quinientas:** That's a different story.

forma. «Sé generoso, honrado y valiente, y piensa como te dé la gana», me dijo Echecopar el día del aluvión... Pero, a propósito del aluvión, ¿qué es lo que pasó, cuando yo ya me había largado?

FERNÁNDEZ Soto quería irse de su puesto. Veía que los cerros comenzaban a hundirse alrededor de su central. Y Echecopar lo convenció de que se quedara. Y se hundió con las montañas.

BENTÍN Sí, lo supe todo. Pero el deber de Soto era quedarse. ¿Quién si no él podía avisar el movimiento de los obreros? Él era el único que podía dar la voz de volar el túnel. Echecopar tenía que exigirle que se quedara.

FERNÁNDEZ (queriendo interrumpirlo) Claro..., claro...

BENTÍN Y fué porque Soto se quedó que se salvaron casi todos los obreros del túnel dos...

FERNÁNDEZ Naturalmente...

BENTÍN Y la muchacha...

FERNÁNDEZ Eso lo sabemos perfectamente tú y yo. Pero él mismo lo duda, ¿comprendes?

BENTÍN ¡Pero si es absurdo...!

FERNÁNDEZ Lo sé tan bien como tú... Pero él, en el fondo, se pregunta si tenía el derecho de decidir quiénes se deberían salvar. Lo mismo me pasaría a mí, o a ti.

BENTÍN Es verdaderamente grave...

FERNÁNDEZ Claro que es grave. Si no lo fuera, no haría la vida que hace.

BENTÍN ¿Qué vida hace?

FERNÁNDEZ Echecopar se ha construído, con su propia mano, una casa en la quebrada, es decir, en lo que antes era la quebrada, al lado del cementerio de las víctimas de la catástrofe.

BENTÍN Pero ¿cómo has podido permitir que viva así?

FERNÁNDEZ ¿Permitir? ¿Y quién soy yo para decidir sobre su destino? Además, nunca pasa un mes sin que le llegue alguna propuesta de la mejores firmas constructoras.

BENTÍN ¿Y?

FERNÁNDEZ ¿Y? ¡Nada! Una vez, en su casa, después de haber roto una de esas cartas, me dijo, señalando hacia el cementerio: «Claudio Echecopar aquí, junto a sus cholos.»

BENTÍN ¡Qué hombre extraño!

FERNÁNDEZ   Con sus propias manos cuida y limpia las tumbas. Y se ha hecho una para sí mismo. Fuera de eso, su modo de ser es igual que antes. Todas las mañanas entra a los túneles. Desde aquí oigo sus gritos: «¡Buenos días, buenas noches, buenos túneles, hombres del futuro!» Bromea con los obreros, carga piedra, vocifera, se ríe a carcajadas y manda a todo el mundo: hasta a mí mismo.

BENTÍN   ¡Qué hombre formidable!

FERNÁNDEZ   ¡Ah, y los domingos! Ahí va don Claudio por los cerros, por las punas, por las gargantas, por el cementerio, rodeado de todos los niños del campamento. Cuando los veo sentados todos en torno de él, ya sé que les está contando cómo era Soto, cómo eran Sánchez, Roberto. Lo adoran.

ECHECOPAR   (de lejos)   ¡Echecopaaaaaaar...!

BENTÍN   ¡Él!

FERNÁNDEZ   Sí, él.

BENTÍN   ¡Qué emoción, Fernández! Después de cinco años...

FERNÁNDEZ   Bueno, bueno, no te enternezcas demasiado. Estamos aquí para celebrar. Hoy hace cinco años que nacimos de nuevo los tres. Y, para celebrarlo, te tengo una sorpresa.

BENTÍN   ¿Para mí? Bueno, suéltala.

FERNÁNDEZ   Todo a su debido tiempo, amigo. Todavía tienes que esperar un rato.

(Se escuchan, desde afuera, los pasos de ECHECOPAR. FERNÁNDEZ sale a recibirlo. Un momento después, ingresan ambos al socavón. Allí permanecen unos instantes, en los que ECHECOPAR, entre riendo solo y gruñendo, contempla las paredes, los intrumentos de trabajo. Luego entran a la cabaña. ECHECOPAR viste de poncho. Tiene la barba y el pelo grises y muy crecidos. Lleva en la mano un grueso bastón. Le falta un brazo.)

ECHECOPAR   (a FERNÁNDEZ, sorprendido al reparar en BENTÍN.)   Fernandito, ¿es ésta la sorpresa de que me hablaste ayer?

FERNÁNDEZ   No. Esta es otra.

ECHECOPAR   (señalando a BENTÍN)   ¡El campeón mundial de los monigotes! ¡El tirifilo máximo de la historia americana!

BENTÍN   ¿De modo que nunca se resolverá usted a tomarme en serio?

ECHECOPAR   (extendiendo el brazo)   Ven para acá, muchacho. (Se *abrazan largamente.*) ¿Y qué nos vas a contar hoy de la situación europea de principios de siglo, eh? Y, sobre todo, ¿cómo están tus hermanitos de Beluchistán, eh?

BENTÍN Siempre me mandan saludos para el «Viejo de las Montañas». Bueno, Fernández, sirve copas. Quiero tomarme unos tragos con el constructor de Collacocha.

ECHECOPAR (*entre colérico y sombrío*) Yo no soy el constructor de Collacocha. Y si has venido aquí para hacer bromas estúpidas, tómate tu trago y lárgate.

FERNÁNDEZ (*a* ECHECOPAR) ¿Me puede usted decir quién construyó Collacocha, si no fué usted?

ECHECOPAR (*a* FERNÁNDEZ) ¡Ajá! ¿De modo que tú también, entonces? Si quieres saberlo, tus directores de Lima, don Alberto Quiñones y Quiñones. (*a* BENTÍN) O los Derechos del Hombre, me es igual. Yo soy el asesino de Collacocha.

FERNÁNDEZ Echecopar, no hable usted así, por favor.

ECHECOPAR El asesino, sí. Los médicos asesinan a sus pacientes, los generales asesinan a sus soldados y yo asesiné a mis obreros. ¿Tiene eso algo de raro? A todos ustedes se lo dije: Estoy dispuesto a asfaltar este camino con mis huesos y con los de ustedes. ¿Recuerdas, Bentín?

BENTÍN Sí, recuerdo.

ECHECOPAR ¿Lo hice o no?

BENTÍN No.

ECHECOPAR Sí, sí lo hice. Y si yo no morí, no es culpa mía.

FERNÁNDEZ ¿Puede alguien tener la culpa de estar vivo?

BENTÍN Ningún valiente puede avergonzarse de estar vivo.

ECHECOPAR Pero, si fuese necesario, lo volvería a hacer todo igual. ¿Entienden? Lo que pasa es que hoy nadie quiere ofrecer su felicidad por nada. Ya sólo hay héroes a foetazos.[25] ¿O no? Todos viven con el terror de perder un puesto, un sueldo, una casa, una reputación. Yo expuse mi vida por el progreso de un país casi salvaje, a merced de todos y de todo. Y el que expone su propia vida puede exponer la felicidad de unos cuantos para asegurar la felicidad de muchos, su redención de la muerte y la enfermedad y la miseria.

---

25. **Ya... foetazos:** People are only heroes now when they have to be (*lit.* now there are only heroes by whipping).

BENTÍN Eso no puede ser... Su filosofía es inadmisible...

ECHECOPAR ¡Cómo! ¿Eres tú un apóstol de la multitudes o un profesor de filosofía?

FERNÁNDEZ Tampoco creo que la felicidad de unos hombres pueda comprarse con la desgracia de otros. Usted mismo se lo dijo a Soto: «¿Puedes fijar el precio de una vida inocente?»

ECHECOPAR ¿Y no eran inocentes las vidas que devoraba la tuberculosis, y el paludismo, y la fiebre amarilla, y la lepra, y la miseria, a la misma hora en que ejércitos de holgazanes no sabían cómo matar el tiempo? ¿Cuál era su pecado? ¿Haber nacido en la miseria? El Destino también asesina..., y el que no hace nada contra el destino es cómplice dé sus crímenes. Porque para dejar morir se necesita tanta crueldad como para matar... No, ustedes no han descubierto la capacidad de fe a que puede llegar el hombre.

FERNÁNDEZ (*acercándosele*) Y, con todo, es con fe que estamos reabriendo el camino que usted trazara...

(*Pausa.* ECHECOPAR *queda como arrobado, soñador. Los otros le contemplan.*)

ECHECOPAR (*a* FERNÁNDEZ, *sin mirarle*) Fernandito, ¿es verdad que uno de estos días...?

FERNÁNDEZ Sí, Echecopar; uno de estos días, cuando terminemos un tramo que queda a cosa de setenta kilómetros, comenzarán a pasar por aquí autos y camiones...

ECHECOPAR ¡Es sencillamente extraordinario! Hay una laguna; un cerro la aplasta. Luego un río se lleva al cerro. Un año después, allí está la laguna, un kilómetro más allá... ¡Qué quieren! Es el país. Mil hombres hacen un túnel. Trabajan ocho años..., y el túnel los aplasta. Y otra vez los cataclismos lo borran..., y otra vez los hombres lo perforarán en la entraña de la tierra. Así hasta que un día el hombre habrá dominado su suelo y estará parado firme y para siempre sobre él. ¡Es grandioso, fenomenal! Los que vendrán después no lo sabrán. ¡Qué se va a hacer! Hay que trabajar no solamente para nosotros, sino también para los hombres del futuro.

FERNÁNDEZ Hay que tener paciencia unos cuantos días más...

ECHECOPAR Y desde ese mismo día, el «Viejo de las Montañas»...

BENTÍN (*interrumpiéndole*) ¿Se retirará usted a descansar, supongo?

ECHECOPAR   ¿A descansar yo? ¿Con este puño que me queda todavía? ¿Y de qué quieres que descanse? No. Desde ese día comen-
zaré a trabajar de nuevo.

BENTÍN   No entiendo.

FERNÁNDEZ   Tampoco yo.

ECHECOPAR (*confidencial*)   Desde ese día, amigos, mis buenos y
únicos amigos, el «Viejo de las Montañas» será un hombre feliz...

FERNÁNDEZ   ¿Qué es lo que piensa usted hacer?

ECHECOPAR (*soñador, como hablando para sí mismo*)   Me sentaré a
la puerta de mi casa, en Collacocha, y observaré el lento despertar de mi camino a la vida. Seré el testigo de la justificación
de todo. Y cada mañana, al levantarme, me diré: «Ayer pasaron
sesenta camiones..., ayer pasaron ciento cincuenta camiones.
Llevaban fruta, medicinas, madera, maquinaria...» ¿Comprenden
ustedes eso?

FERNÁNDEZ *y* BENTÍN   Sí.

ECHECOPAR   Veré cómo, día a día, todo se anima, cómo todo crece
y crece y crece, cómo el alma del país circula sobre los cadáveres
de ayer... Las cáscaras, los periódicos y los cigarrillos que arrojen
los chóferes al pasar irán cubriendo las tumbas de Collacocha...
(*Pausa.*) Los motores zumban..., los hombres pasan... Van a cono-
cerse, a casarse, a negociar... (*animándose*) Los chóferes subirán
a visitarme. Les invitaré a un trago. Les contaré..., les hablaré de
ustedes... ¡Ah! Cuanto más viejo me hago, tanto más me doy
cuenta de que no se puede vivir solitario en medio de los hombres.
(*Se interrumpe. Enfureciéndose*) ¡Qué hombres! ¿Adónde estaban?
Sólo había piedras, y silencio, y frío, y oscuridad... ¡Había que
gritar en el túnel para que los oídos no se pudrieran de silencio!
¿Entienden? Cada vez que pase un camión, le gritaré: «¡En
Collacocha no ha pasado nada!» Después de todo, ¿tengo yo la
culpa de estar vivo?

FERNÁNDEZ   No.

ECHECOPAR   No, claro. Pero, mientras lo esté, quiero ser testigo de
la justificación de todo.

BENTÍN   Pero ¡si no hay nada que justificar! ¡El país es así!

ECHECOPAR   ¿No hay nada que justificar? ¿De modo que ciento
ochenta vidas no son nada?

MUCHACHO (*desde afuera, mientras se oyen sus pasos acercarse a la carrera*) ¡Taitas..., taitas..., taitas..., taitas! (*Entra, jadeante, señalando hacia afuera.*) Taitas, ¡kammionmi chekamunam! ¡Kammionmi chekamunam!

(*Se oye llegar, de muy lejos, el ruido del camión que se acerca.*)

ECHECOPAR (*que había quedado como paralizado*) ¿El camión? ¿Qué camión, Fernández?

FERNÁNDEZ (*desbordante de alegría*) ¡El primero que viene de la selva! ¡Esa es la sorpresa: desde hoy está expedito nuestro camino! ¡De la selva al mar: se dice en dos palabras!

ECHECOPAR (*como quien no puede comprender*) ¿El camión? ¿El camión está llegando?

BENTÍN Sí, «Viejo de las Montañas»: ¡kammionmi chekamunam!

ECHECOPAR (*dando furiosos golpes de puño sobre un escritorio*) ¡El camión está llegando! ¡¡El camión está llegando!! ¡Soto, el camión está llegando! ¿Lo oyes? (*hablando por la ventana del abismo, hacia afuera*) ¿Lo oyen todos? (*Va hacia el lugar en donde estaba antes el dictáfono y hace como si hablara por él.*) Aló, aló..., ¡todas las centrales!, ¡todas las centrales! Central uno, central tres, central del campamento, central de Collacocha, centrales del túnel dos y, sobre todo, central del cementerio..., oigan todos, los vivos y los muertos..., Soto, Sánchez, todos: ¡en Collacocha no ha pasado nada! ¡Absolutamente nada!

FERNÁNDEZ ¡Nada! Simplemente, la vida se ha instalado...

BENTÍN ¡Nada más! Unos hombres han abierto un camino...

FERNÁNDEZ ¡Nada más!

(*El ruido del camión ha ido creciendo y cubre ya las voces. Se detiene en la puerta. Se apaga el motor. Golpe de cierre de la portezuela.*)

TAIRA (*entrando y después de saludar con la mano*) ...tardes, patrón...

ECHECOPAR (*Se le acerca lentamente y le pone la mano sobre un hombro.*) Jacinto Taira, de San Pedro de Lloc... El mismo que hace cinco años comenzara[26] a subir a la madrugada..., el que debió llegar abajo al atardecer... ¡Qué demonios! ¡Aquí está el mismo, ahora, hoy, al mediodía de hoy... ¡Es como si no hubiera pasado nada! Jacinto Taira...

TAIRA El patrón no se ha olvidado de mí...

FERNÁNDEZ Antes nos olvidaríamos de nosotros mismos...

26. **comenzara**: *había comenzado*

233

BENTÍN   Claro.

ECHECOPAR   Eso. Porque tú, Jacinto Taira, eres el hombre que cantó el himno al progreso donde nunca antes se escuchara...

TAIRA (*avergonzado por el elogio*)   ¡Patrón...!

ECHECOPAR (*entusiasmado*)   Tú pasarás hoy el primero por estas punas desoladas y estos caseríos ateridos, por estos tremendos abismos y estos túneles helados. Y por donde pases, tu motor, rugiendo y gimiendo, cantará nuestro esfuerzo y embellecerá nuestra miseria y nuestra muerte.

BENTÍN   ¡Un trago para Jacinto Taira, el caballero rodante![27]

ECHECOPAR   Eso es: un trago para todos antes que partas. (BENTÍN *se dispone a servir y repartir copas.*) Y, Taira, ¿qué traes en tu camión?

TAIRA   Platanito, patrón. (*señalando a* FERNÁNDEZ) Es un regalo del ingeniero para un hospital de Lima.

   (ECHECOPAR *mira a* FERNÁNDEZ *con honda ternura. Este, al reparar en ello, baja la vista.*)

BENTÍN   Este es un día inolvidable, Fernández...

ECHECOPAR   Bueno, ¡salud!

   (*En el momento en que se aprestan a beber se oye un lejano y débil temblor. Todos bajan los vasos, sin haber bebido, y se miran.*)

TAIRA (*a* ECHECOPAR, *algo asustado, pero tranquilo*)   ¿Qué fué eso, patrón?

BENTÍN   Ha sido un temblor.

FERNÁNDEZ   Un temblor como hay muchos por acá.

ECHECOPAR   ¡Claro! Es la Tierra, que brinda con nosotros. (*vertiendo al suelo unas gotas de su vaso*) ¡Salud, Pachamama![28] (*Otro ligero temblor de tierra. Acariciando el suelo con el bastón*) Bueno, ya callando, vieja.[29] Tú dedícate a tu yuca y a tu trigo y déjanos beber en paz. ¡Salud, todos!

   (*Todos beben.*)

FERNÁNDEZ   Taira, tienes que seguir ya. Hay treinta y dos camiones esperando el paso.

   (TAIRA *saluda con la mano y sale. El motor se enciende y el camión se aleja.*)

---

27. **caballero rodante:** knight on wheels (a pun on *caballero andante*, knight errant)
28. **Pachamama:** Quechua goddess of Earth ("Mother Earth")   29. **ya... vieja:** calm down, old girl

ECHECOPAR (*tomando la botella y regando su contenido, primero en el suelo y luego, a través de la ventana, hacia el abismo*) Un trago para Jacinto Taira y ciento ochenta tragos para todos..., para todos...

FERNÁNDEZ (*que desde la puerta de la barraca ha estado despidiendo con la mano al camión que se alejaba, entusiasmado*) Recién ahora lo comprendo... Lo verán pasar por los pequeños pueblos..., los pastores lo señalarán..., la gente se parará al lado del camino y le dirá adiós con la mano... Y si es de noche, los hombres se incorporarán sobre sus pellejos y se dirán unos a otros: «Oye..., oye: ¡el primer camión está pasando!»

BENTÍN Y el cholo Taira, con la bufanda hasta la nariz, ¡rumbo al Pacífico!

ECHECOPAR Un poco de tierra, un poco de amor, un poco de sudor y fe, ¡y millones se entrelazan en nuestro Perú amado (*señalando hacia el abismo*) y terrible!

BENTÍN ¡Ojalá!

FERNÁNDEZ (*convencido*) Sí, así será. (*cambiando de tono*) Bueno, ahora tenemos que ir a la Alcaldía; los notables nos esperan.

ECHECOPAR (*extrañado*) ¿Adónde?

FERNÁNDEZ A la Alcaldía. A las doce hay un gran banquete.

ECHECOPAR Yo no voy.

FERNÁNDEZ ¡Cómo! ¡Tiene usted que tomarse una copa de «champagne» con todos!

ECHECOPAR ¡¡Yo beber con esa banda de ladrones!!

BENTÍN Tiene usted que venir. Sería un desaire imperdonable...

ECHECOPAR Los que yo quería que me perdonaran me han perdonado ya.

BENTÍN ¡Es usted intolerable!

FERNÁNDEZ Otra vez comienza usted...

ECHECOPAR ¡Otra vez, sí, otra vez! Miren: yo hice un túnel..., un aluvión se lo llevó, y tú, Fernández, volviste a abrirlo. ¿Es eso motivo para que cuarenta cretinos se pongan a discursear en el vacío? No voy, y se acabó el asunto. Soy un hombre libre, que hace lo que le da la gana; tan libre, que he preferido morirme de hambre por mi propia voluntad a que otros me obliguen a ser feliz. ¡Lárguense!

(BENTÍN y FERNÁNDEZ *se miran, se encogen de hombros y salen.*)

BENTÍN (*regresando, desde la puerta*) Adiós, gigante de Colla-cocha...

(ECHECOPAR *le amenaza con el bastón.* BENTÍN *sonríe y se retira. Se enciende el motor del autocarril y se escucha alejarse a éste.* ECHECOPAR *apaga la luz. La iluminación de la barraca se torna irreal.* ECHECOPAR *se asoma a la ventana del abismo. Pausa.*)

VOZ DE SOTO (*Habla pausadamente, casi alegre, pero con un matiz de irrealidad.*) Buenos días, ingeniero... (ECHECOPAR *gira violent-amente hacia el centro de la barraca.*) Buenas noches, ingeniero...

ECHECOPAR ¡Soto!...

VOZ DE SOTO Buenos túneles, mejor... (*Ríe suavemente.*)

ECHECOPAR Soto..., ¡por fin llegas! Eras el único que faltaba... To-dos los demás habían venido ya a mí...

VOZ DE SOTO ¿No riegas hoy tus flores, viejo amigo?

ECHECOPAR ¡Ya no hay flores en Collacocha, Soto!... ¡Ya no hay flores en la ventana del abismo!...

VOZ DE SOTO (*con unción profética*) Volverán a salir... ¿Te imaginas el trabajo que les costará crecer entre estas piedras, en medio de esta oscuridad?

ECHECOPAR ¿Y llegará el día en que nuestros huesos confundidos serán una piedra olvidada entre las piedras de la tierra...?

VOZ DE SOTO Eran seis..., pero Fernández arrancó una.

ECHECOPAR Y el aluvión...

VOZ DE SOTO Y el aluvión arrancó todo lo demás...

ECHECOPAR ¿Y llegará también el día en que todo un pueblo joven se acercará por nuestro camino para encontrarse en la fiesta del amor verdadero?

VOZ DE SOTO Ese día llegará. Duerme hoy tranquilo, Echecopar.

ECHECOPAR ¡Entonces el anillo se ha cerrado! Lo que vivió y murió ha nacido nuevamente. El eterno ciclo se ha cumplido y Echecopar es un hombre feliz.

VOZ DE SOTO ¿Oyes los camiones? (*De lejos se escucha acercarse el ruido de motores y bocinas de la caravana que se acerca.*) Son exactamente treinta y dos camiones que van a pasar. Sobre ellos vienen treinta y dos tractores para cultivar la selva.

ECHECOPAR ¡Es grandioso y fenomenal! ¡Soy un hombre feliz!

VOZ DE SOTO ¡Ah, pero la laguna se está formando de nuevo!

ECHECOPAR ¡Qué importa! Vendrá otro hombre, y otro, y otro, y muchos más. Y un día nuestros hijos estarán parados firmes y para siempre sobre el suelo que supimos conquistar.

VOZ DE SOTO   Ya veo las luces del primero.

ECHECOPAR   Y quedará instalada la era de las cosas buenas y hermosas..., ¿verdad?... ¡Soto!... ¿Verdad? (*El estrépito de los camiones, que comienzan a pasar al lado de la barraca, apaga su voz. Los faros pasean su luz por el escenario.* ECHECOPAR *sale de la barraca y, agitando el brazo hacia el túnel, grita*) ¡En Collacocha no ha pasado nada! ¡Absolutamente nada!

TELÓN

Fin de «Collacocha»

Vocabulario

ABBREVIATIONS

cap.	capitalized	*fam.*	familiar	*m*	masculine
col.	colloquial	*fig.*	figurative	*Mex.*	Mexican
cont.	contraction	*inf.*	infinitive	*pl*	plural
dial.	dialect	*interj.*	interjection	*pp*	past participle
f	feminine	*lit.*	literally	*var.*	variant

Genders of nouns have not been indicated in masculines ending in *o* and feminines ending in *a*, *dad*, *ion*, *tad*. Except for a few special cases, the following have been omitted: adverbs ending in *mente*, cognates, diminutives, and words occurring in the first three groups of Keniston's *A Standard List of Spanish Words and Idioms* (Boston: Heath, 1941).

abandonarse to let oneself go; to be careless

abarcar to include, contain

abatido downcast

abatimiento depression, dejection

abertura opening

abismo abyss

abofetear to hit, buffet

abolengo ancestry

abolir to abolish

abonar to speak for or in favor of

aborrecer to abhor

abotonar to button

abra gorge, ravine

abrigo shelter, protection; topcoat

absorber to absorb

abstraído abstracted, distracted

abultado bulky

abundar to abound

aburrimiento boredom

aburrirse to become bored

abusador (-ra) one who takes advantage

académico half-hearted, disinterested

acalorado excited, heated

acariciar to caress, stroke

acceso access, attack

acentuar to accentuate

acera sidewalk

acero steel

ácido acid

  ácido prúsico Prussic acid

aclarar to clarify

acoger to receive, shelter

acomodarse to get ready, get settled

acontecimiento event, happening

acoplar to connect, to do in series

acorde *m* chord

239

acosado pursued, harassed

acostumbrarse to get accustomed (to)

actitud *f* attitude

acto act

  en el acto right away

actuación acting

actuar to act

acudir to attend; to frequent

acumulado accumulated

acusar to reveal

achocolotado chocolate colored

ademán *m* attitude

admirado amazed

adornado adorned

adosado placed, set

adrede on purpose

adular to flatter, fawn

adulón *m* flatterer

afear to make ugly

afecto affection

afeitarse to shave

aferrarse(a) to persist (in); to cling (to)

afinar to refine

afirmar to adjust; to settle; to affirm

afuera outside

  de afuera from outside

agachado crouched; hanging, lowered; dejected

agachar to lower (the head, as in dejection)

agarrado seized

agarrar to seize, hold

agilidad agility

agitado shaken, agitated

agotado exhausted

agotar to exhaust, empty

agradecido gratified; thank you; grateful

agravar to aggravate

agresivo aggressive

agrio bitter, sour

aguador water vender

aguantar to put up with

  aguantar el aliento to hold one's breath

aguar to dilute

  aguar la fiesta to spoil the party

agudo acute, sharp; high (sound)

ahí: de ahí en adelante from then on

ahogarse to drown oneself, choke, become suffocated

ahogo suffocation

ahorita right away, right now

ahorcar to hang

ahorrar to save

ahuecamiento hollow sound

aislado isolated

ajustar to fit, adjust

  ajustarse(a) to conform (to), be fitted (to)

alargar to lengthen, stretch

alarido howl

alarma alarm

alarmado alarmed

alborotado tousled; agitated; uproarious

alborotar to agitate, disturb; to create a disturbance

alboroto uproar, disturbance

alcahuetería pandering

alcaldía the office or function of the *alcalde*, or chief municipal official

alegrarse (de) to be happy (about)

alfiler *m* pin

algarabía clamor, uproar

algodón *m* cotton

alistarse to get ready

aliviado relieved

aliviar to relieve

aliviarse to be relieved, feel better

alivio relief

alma: ni un alma not a soul

almacén *m* storehouse; store

almendra almond

almohada pillow

aló hello

alternar con to associate with

altillo rise, high spot

alucinado dazzled; hallucinated

alumbramiento lighting; birth

alumno pupil

alusivo allusive

aluvión *m* mudslide

allá: más allá further on

amado beloved

amago threat; hint

amanecer *m* dawn

amargarse to become embittered

amarra cable

amarrado tied, fastened

amarrar to tie, fasten

ambicioso ambitious

ambiente *m* atmosphere; surroundings

ámbito area, scope

amenazado menaced

amistoso friendly

amparado sheltered; protected

amparar to shelter, protect

amplio large; full, wide

amueblado furnished

analfabeto illiterate

anarquista *m* or *f* anarchist

anciano elderly person

ancha: a las anchas de alguien freely, without restriction

ancho wide; (*col.*) delighted

andaluz Andalusian

andar to walk

anda, ándale come on; get going

anegar to flood; to drown

ángulo angle

angustiado anguished

angustioso anguished, anguishing

anhelado desired, longed-for

anhelar desire, yearn

anillo ring

ánima soul; spirit

animado animated

animalidad *f* animal spirits

animarse to become lively; to cheer up

ánimo courage, spirit

presencia de ánimo presence of mind

anochecer *m* nightfall, dusk

anónimo anonymous

anotar to note, comment

antaño long ago

antebrazo forearm

antier (anteayer) day before yesterday

antipático disagreeable

antojarse to take a notion

añejo old, aged

añorar to yearn, long for, miss

apacible peaceful, mild

apaciguador peacemaking

apachurrar to crush

apagar to put out (a light); to turn off (a machine); to soften, deaden, dull

apagarse to go out, die out

aparato equipment, machine, apparatus

aparentar to pretend, seem to be

apartado distant; separated

apenar to pain, cause suffering

apenarse to grieve

apetito appetite

aplastado crushed

aplastar to crush, smash

241

aplomo aplomb

apoderarse to take possession of

apostar to bet

apóstol *m* apostle

apoyar to support, strengthen

apoyo support

apreciar to esteem

aprestarse to get ready

apresurado hurried

apretar to squeeze

apurar to drain, drink down; to worry, annoy

  apurarse to hurry; to be worried, fret

arco arch

  corredor de arcos arched corridor

arena sand

armar to prepare

  armar **tamaño** **escándalo** to cause a great scandal

armonía harmony

arte *m* or *f* art

  bellas artes fine arts

artisela a shiny material of artificial silk

arrancar to tear out, tear off; to start off (in a vehicle)

arratonado meek, mousy

arrebatado impetuous

arreglo solution (as to a problem)

arrepentimiento repentance

arrepentirse to repent

arriba: de arriba abajo from top to bottom, up and down

arribismo opportunism

arrinconar to corner; to abandon

arrobado entranced

arrodillarse to kneel

arroyo brook, small stream

arrullar to lull, coo

asamblea meeting, assembly

ascender to rise, ascend

ascenso promotion

asco nausea

  tener asco to be nauseated

asentir to agree, assent, nod

asesinar to murder

asesino murderer

asfaltar to cover with asphalt, pave

asfalto asphalt

asfixiante choking, asphyxiating

asfixiarse to choke

asilo shelter, refuge; home for the aged or ill

asociar to associate

asombrado astonished

asomo indication

aspirar to breathe in

asquear to cause nausea

  asquearse to be nauseated; to detest

asustado frightened, startled

asustarse to be frightened, be startled

atacar to attack

atado bundle

atar: loco de atar raving mad

atardecer *m* dusk

atavío dress; gear

  atavíos domingueros Sunday best

atemorizado frightened

atenuar attenuate

aterido stiff (with cold)

aterrado terrified

atinado correct; shrewd

atizar to rouse, spur on

atormentado tormented

atraer attract

atrapado trapped

atropellar to trample; to insult

audaz daring

aula classroom
aullar to howl
aureola halo
auténtico authentic
autocarril *m* motorcar (rail)
avance *m* advance
avanzado advanced
avanzar to advance
avergonzado ashamed
avergonzar to embarrass, shame
  avergonzarse to be ashamed
avispa wasp
avistar to watch, perceive
ayudante *m* assistant
azafate *m* trày
azar *m* chance, accident
  al azar at random
azotar to whip, lash
azucena white lily
azulenco bluish

bahía bay
bailadora dancer
bailotear (*col.*) to dance frequently
  and ungracefully
bajarse to descend
balanza scale, balance
bambolear to sway, dangle
banda group, gang
bandeja tray
banderillear to place the bande-
  rilla (in bullfighting); to tease,
  dance around
bañado bathed
barbaridad blunder; barbarity
bárbaro barbarous
barraca hut
barranca gorge, ravine; cliff
  barranca abajo down the cliff;
  downhill
barriada district, section
barrio district, section

barruntar to guess, suspect
bastón *m* cane
bata robe, dressing gown
batallador fighter
batey *m* sugar refinery
bautismo baptism
bayeta baize, flannel
Belém Bethlehem
bellaco rogue, villain
belleza beauty
benigno kind, benign
besamanos *m* flatterer (*lit.* hand
  kisser)
bestia animal; wild beast
Biblia Bible
bíblico biblical
bicho insect, bug; odd person
bigote *m* mustache
bigotudo mustached
billar *m* billiards
birlar to rob, steal
bisabuelo great grandparent
blanco: en blanco blank
blandura softness; gentleness
blanquete *m* white makeup
bloque *m* block
blusa blouse
boca: boca abajo face down
bocina horn; loudspeaker; re-
  ceiver
bohío hut, cabin
boina beret
bola ball
bolero a type of dance, the music
  for this dance
bolsa pocket; handbag
bolsillo pocket; handbag
bomba a type of dance, the music
  for this dance
bondad kindness
  tenga la bondad please
bordear to border

bordo; a bordo on board
borrachera drunkenness
borrachín *m* drunkard
borracho drunk
borrar to erase, wipe out
borroso muddy; vague, cloudy
bota boot
    bota de media pierna half boot
botánico botanical
botella bottle
botica drugstore
bravo angry
bregar to struggle
brequero brakeman
brinco leap; hop
brindar to toast
brioso spirited
brisa breeze
broche *m* clasp; brooch
bromear to joke
brotar to appear; to bud
bruja witch
brujería witchcraft
brusco curt, brusque
bruto stupid, ignorant
bucólico bucolic, pastoral
bufanda muffler, scarf
buitre *m* vulture
bulto package
bulla commotion
burro donkey
butaca armchair

cabaña hut
cabecear to nod
cabellera hair, in the inclusive sense (i.e., She has lovely hair.)
cabello hair, in the specific sense (i.e., I have too many gray hairs.)
cabra she-goat
    cabrita kid, young she-goat

caca excrement
cachaco policeman, "cop"
cachete *m* cheek
cada: cada vez más more and more
cadena chain
caer: caer en gracia to please
cafetal *m* coffee plantation
caimito star apple (a tropical fruit)
caja strongbox, safe, cash register
cajón *m* box, chest of drawers
calamina zinc
cálido warm
calificar to judge; to rate
calloso calloused
camaradería comradeship
cambiarse to change clothes
camino road
    en camino on the way
camión *m* truck
camisa shirt
campamento camp
campaneo bell ringing
campante cheerful
campeón *m* champion
campiña field, country
canalizar to canalize; to construct channels
canalla scum
candado lock
canela cinnamon (*col.* Negro ancestry)
canino canine
canoso gray-haired; grayish
cansancio fatigue
cansarse to get tired
cantador *m* singer
canturrear to hum
capa layer
caramba interjection with no specific meaning, expressing mild to strong surprise or shock

carátula   title page (of a book); cover (of a program)

caray   same as *caramba*

carcajada   guffaw

cárcel *f*   jail

careta   mask

cargado   loaded

cargador *m*   porter

cargamento   load

cargo   burden; charge

  a mi cargo   in my charge

carraspear   to clear one's throat

carrera   flight, run

  a la carrera   on the run

carretera   highway

cartucho   explosive cartridge

casaca   long coat

casamiento   wedding

cáscara   shell, peel

casco   helmet

caserío   village

caso   case

  en todo caso   in any case

castaño   chestnut

casualidad   chance

categórico   categorical

católico   catholic

catre *m*   cot

cavilar   to think over, hesitate

cazar   to hunt

ceiba   the silk-cotton tree

celeste: azul celeste   sky-blue

celos   jealousy

celosía   lattice; blinds

celoso   jealous

cementerio   cemetery

cena   dinner

cenicero   ashtray

centavo   cent

centellear   to sparkle, twinkle

centenar *m*   a hundred

central *f*   headquarters

ceñido   tightfitting

ceñir   to surround; to grasp

  ceñirse a   to confine, to fit tightly

cerciorarse   to make sure

cerco   fence

cerro   hill

ciclo   cycle

ciclón *m*   cyclone

ciempiés *m*   centipede

cierre *m*   closing

cigarra   locust

cigarrillo   cigarette

cigarro   cigar, cigarette

cimarrón   wild, untamed

cínico   cynic

cínico   cynical

cinta   ribbon

cintura   waist

circular   to circulate

círculo   circle

claro   opening, door frame; light-colored

clasificado   classified

claudicante   halting

clavo   nail

clima *m*   climate

cobarde *m*   coward

cobarde   cowardly

coco   coconut; coconut palm

cocotero   coconut palm

coctel *m*   cocktail

coctelera   cocktail shaker

cochinada   dirty trick

cochino   filthy

codearse   to rub elbows

cohete *m*   skyrocket

coheterío   fireworks display; collection of fireworks

cohibido   shy, withdrawn

cohibirse   to become shy or embarrassed

colaborar to collaborate

colar to squeeze through, filter; to percolate

colarse to sneak in

colegio school, academy; college

cólera anger

colérico angry

colmo climax, height, limit

colorín *m* bright-colored material

columnata colonnade

comando command

al comando waiting for the command

combatir to combat

combinar to combine

comentar to comment

comentario commentary

cómico comic

como as, like, how

como a at about

comodidad comfort; convenience

comparsa group of actors

compasivo understanding, compassionate

complejo complex

complicado complicated

cómplice *m* or *f* accomplice

comportarse to behave

compromiso obligation

por compromiso because of an obligation

comunicarse to communicate

conciliador conciliatory

conforme while; in agreement

confraternidad brotherhood

congregado congregated, gathered

conmutador *m* switch (electric)

conquistar to conquer

consistir (en) to consist (of)

consternado consternated

constituido constituted, formed

constructor *m* builder

constructor construction

contagiado infected; affected

contar to tell

contar con to count on

contar... años to be ... years old

contenerse to control oneself

contenido contained

contradecir to contradict

contrariado annoyed; disappointed

contrario contrary

al contrario on the contrary

todo lo contrario just the opposite

contrato contract

contribuir to contribute

contumaz stubborn; rebellious

convencerse to become convinced

convenido agreed

conveniencia desirability; convenience

convertirse en to change into

convincente convincing

convivencia living together, understanding

convivir to live together

convulsivo convulsive

copiar to copy

coqueta coquettish

coquetería coquetry

coqueto attractive, cute

coquí *m* small frog which makes a bird-like sound

coraje *m* anger

coral coral-colored

corazón *m* heart

de corazón sincerely

corazonada impulse

corbata necktie

cordero lamb

cornudo horned; cuckolded

coro chorus
corregir to correct
correntón *m* man about town
correr chase away
corrido one after another, continuous
corroer to corrode
cortado cut
cortante cutting
cortesía courtesy
cortina curtain
cortinón *m* large, heavy curtain
cosa: a cosa de at about
costeño coastal
costilla rib
costumbre *f* custom
 de costumbre as usual, customary
costumbrismo type of literature concerned primarily with the depiction of local customs
cotorra magpie
crecido grown
crepúsculo dawn; dusk; dimness
crespo curly, kinky
cretino idiot
creces increase, excess
 con creces fully
criarse to grow up
crimen *m* crime
cristiano Christian; human being; Spanish
criticar to criticize
crugir to creak
cuadrar to fit
cuadrilla crew
cuadro: cuadro al óleo oil portrait
cuanto how much, how many; as much as, so much
 cuanto antes immediately
cuarentón fortyish
cuarto room

cuarto de atrás back room
cúbico cubic
cubierto place setting
cucaracha cockroach
cuenta business
 cuentas *pl* accounts, affairs
 hacer una cuenta to calculate
cuerda watchspring
 dar cuerda to wind up
 de cuerda handwinding
cuerdo sane
cuero leather; drumhead
cueva cave
cuidado care
 perder cuidado not to worry
culminante culminating
culto cultured
cuna cradle
cuñado brother-in-law
curiosear to pry into
curioso onlooker
cursi vulgar, in bad taste
curva curve; curved bottom piece of a rocking chair
cutis *m* skin

chantage *m* blackmail
chaqueta jacket
chiflado crazy
chillar to scream, screech
chillido screech, scream
chillón harsh, loud, bright
chiquillo child
chiquión *m* particularly affectionate baby
chisme *m* gossip
chismorreo gossip
chispa spark
chispear to sparkle, emit sparks
chistoso funny
chocante striking, shocking; unpleasant

247

chocho senile
chófer *m* driver
cholo Indian; mixture of Indian and white
choque *m* collision; impact
chorro stream, spurt
choza hut
chucherías knicknacks
chulo cute

dama lady
Danubio Danube
danza dance
danzante *m* or *f* dancer
darse to happen, occur
  darse cuenta to realize, catch on
  darse prisa to hurry
debido due
década decade
decaer to decay
decaído weak, languishing
decencia decency
decidido resolved
declamatorio declamatory
decrecer to diminish
dedicatoria dedication
dedo índice index finger
definir to define
dejadez *f* indolence
dejar to let, leave, allow
  dejar ver to show
deleite *m* pleasure
delicia delight
delirio delirium; rapture
democracia democracy
demorar to delay
demudado altered, changed; pale
depender to depend
derredor: en derredor all around
derrumbarse to fall, crumble
derrumbe *m* cave-in
desabotonar to unbutton

desabrochar to unbutton, unclasp, open
desacostumbrarse to become unused to; to break a habit
desagradable disagreeable
desagradar to be disagreeable
desahogar to relieve, empty
  desahogarse to relieve oneself, release one's emotions
desaire *m* slight, rebuff
desaliento discouragement
desaliñado disarranged, mussed
desalmado inhuman or cruel person
desamor *m* rejection, lack of love
desapercibido unseen, unperceived
desarrollarse to develop, take place
desastre *m* disaster
desayunar to eat breakfast
desayuno breakfast
desbocarse to loosen one's tongue, speak freely
desbordante overflowing
descarga discharge
  cerrada descarga volley
descaro effrontery, assurance
descartar to discard
descifrar to decipher
descolgarse to hang, dangle
descolón *m* insult
descompasado disproportionate
descomunal extraordinary, huge
desconcertado disconcerted
desconcertarse to be disconcerted
desconfiado mistrustful; suspicious
desconfiar to suspect, be suspicious, mistrust
desconocer to be unaware of
desconocido unknown
desconsiderado inconsiderate; thoughtless

248

desconsolado disconsolate

descontar to discount

descorrer to raise or open (a curtain)

desde: desde cuando a long time ago

desdibujarse to become vague or confused

desenredar to untangle

desenrollar to unroll

desentendido: hacerse el desentendido to pretend not to notice

desentonar to be out of tune

desesperado desperate

desesperar to discourage

desfallecido fainting; fainted

desfalleciente fainting

desgarrar to tear, rip

desgraciado wretch

desgreñado disheveled (hair)

deshacerse to get loose

deshonra dishonor

desistir to desist

deslealtad disloyalty

deslizarse to slip away, sneak away

deslumbrado dazzled

desmedido excessive

desmoronarse to crumble

desnudo nude

desocupado unused; empty

desolado desolate

desorbitarse to become confused

despacio slow, slowly

desparramarse to be scattered

despavorido aghast

despecho spite

despedazar to tear to pieces

despeinado uncombed

despejado clear, unobstructed

despejar to clear up

despertar *m* awakening

desplomarse to collapse

despreciar to scorn

desprecio scorn

desprender to loosen; to emit, give off

desprenderse to get loose

despreocupación openmindedness; freedom from care

destapar to uncover

destellar to sparkle, twinkle

desteñido faded, discolored

desterrar to exile

destrozar to destroy, break into pieces

desvanecerse to faint

desvelarse to go without sleep

desventaja disadvantage

desvergonzado shameless

desviar to deflect, move away

desvío siding

detallado detailed

detalle *m* detail

día *m* day

  de día en día from day to day

  días de días days and days

  van días for days

dialogar to converse

diálogo dialogue

diamantino diamond-like

dibujar to sketch

dibujo drawing, sketch

dictáfono intercom

dicho aforementioned

diente *m* tooth

  entre dientes mumbling, muttering

diestro right; skillful

difunto dead

dignidad dignity

dinamita dynamite

directorio board of directors

disciplina discipline

disco phonograph record
disculpa excuse
disculpar, disculparse to excuse; to apologize
discursear to talk at length, make a speech
discurso speech
discutir to discuss, argue
diseño design, outline
disfraz *m* disguise
disfrazado disguised
disfrazar to disguise
disfrutar to enjoy
disimular to feign, pretend, dissemble
disimulo: con disimulo pretending
disipar to dissipate
dislocado disjointed
disolver to dissolve
dispararse to start off rapidly, take off
disparatado foolish
disparate *m* absurdity, foolishness
disperso scattered
distendido swollen, puffed up
distingo distinction
distribuir to distribute
diurno of the day
divinidad divinity
divisar to perceive
dizque (*cont. of* **dice que**) it is said that
doblar to bend, fold; to double; to turn (a corner)
dólar *m* dollar
doler to hurt, pain
doliente *m* sufferer, patient
doliente sick, suffering
domar to tame, master
dominado dominated
dorado gilt, golden
dorso back, reverse

dotes gifts, endowments
dotor (*col.*) doctor
drenaje *m* drainage
dril *m* heavy cloth
duende *m* elf
dulzura sweetness
duna dune
duplicar to duplicate

ebrio drunken
eclosión appearance, manifestation
eco echo
echar to throw out, throw away
  echar a andar to start off
  echar a perder to ruin, spoil
  echar en cara to throw in one's face, throw up to
  echar la cabeza to tilt one's head
  echar mano de to seize; to make use of
  echar raíces to sprout; to put down roots
  echarse to stretch out, lie down
  echarse (a) to begin (to)
  echarse a un lado to step aside
efusivo effusive
elefante *m* elephant
elogio praise
embellecer to beautify
emborracharse to get drunk
embrujo spell
emitido emitted
emitir to emit
empañado soiled; blurred
empañetar to plaster
empeñado determined
emplumar to cover with feathers and a sticky substance such as tar
empolvar to powder
empujar to push

empujón *m* shove
enaltecer to praise, exalt
enano dwarf
enarbolar to hold high
encampanado confused, "left high and dry"
encandilado excited, stirred up
encantado delighted; it's a pleasure
encargarse to take charge
encariñarse (con) to become fond (of)
encarnación incarnation
encendido starter, ignition
encoger to shrug
encogido bashful, withdrawn; shrunken
encolerizarse to become angry
encopetado stuck up
encorvado bent, stooped
encrespado curly, kinky
encresparse to become kinky, become entangled; to become agitated
encuerado nude
encuerar to strip
energía energy
enérgico energetic
enfadar to anger
enfado anger
énfasis *m* emphasis
enfático emphatic
enfermar to make ill
enfermo patient, sick person
enfrentarse (con) to face, confront
enfriarse to become cold
enfurecerse to become angry, become furious
engaño deceit
engatusar to wheedle; to trick
engendro monster
engordar to get fat

enguantado gloved
enloquecer to madden
enloquecerse to go mad
enmarcar to frame
ennegrecido blackened
enojo anger
enredado tangled
enredar to entangle
enredo tangle, puzzle
enrejado grating
enrejado covered with a grating
enrollar to coil
ensayar to try; to rehearse
ensimismado absorbed
ensimismarse to become absorbed
ensortijado kinky
ensuciar to soil, dirty
entenderse (con) to have an agreement (with); to deal (with)
entendido understood; understanding, knowing, wise
enternecerse to be affected, be moved
enterrar to bury
entrante coming, next; entering
entraña entrail
entre between
entre familia within the family
entre tanto meanwhile
entreacto intermission
entrecortado interrupted, intermittent, hesitating
entrelazar to entwine, interweave
entremés *m* interlude; short play presented between the acts of a longer play; hors d'œuvres
entretener to entertain
entristecerse to become sad
entrometer to insert
entrometerse to meddle, intrude
entusiasmado enthusiastic, enthused

entusiasmarse to become enthusiastic

entusiasmo enthusiasm

envenenar to poison

envidia envy

envidioso envious

equilibrio balance

  hacer equilibrios to balance, try to keep one's balance

equipaje *m* baggage

equivocación error

equívoco ambiguously

erguirse to straighten up

erizo hedgehog

esbeltez *f* slenderness, elegance

esbozar to sketch, outline

escandalizar to scandalize

escándalo scandal; commotion

escapada escape

escarceo gabble (*lit*. small waves)

escenografía scenography

esclavitud *f* slavery

escotado low cut; wearing a low-cut gown

escrúpulo scruple

escrutar to scrutinize

espalda back, shoulder

  a la espalda behind one's back

  de espaldas facing away

espaldar *m* back of a seat

espantapájaros *m* scarecrow

espantarse to be astonished, be frightened

espanto fright, astonishment

espantoso frightening, astonishing

espasmódico spasmodic

especial special

  en especial specially, particularly

especialidad specialty

espeluznarse to be horrified

esperanza grasshopper; hope

esperanzado encouraged, hopeful

espeso thick

espina thorn, spine

Espíritu Santo Holy Ghost

esplendidez *f* splendor

espléndido splendid

espuma foam

esquema *m* plan, diagram

estallar to explode

estallido explosion, outburst

estambre *m* string, ribbon

estampa print

estático immobile, static

estatua statue

estatura stature

este well, um, ah (an expression of hesitation or uncertainty)

estentóreo stentorian, very loud

estorbar to be in the way

estrangular to strangle

estrechar to clasp, hold tightly

  estrechar la mano to shake hands

estrellar to smash

estremecimiento trembling

estrenar to premiere, make a debut

estrépito din

estridencia stridence

estrofa verse

estropajoso slovenly

estruendo turmoil, uproar

estrujamiento squeeze, pressure

estrujar to squeeze, press

estuche *m* case (for jewelry, etc.)

estudiante *m* or *f* student

estudio studio, study; studying; investigation, study

estupendo stupendous

estupidez *f* stupidity

estúpido stupid

eucalipto eucalyptus

europeo European
evadir to evade
evasivo evasive
evocar to evoke
exaltarse to get excited
exasperado exasperated
excesivo excessive
excitado excited
excitarse to get excited
excluir to exclude
excusarse to apologize, excuse oneself
exhibir to exhibit
éxito success
expectativa expectation
expedito functioning, ready
experimentado experienced
explorador exploratory
explorar to explore
exterior outside
extorsionado extorted, blackmailed
extrañado surprised
extrañar to miss
extraviado lost, astray
exuberancia exuberance

fabricante *m* manufacturer
fabricar to make, build
facción feature (facial)
facha appearance
faena task
falda skirt; slope
  falda voladiza wide skirt
faldeta shirt tail
falsete falsetto
falta lack
  a falta de lacking, in the absence of
  hacer falta to be necessary
fanfarria fanfare
fango mud

fantasma *m* phantom, ghost
farfullar to act or speak in a great hurry
faro headlight
farol *m* street light
fastidiar to annoy, bore
fastidio boredom
fatigado tired
favor *m* compliment; help
fealdad ugliness
febril feverish
felicidades congratulations; good luck
felicitaciones congratulations
felicitar to congratulate
fenomenal phenomenal
feraz fertile, abundant
feria fair, market
festejar to celebrate
festivo festive
fiebre *f* fever
fiera wild animal
fiesta: estar de fiesta to have a party
fiestero fond of parties; noisy
figura dance step
fijar to fix, fasten
  fijar los ojos (la mirada, la vista) en to stare at
  fíjate bien take a good look
fijeza: con fijeza fixedly
filmar to film
filosofía philosophy
filtración leak, filtration
fin *m* end
  al fin y al cabo after all
  en fin de cuentas after all
final *m* end
firma firm, company
firmeza firmness
físico physical
fisiológico physiological

flaco skinny; weak

flamboyán *m* a species of large tree with abundant and brilliant red flowers

florecida *f* flowering, blooming

florecido in bloom

flotante floating

flotar to float

foetazo whipping

  a foetazos by force; by necessity

fondo stage rear; bottom, depth

fonógrafo phonograph

forcejear to struggle

forjar to forge

forzar to force

fosa grave

fotográfico photographic

franja fringe, border; stripe

franjeado bordered; striped

frasco bottle, vial

fray *m* friar

fregar to scrub; to bother, pester

freno brake

  sin freno without restraint

frente *m* front

  al frente opposite

  de frente a facing

  frente a facing, opposite

  frente a frente face to face

fresco coolness

friso frieze

frívolo frivolous

frontera border

fruta fruit (of a plant)

fruto fruit, product (of intellect or labor)

fuera outside

  por fuera on the outside

fuerte *m* strong point, forte

fuga flight, escape

fugaz fleeting

fumar to smoke

funcionar to function

fundir to fuse, merge

fúnebre funereal

furibundo furious

furioso furious

furtivo furtive

galante gallant

galantería gallantry

gallego Galician (frequently used as a synonym for Spanish immigrant)

gallo rooster

gana desire, wish

  dar ganas to make one want

  de mala gana unwillingly

  tener ganas de to want to

garabato scrawl

garantía guarantee

garganta throat, gorge

gasa gauze

gastar to spend; to waste

  gastar saliva to waste one's breath

gata servant

gemir to moan

gendarme *m* policeman

gentil genteel

geólogo geologist

gestión effort; negotiation

gigante *m* giant

gigantesco gigantic

girar to spin

golondrina swallow (bird)

golpe *m* blow; stroke

  de (un) golpe all at once; with one blow

gorra cap

gorro cap; bathing cap

gota drop (of liquid)

grabación recording

gracia charm

gracioso graceful; funny

grandilocuente grandiloquent, high-flown

grano grain

greña tangled hair

grieta crack

grillo cricket

  criii de grillo chirr of a cricket

gringa foreign woman (usually applied to Americans)

gris gray

grosería coarseness

grosero coarse

grotesco grotesque

grueso thick, heavy

gruñir to grunt, grumble

gruñón grunting

guante *m* glove

guapote good-looking

guarapo sugar cane juice

guardar to keep; to put away

  guardar silencio to keep silent

guayabera a short, light jacket

guineo small banana

guitarra guitar

gusano worm

gustoso willing

habilitación habilitation, preparation

habilitar to enable

hacienda plantation

hambre *f* hunger

  tener hambre to be hungry

harapiento ragged

harapo rag, tatter

hartar to fill; to irritate, make fed up

  hartarse to become fed up

harto full, satisfied; fed up

hebra thread

hectárea hectare (approximately 2½ acres)

hedor *m* stench

helado frozen

helecho fern

hembra female (animal); (*col.*) woman

hender to split

heredar to inherit

herencia heritage; inheritance

hielo ice

hijos children

hilacho shred

hilo cloth, linen

himno hymn

hincar to prick

hincharse to swell up, get fat

hipnótico hypnotic

hispano Hispanic

histérico hysterical

histerismo hysteria, hysterics

hito: mirar de hito en hito to stare at, look up and down

hocico snout

hogar *m* home

holgazán *m* idler, loafer

hora hour; time

  en buena hora at the proper time

horadar to drill

horizonte *m* horizon

horno oven

horrorizado horrified

horroroso horrifying

hosco sullen

hospitalario hospitable

hostil hostile

huapango a widely known Mexican dance rhythm

huayco rock fall causing a stream to flood

huelga strike

huída flight
humanizarse to be humanized, become human
humear to smoke; to steam
humedecer to moisten
húmedo damp
humillación humiliation
humillado humiliated
humillar to humiliate
hundir, hundirse to sink
huracán m hurricane
huraño shy, withdrawn

idéntico identical
ideología ideology
idioma m language
igualarse to put oneself on the same level with another
iluminado illuminated
iluminar to illuminate
imaginarse to imagine
imbecilidad imbecility
impaciencia impatience
imperar to reign
imperdonable unpardonable
impertérrito serene; dauntless
ímpetu m impetus; impulse
impotencia impotence
impresionado impressed
impulsado driven, moved
impresionar to impress
imprimir to print
inadmisible inadmissible, unacceptable
inarmónico inharmonious, discordant
incesante constant, unceasing
inclinación bow, curtsy
inclinarse to lean, incline
incluso even, included
incómodo uncomfortable
inconforme dissatisfied

inconformidad dissatisfaction
incongruente incongruous, contradictory
incontenible uncontainable
inconveniente m objection; disadvantage
incorporar to incorporate, include
  incorporarse to sit up, get up
increíble incredible
inculcar to inculcate, teach
incurrir en to incur, commit (as a sin)
indeciso indecisive
índice index; index finger
indicio indication
indignar to make indignant
  indignarse to become indignant
indignidad indignity
indigno unworthy
indio Indian
individuo individual
índole f sort, type, nature
indudable undeniable
indumentaria garb
inesperado unexpected
infamia infamy
infancia childhood
infeliz unfortunate; disagreeable
infierno inferno
influir to influence
informar to inform
ingeniería engineering
ingeniero engineer
ingenuo open, candid; innocent
inglés English
ingresar to enter
ingreso ingress
  puerta de ingreso entrance doors
iniciar to begin
  iniciarse to begin, learn
iniciativa initiative
ininterrumpido uninterrupted

256

injusto unjust
inmaculado immaculate
inminente imminent
inmóvil motionless
innecesario unnecessary
inolvidable unforgettable
insatisfecho unsatisfied
inseguro uncertain
insinuante insinuating
insoportable unbearable
instalado installed
instalarse to get settled, establish oneself
instintivo instinctive
institutriz *f* governess
intensidad intensity
intentar to attempt
intento effort
intermedio intermission
intervenir to intervene, come between
intimar to become friendly
intranquilidad restlessness
intransitable impassable
intrigar to intrigue
introducir to introduce
intromisión interruption
intruso intruder, outsider
intuir to intuit
inundación flood
inundar to flood
invadir to invade
inversión investment
investigador *m* researcher, investigator
invocar to invoke
ira anger
iracundo angry
ironía irony
irónico ironic
irreal unreal
irrealidad unreality

irritante irritating
irritar to irritate
irrumpir to raid

jadeante panting
jadear to pant
jalar to yank, pull
jalonear to pull, yank
jamona an overweight, middle-aged woman
jaripeo: al jaripeo riding on the back of a bull
jarocho person from the state of Veracruz
  de jarocha wearing the peasant costume of Veracruz
jaula cage
joya jewel
jubiloso merry
jubón *m*: **jubón de avispa** a tight-waisted dress
juego: en juego in play; at stake
juey *m* crab
jugada trick, move
juguetón playful
juicioso judicious
justificar to justify
juvenil youthful

laberinto labyrinth
laca lacquer
lacio straight (as hair)
lactancia nursing, period of suckling
ladeado tipped to one side
lado side
  hacer lado to give way, make room
ladrillo brick
ladrón *m* bandit
lagarto lizard; a sneaky person
lagrimear to sniffle, begin to cry

lagrimeo crying
laguna lagoon
lamentar to regret
lamentoso mournful
lampa miner's hoe or scoop
lámpara lamp
 lamparón *m* large lamp
lamparina miner's lamp
lancha motorboat, ferry
largar to fire, dismiss
 largarse to leave, get out
largo, larga long
 a la larga in the long run
 a lo largo all along
lastimado hurt
lastimar to hurt
lata tin can
lazo tie, bond
lealtad loyalty
lento slow
león *m* lion
lépera rabble
lepra leprosy
licorera liquor cabinet; flask
limón *m* lemon
limosna alms, charity
linchar to lynch
linterna lantern
lío bundle; mess
liquidado liquidated, finished
listo ready
liviano light, slight
loco mad, crazy; mad person
locomotora locomotive
lombriz *f* worm
lozanía freshness, vigor
lúbrico lewd, sexy
lúcido lucid, clear
lucido (*pp of* **lucir**) splendid; (*often ironically*) in fine condition
lucirse to look well, be attractive

lujo luxury
lujoso luxurious
lustroso bright, shiny
luto mourning
luz *f*: **luces reflejas** reflectors

llaga wound, sore
llama flame
llamada message; call, telephone call
llanto tears, weeping
llave *f* key
 llave de luz light switch
llevar to wear; to lead, take, carry
 llevarse un susto to be frightened
llorar: **llorar a gritos** to wail
lloroso tearful
lluvia rain

maceta flowerpot, vase
 macetón *m* large flower pot
macizo rock mass
machete *m* machete, large heavy knife
macho male
madeja tangle, snarl
madrugada dawn
maduro mature, ripe
maestro holder of a Master's degree; teacher
majadero dull, dumb; irritable
majestad majesty
mal wrong
malcriadez *f* rudeness, bad manners
malcriado rude, ill-bred
malcrianza rudeness
maldito damned
maledicencia slander
malentender to misunderstand
malentendido misunderstanding
maleta suitcase

maletilla traveling case, overnight bag

maligno evil

malo ill; bad, evil

  mal hablado ill spoken, backbiting, insulting

maltratar to mistreat

malvado wicked

mamá mother

mamón *m* child or animal not yet weaned

manada flock

manantial *m* spring, source

mandón *m* boss

mandón bossy

manga sleeve

mangle *m* mangrove tree

mano *f* hand

  darse la mano to shake hands

manojo handful

mantel *m* tablecloth

mantenerse to continue, remain

mapa *m* map, chart

maquinaria machinery

maquinista driver

Mar Caribe Caribbean Sea

marco frame

marchar to go away; to go along

marchito faded, withered

marea tide

marfil *m* ivory

marqués *m* marquis

más more

  más bien rather

mascada kerchief

máscara mask

mata thicket

matiz *m* tint, shading

matojo bush

matorral *m* brush, thicket

maullar to mew

máximo maximum, greatest

maya a species of thorny plant, related to the cactus

mecánico mechanical

mecate *m* rope, cord

mecedora rocking chair

mecerse to rock

mecha fuse, wick

medialuna halfmoon

media: a medias half, halfway

medicina medicine

medida: a medida que while

medio half; middle; method, means

  en medio de between, in the middle of

mediodía *m* noon

meditar to meditate

mediterráneo Mediterranean

medusa Medusa, a figure in Greek mythology; jellyfish

mejor: mejor dicho rather, that is

melao a sweet made of sugar cane syrup

mendicidad begging

menear to shake; nod, wag

meneo shaking

menopausia menopause

mente *f* mind

  in mente mentally

mentón *m* chin

menudear to be frequent, occur repeatedly

menudo rapid, hurried

  a menudo often, frequently

mercancía merchandise, wares

mestizo a mixture of Indian and white

meter to put in

  meterse to mix in, meddle

  meter la pata to blunder

metido stuck

metro meter (approximately 39 inches)
mezclado mixed
mezclarse to mix in, mingle with
miedoso fearful, afraid, timid
millonario millionaire
ministerio ministry
ministro minister, cabinet member
miopía myopia, near-sightedness
miriada myriad
misa mass, church service
miserable poverty-stricken; unhappy
miseria poverty
mismo same; very; self
 lo mismo the same thing
moda fashion, style
modelado modeling, sculpture
modernidad modernity
mofa mockery
mojigato bigot; hypocrite; fanatic
moler worry, molest, annoy, pester
molicie *f* softness
molinillo: molinillo de cintura hipswiveling
molón annoying, pesty
momento moment
 de momento for the moment
mona female monkey
monigote *m* hick, dope
monstruo monster
monstruoso monstruous
monte *m* mountain; forest, wild country
montón *m* pile
moño tuft, knotted ribbon; curl
morada abode, residence
morado purple
moro Moorish; Moor
mortificante mortifying; annoying
morral *m* sack
mozo young

múcaro owl
mudo mute, silent
muela molar
muerto dead man
muestra sign, indication
mugre dirty, filthy
muestrario sample book
mula mule
 mula de carga pack mule
mulato mulatto, mixture of Negro and white
multicolor multicolored
multitud *f* multitude
mundial worldly, worldwide
muñeca wrist
murciélago bat
murmullo murmur, whisper
mutilado mutilated
mutilar to mutilate

nacimiento birth
 de nacimiento from birth, at birth
nada: por nada nothing at all; it's nothing
nadar to swim
naranjal *m* orange grove
naranjo orange tree
Narciso Narcissus
natal natal, native
naturalidad naturalness
navegar to navigate, sail
necio stupid; foolish
negarse to deny, refuse
negociar to negotiate; to trade
negro black; Negro
negrolo Negro
nervio nerve
nervioso nervous
nevado a snow-capped peak
nieta granddaughter
niñería childishness

níspero a tropical tree
Niuyores (*dial.*) New York
nivel *m* level
noche *f* night
   noches de noches night after night
nombre *m* name
   a nombre mío in my name
normalizarse to become normalized
novatada initiation, hazing
nublarse to cloud up
nudo knot
   nudo en la garganta a lump in the throat
nuevamente again
nunca never
   nunca jamás never again, nevermore

Ña (*dial.*) Señora (Mrs., Madam)

obcecado blinded, obsessed
obra work; piece (of literature)
obrero worker
obsesionar to obsess
obstaculizar to create or present obstacles
obstáculo obstacle
ocioso idle
ocuparse de to take charge of
ocurrir to come to mind
odiar to hate
odio hatred
odioso odious, hateful
ofensivo offensive
oficina office
ofrecimiento offer, offering
ofuscar to confuse, dazzle
   ofuscarse to become confused or dazzled
ojalá may God grant

ola wave
oler a to smell like
olor *m* odor
olvidar: olvidársele a uno to be forgotten
olvido forgetfulness
ondulante wavy, waving
opacar to obscure, cover up
opinar to judge; to speak out
oponerse to oppose, resist
oportuno opportune
oportunamente in due time
oprimido oppressed
oprimir to push; to squeeze
optar (por) to choose
orden *f* order, command
   a sus órdenes at your service
organizar to organize
orgullo pride
orgulloso proud
orientar to orient, give direction
origen *m* origin
originalidad originality
originarse to originate
orquesta orchestra
orquídea orchid
osadía daring
oscurecer to darken, dim, become dark
   oscurecerse to become dark (as when lights in a room are turned off)
oscuridad darkness
oscuro dark
   a oscuras in the dark
oso bear
oveja sheep

padecimiento suffering
padrino godfather
pago payment
paila cauldron, kettle

261

paja straw
palabra word; word of honor
paladeado savored
palmada handclap
palmar *m* palm grove
palmear to applaud, clap
palmera palm tree
palmo span (approximately 8 inches)
palmotear to clap one's hands; to slap
palomo pigeon
palpar to feel, touch
palpitar to palpitate, throb
paludismo malaria
pandilla gang
pantalón *m* trousers
panza belly
papá *m* father
papel *m* paper; role, part
 en papel de playing the part of
 hacer papel to play a part; to be ridiculous
papelito foolishness
paquete *m* package
par *m* pair
 de par en par wide open
para in order to; for, to
 para adelante forward; looking forward
 para atrás backward; looking backward
paraíso paradise
paralítico paralytic; paralyzed
paralizado paralyzed
paralizar to paralyze
parecido resemblance
parecido resembling; similar
 bien parecido good-looking
pareja pair; partner
parir to give birth
parlamento speech, spoken part

parte *f* place; part; party, cause
 por partes bit by bit
participar to participate
partidario partisan
partido party, cause
partido broken
partir to leave, depart, start; to split, divide
parto birth
 estar de parto to be in childbirth
pasado overripe
pasajero fleeting
pasar: pasarse de la raya to go too far
pase come in; go in
pasear to move back and forth
paseo trip
pasillo hall
paso step; passage
 paso en falso false step
pasote *m* a species of bitter and evil-smelling medicinal herb
pastor *m* shepherd
pata leg
patada kick
patalear to kick, stamp
patíbulo gallows, scaffold
patillas sideburns
patón big-footed, clumsy-footed
patrocinado sponsored
patrón *m* boss
patrulla patrol
pausa pause
pausado deliberate, calm
pavo turkey
 pavo real peacock
pavor *m* dread, terror
payasada clownish act
pecado sin
pecador *m* sinner
pedagogía pedagogy, education

pedazo piece
  pedazo de idiota blasted idiot
pegar: pegar los ojos to sleep
peinado hairdo
peinarse (en) to wear one's hair (in)
pela beating
pelearse to fight, argue
película movie
peluche *f* plush
pellejo skin, pelt
pena grief; embarrassment
  dar pena to cause unhappiness
penca leaf
pendiente hanging
penetrante penetrating
penoso painful; distressing
penumbra shadow
peregrino pilgrim, wanderer
perfil *m* profile
perfilarse to be visible in profile
perforadora drill
perforar to drill
perfumado perfumed
periodista newspaperman
perla pearl
permiso: con su permiso excuse me, with your permission
pérpera designing woman
perplejo perplexed
persistir to persist
perspectiva point of view
peruano Peruvian
perversidad wickedness
perra small change
pesadilla nightmare
pesadumbre *f* sorrow
pesar to weigh; to cause regret
  no te pesará you won't be sorry
pestaña eyelash
  quemarse las pestañas to stay up all night

pestañear to blink
pestífero stinking
pestilencia pestilence; evil smell
petaca case, holder
petrificado petrified
pez *m* fish
picar to cut up, mince
picardía roguishness
pico pick; beak
pichón *m* young pigeon; darling
pieza piece; room; play, drama
pinche useless, worthless
pintarse to put on makeup
pintarrajeado daubed, painted up
piojo louse
pisar to walk on
pisco a type of alcoholic drink
pitirre *m* noisy and bossy bird, the gray kingbird; (*fig.*) bossy person
pito *m* whistle
planear to plan
plano map
plantarse to stand still, balk
plantígrado bearish
plátano banana
plateado silvered, silvery
plática chat
platicar to chat
plato giratorio turntable (of record player)
playa beach
playero pertaining to a beach
plebe *f* common people
pleito dispute, debate; lawsuit
plena a type of Andean Indian song
plutocracia plutocracy
plutócrata *m* plutocrat, wealthy person
pobre *m* or *f* poor thing
podrirse to rot

policía police force *f*; policeman *m*

polícromo many-colored

polvera powder compact

pomarrosa the rose-apple, a small fruit resembling an apple, with a rose-like scent

poncho poncho, a heavy cloak with a hole for the head

poner to put; to set (a table); to turn on (a machine or appliance)

  poner a funcionar to turn on, start (a machine)

  ponerse to become, get; to put on (clothes)

  ponerse a to begin

  ponerse en pie to stand up

ponzoñoso poisonous

popular lower class

por for, by, for the sake of

  por acá this way

  por ciento per cent

  por lo bajo under one's breath

  por poco almost

pordiosero beggar

porquería filth

portarse to behave

portazo doorslam

portezuela door of a truck

pos: en pos de after, behind; in pursuit of

poseído possessed

posponer to postpone

posterior posterior, back

postizo false hair

potencia: en potencia potential

potentado potentate, powerful person

práctica practice

precaución precaution

precipicio precipice

precipitarse to throw oneself; to rush

precipitado hurried

predicar to preach

preferible preferable

prejuicio prejudice

premio prize, reward

presa victim, prisoner

preocupado concerned

preocuparse to worry

preparatoria secondary school

prescindir (de) to get along (without)

presentir to have a foreboding

presión pressure

preso prisoner

prestarse a to lend itself to, be adaptable to

presumir to put on airs, be conceited

pretendiente *m* suitor

prevenirse to be or make ready, to prepare

prieto very dark; dark skinned

primaveral pertaining to spring

primor *m* beauty

prisión *f* prison

prismáticos binoculars, fieldglasses

privarse to do without

proceder *m* proceeding; conduct

procrear to procreate

profético prophetic

progresar to progress

progreso progress

prohibido prohibited, forbidden

prohibir to forbid

prolongado prolonged

promesa promise

proponerse to propose

proporcionado proportioned

propósito purpose, intention

  a propósito de in regard to

propuesta proposition, proposal
proseguir to continue; to follow
prostituta prostitute
protagonista *m* protagonist
proteger to protect
provechoso advantageous
provenir to originate
provocar to cause, provoke
psicopatología psychopathology
público audience
pucho cigarette butt
pudrirse to rot
pueblerino small townish
puente *m* or *f* bridge
puerco *m* pig
puerco filthy
puertorriqueño Puerto Rican
pujanza strength, vigor
pulmón *m* lung
pulso pulse
puna high, dry, cold Andean tableland
punta point
puntear: puntear las varillas to perform the movements (of a dance)
puntilla: de puntillas on tiptoe
puño fist

quebrada gorge, ravine
quedo quiet, still
quena musical instrument resembling the flute, popular among the Indians of Peru, Ecuador, and Bolivia
quiá ha!, come now
quinqué *m* lamp
quitar to take away, take off
  quitar la vista to look away
  quitarse to take off

rabia rage
rabioso furious

rabo: rabo del ojo corner of the eye
racha gust
radiola record player
raíz *f* root
rajarse to split open
rama branch, bough
rancio rancid; very old
rareza oddity
rasgo feature, characteristic
raspadillero vender of *raspadillo*, a mixture of grated ice and syrup
rata rat
rato little while
  a cada rato every little while
  al rato in a little while, shortly
  hace rato a while ago
  mal rato a bad time
ratón *m* mouse
rayado scratchy, scratched
razón *f* reason
  con razón properly, rightly
  dar la razón to admit someone is correct
  en razón de in regard to, in terms of
razonador reasoning, thoughtful
razonar to reason, figure out
reabrir to reopen
rebaño flock, herd
rebascoso insolent
rebelarse to rebel
rebelde rebellious
rebozo shawl
recado message
recaer to relapse
recámara bedroom
recapacitar to think over
recargar to overload
  recargarse (en) to lean (on)
receder to recede, withdraw
recelo suspicion

receloso suspicious
recibimiento reception
recio strong, vigorous
reclamación demand, claim
recluirse to shut oneself up
recodo angle, corner
recoger to gather; to shelter, take care of
reconvenir to reproach
recortado: recortado a la moderna cut in modern style
recortar to outline, suggest
rectificar to correct
recubrir to recover
recuperarse to recover, recuperate
redención redemption
reemplazar to replace
reemplazo replacement
refinar to refine
reflexionar to think, reflect
refrescar to refresh
regar to scatter, sprinkle
regla T T square
regreso: de regreso back again
rehacerse to rally, recuperate
reinar to reign
reino kingdom
reír: reír a carcajadas to guffaw
reja window grating
rejuvenecer, rejuvenecerse to rejuvenate, be rejuvenated
relacionarse to make connections
relamerse to relish, enjoy; to lick one's lips
relámpago lightning
relampagueante flashing
relampagueo flash, flashing
relativo relative
relato story
relevo relief
reloj *m* watch
reloj de bolsillo pocket watch

reloj de pulsera wrist watch
relojería watchmaker's shop; watchmaking
relojero clockmaker
relumbrar to shine
relumbre *m* shine, glitter
remate: loco de remate raving mad
remecerse to rock, sway
remilgo prudery, squeamishness
remolino whirlpool; commotion
remoto remote
remover to push aside
rencor *m* rancor, animosity, grudge
rendir to produce
renovar to renew
reparar en to notice
reparto cast of characters
repelo aversion, prejudice
repentino sudden
repetir to repeat
replegarse to retreat
reponerse to recover
reportarse to control oneself
representado represented
reprimir to repress
reprochar to reproach
resaltar to stand out
rescatar to rescue, ransom
resentimiento resentment
residencia home
residir to reside
resignado resigned
resistirse to resist; to bear, stand
resolverse to resolve, determine
respecto: al respecto about, in regard to (something)
respirar to breath, exhale, give off
resplandor *m* splendor
restañar to stanch (blood)
restar to lessen, weaken
restregar to rub
resuelto (*pp of* **resolver**) resolved

resumen: en resumen in short
resurrección resurrection
retama a type of broom shrub
retener to retain
retorcer to twist
retrasarse to be late, be backward
retratarse to have one's picture taken
retroceder to back up
retrógrado backward, reactionary
retumbar to resound, echo loudly
reunión meeting
reunirse to meet, join together
reventar to burst; to die; to perform dance steps
reverencia curtsy
revés: al revés de on the contrary, just the opposite
revestido covered
revirar to come back, tack again
revolcar to wallow; to knock down
revolotear to flutter
revolucionario revolutionary
revuelo movement, gyration
ribereño coastal
rienda rein
   rienda suelta free rein
rinconera corner stand or cupboard
riñón m kidney
   riñones courage, "guts"
ríoplatense pertaining to the Rio de la Plata region of Argentina and Uruguay
risco cliff
rítmico rhythmic
ritmo rhythm
rizado ripple
roca rock
rogar to beg, plead, pray
rojizo reddish

rollo roll, coil
rompecabezas m puzzle, riddle
romper to break, destroy
   romper a to burst into, start (doing something)
ron m rum
roncar to snore
rondar to hover, hang around
ronquido snore; hoarse noise
ropa clothing
   ropa de novia trousseau
   ropa de campo work clothes
rosado rose colored
ruborizarse to blush
rudo rough
rueda circle
ruego plea
rufián m ruffian
rugir to roar
ruiseñor m nightingale
ruleta roulette
rumbo: rumbo a on the way to
rumor m sound

sábana sheet (for a bed)
saber to know, find out
   saber a to taste like
sacar to get an idea, figure
sacramentado sacramental, consecrated
sacramentar to consecrate
sacrificio sacrifice
sagrado sacred
sainete m a one-act farce
salcochar to boil
sal f salt, chemical salts
salido sticking out
salirse to leave, go out; to appear, come out; to turn out, result
salón m: salon de baile dancehall, nightclub
salto leap

saltón projecting, protuberant

salud *f* health; your health!

salva: a salva safe

salvaje savage

sandalia sandal

sangrado bled

sangrante bleeding

sangrar to bleed

sanguinario bloody, bloodthirsty

sanseacabó that's that

santiaguino of or from Santiago

santuario sanctuary

saña passion, fury

sargento sergeant

sato barking

savia sap, juice

sazonado seasoned

secundar to second, help

seguridad certainty, safety

seguros insurance policies

selva jungle

sello record label

sembrar to plant

sendo one each

sentido sense

sentido resentful

sentón *m*: **darse un sentón** to fall backwards

señorona great lady; old woman

sepultado buried

séquito retinue, group of followers

serafín *m* seraph, angel

serenarse to calm down; to clear up

seriedad seriousness

serio: en serio seriously

serpentina coil (as a coil of wire)

servidora servant

servir de to serve as

sien *f* temple (of the head)

sierra mountain ridge or chain

signo sign

sílaba syllable

silabear to pronounce by syllables

silbar to whistle

sílice *f* silica

silueta silhouette

simpatía congeniality

simpático charming, congenial

simular to simulate, pretend

simultáneo simultaneous

sinceridad sincerity

sincero sincere

sindical of or by a union

sínsola a very distant place

sintaxis *f* syntax

sinvergüenza *m* or *f* rascal

siquiera: ni siquiera not even

vaya siquiera get going

sirena siren, mermaid; vamp, coquette

Siripo title of a play by Juan Manuel de Lavardén, named for one of the lead characters

sirvienta servant

sísmico seismic

sobrar to be in excess, be more than enough

sale sobrando it is unnecessary

sobrentenderse to be understood, be assumed

sobreponerse to overcome; to control oneself

sobresaltarse to be startled

sobrevenir to happen

socarrón sly, mocking

socavón *m* mine tunnel

sofocar to suffocate, stifle

sol *m* Peruvian coin

solapa lapel

solas: a solas alone

soledad solitude

solitario solitary

soltero unmarried; bachelor

solterona old maid
solución solution
sollozar to sob
sollozo sob
son *m* a particular type of music
 en son de in the guise of,
  pretending
sonámbulo sleepwalking
sonarse la nariz to blow one's
 nose
sondear to sound, probe
sonoridad sonority, sound
sonriente smiling
sonrosado pink, blushing
soñador dreamer
sopera soup tureen
soportar to allow, put up with
sorbo sip, swallow
sorprendido surprised
sosiego calm, tranquility
sostenerse de to support oneself,
 lean on
suavidad gentleness, softness
subconsciente subconscious
subirse to rise, go up, climb
súbito sudden
subrayar to underline
subterráneo subterranean
suciedad filth
súcubo imp, gremlin
sudor *m* perspiration, sweat
sudoroso perspiring
sueldo salary
suelto (*pp of* **soltar**) loose, free
sueño dream, sleep
 tener sueño to be sleepy
sumar to add up
sumergido submerged
sumergirse to submerge
sumo extreme
superficie *f* surface
superar to overcome, surpass

súplica entreaty, plea
suplicante entreating, pleading
supremo supreme
supuesto: por supuesto of course
surgir to surge, appear, come
 forth
suspender to suspend, stop
suspendido suspended
susto fright
súsubo (*var. of* súcubo) imp,
 gremlin
susuvano an empty-headed person

tabla: tabla de salvación life raft
taconeo sound of heels
tacha flaw, blemish
taita *m* dad, boss
tajo slash
tal such; in such a way
 tal vez perhaps
taladrar to drill
talón *m* heel (of a shoe)
tallar to rub, polish
tambaleante staggering
tambalearse to stagger
tambo barrack, cabin
tanto so much, so many; as much,
 as many
 al tanto informed
 un tanto somewhat
tapia wall, fence
tarado defective, retarded
tardar to be late
tarde *f* afternoon, evening
 de tarde en tarde from time to
  time
tarea task
tarima platform
tártago spurge, a plant whose
 bitter leaves are both emetic
 and purgative

tatarabuelo great-great-grand-father

teclado keyboard

técnica technique

tecomate *m* water wing

tejado rooftop

tela cloth, material

  tela de araña spiderweb, cob-web

telón *m* curtain (of a theater)

telúrico of nature or the earth

tema *m* matter, topic

tembladera quagmire

tembluscón trembling

temeridad temerity, recklessness

temple: al temple with water-soluble paint

temporada season; spell, while

tendencia tendency

tenderse to stretch out

tener to have

  tener que ver to have to do with; to make a difference

tenso tense, taut

tenue tenuous

teodolito theodolite, a surveying instrument

terco stubborn

terminante final, decisive

término end, limit

  primer término stage front

  segundo término center stage

  tercer término stage rear

  término lejano far off; remote spot; background

  término medio middle ground, neither one thing nor another

ternura tenderness

terráqueo terraqueous

Teseo Theseus, a figure in Greek mythology

testigo witness

tez *f* complexion

tibio lukewarm

tiburón *m* shark

tiliche *m*: **cuarto de tiliches** store-room

timba drum

timbalero drummer

timbre *m* buzzer, doorbell

tiniebla shadow, darkness

tipo kind, type; (*col.*) oddball

tirano tyrannical

tirarse to leap, dive

tirifilo dude

tirita small stripe

titilar to blink on and off

titubeo wavering, hesitation

título academic degree

tiznado sooty, blackened

toalla towel

tobillo ankle

tocar to play (an instrument); to touch; to knock

  tocarle to be one's turn

tocino bacon

tolerar to tolerate

tomar to take

  tomar a mal to take in the wrong way

  tomar en cuenta to take into consideration

tomate *m* tomato

tonelada ton

toparse con to meet, run into

toque *m* touch

torcido twisted

tormenta storm, tempest

tornarse to become, turn into

torno: en torno de around, about

torpe clumsy

tortilla (*Mex.*) a round, thin, flat cake made of corn meal

tórtola turtledove

tortuga tortoise
tortura grief; torture
torturar to grieve; torture
tos *f* cough, coughing
tosco crude; uncouth
toser to cough
tozudo stubborn
trabajador *m* worker
trabajoso difficult, laborious
traducir to translate
tragar to devour
trago drink, swallow
traicionar to betray
traje *m* dress; suit
  traje de baño bathing suit
  traje de noche evening dress
  traje sastre tailored suit
tramo stretch; section
trampa trap
transcurso passage (of time)
transfigurado transfigured
transfigurarse to be transfigured
transitable useable, passable
tránsito traffic
translúcido translucent
trapicheo whirling
trapo rag
traspié: a puro traspiés stumbling all over
trastes *m* odds and ends
trastornar to upset, disturb
trastorno disturbance
tratar to deal with; to treat, be friendly with
  tratar con to have dealings with
  tratarse de to be about
trazar to trace
treintón thirtyish
trenza braid
trepador *m* social climber
treparse to climb up, clamber
trigo wheat

trigueño dark, swarthy
trino trill
tripié three-legged
triscar frolic
tromba waterspout
trompo top
tronar to thunder
  tronar los dedos to snap one's fingers
tronco trunk
  de tronco straight
tronchar to cut off
tropel: en tropel in a throng, bustling
tropezarse to stumble
tropezón *m* tripping, stumbling
trotar to run around, hustle
truco trick, maneuver
tuberculoso tubercular
tumba tomb
tumbo tumble, fall
tumultuoso tumultuous
túnel *m* tunnel
tuntuneco a nobody
turbante *m* turban
turista *m* or *f* tourist
Turquestán Turkestan

ultramar *m* beyond the sea
umbral *m* threshold
unánime unanimous
unción unction
unirse to join together
universitario pertaining to a university
usanza usage
uso: de uso usually
utilería props (theatrical)

vacilante vacillating
vacilar to vacillate
vadear to wade
vagar to wander

271

valer: valer la pena to be worth-
   while
valiente *m* brave man
vals *m* waltz
valle *m* valley
vanidad vanity
vanidosa conceited woman
varado stranded
varilla step or figure of a dance
varón *m* male
varonil masculine
vasco Basque
vehemencia vehemence
vehículo vehicle
veliz *m* valise
veloz rapid, swift
vendedor *m* salesman
veneno poison
vengarse to avenge, take revenge
venir to come
ventaja advantage
verse to appear, look
vereda path
vergel *f* flower garden
vergonzoso bashful
vergüenza shame
verter to pour out, spill
vértigo dizziness
vestido dress, clothing
   vestido casero housedress
   vestido de noche evening dress
vestir to dress; to wear
   a medio vestir half-dressed
   vestir de to dress in
   vestirse to get dressed
vestuario wardrobe
vibrar to shake, vibrate
viciado contaminated
vicioso vicious; large, abundant
viejos old people; (*col.*) parents
vienés Viennese
viento: al viento open air

vientre *m* womb
vigilar to watch over, guard
vigoroso vigorous
vil vile
vinagre *m* vinegar
violencia violence
virgen *f* virgin
vislumbrar to glimpse
visitante *m* or *f* visitor
vitrina cabinet with a glass front
vivienda dwelling
vocerío clamor, shouting
vociferar to shout, speak loudly
volar to blow up, explode
volcar to spill
voltear to turn; to turn inside out;
   to overturn
voz *f* voice; signal
   voces shouts
vuelo flight
vuelta turn, return
   dar la vuelta to turn around
vulgar ordinary, common

yodado containing iodine
yuca manioc or cassava, a plant
   with edible roots widely cultivated in Latin America

zafado crazy, "off the track"
zafíreo like a sapphire
zamaquear to shake
zambo mixture of Indian and
   Negro
zambullirse to dive, plunge
zancada leap, long stride
zarandear to shake, sift
zarza bramble
zócalo central plaza of a town
zopilote *m* buzzard
zumbar to buzz, hum
zumo juice, sap

DATE DUE